DAS GROSSE
ITALIEN
KOCHBUCH

Herausgegeben von der Zeitschrift

**essen &
trinken**

Sonderausgabe der Naumann & Göbel Verlagsgesellschaft mbH
in der VEMAG Verlags- und Medien Aktiengesellschaft, Köln
Alle Rechte bei Gruner+Jahr AG & Co., Hamburg
Redaktion: Renate Peiler
Titel und Layout: Jürgen Pengel
Grafik: Ricarda Fassio
Rezeptentwicklung: „Essen & Trinken"-Versuchsküche und Inge Schiermann
Fotos: Hans-Jürgen Schmidt, Heino Banderob, Gruner+Jahr-Syndication
Arrangement: Michaela von Hacht, Jeanne Alice Dörr
Illustration: Hatsumi Riemer
Umschlaggestaltung: Rincón Partners, Köln
Gesamtherstellung: Naumann & Göbel Verlagsgesellschaft mbH, Köln
Alle Rechte vorbehalten
ISBN 3-625-10889-5
600438/834006

essen &
trinken

DAS GROSSE
ITALIEN
KOCHBUCH

INHALT

EIN FALL VON LIEBE

*Dieses Buch ist eine deutsche
Liebeserklärung an die italienische
Küche, und eben weil es eine
Liebeserklärung ist, kann es keine
platt und sklavisch ins Deutsche gebrachte
Sammlung streng authentischer
italienischer Rezepte sein, sondern bietet
die Essenz der Eßkultur Italiens,
gesehen durch ein in Italien verliebtes
deutsches Temperament. Was
hübsch poetisch klingt, aber auch sehr
erwünschte praktische Konsequenzen hat,
nämlich den strikten Verzicht auf
den hierzulande aus Mangel an gewissen
Zutaten schlechterdings nicht mach-
baren Teil italienischer Kochkunst – denn
wer sie liebt, diese nur auf ihrem
heimischen Boden gelingenden Gerichte,
der verzichtet auf Surrogate.
Übrigens ist es eine sehr gestandene Liebe
zum kulinarischen Italien, die hier zu
Worte kommt, denn von einem Strohfeuer
kann nicht die Rede sein, wenn eine
ganze Redaktion einer großen Zeitschrift
für Eß- und Trinkkultur sich seit 17
Jahren immer wieder auch um
das ,,Umtopfen'' der Italien-Küche bemüht.
Den Extrakt aus diesen Bemühungen
enthält dieses Buch, und, Bescheidenheit her,
Bescheidenheit hin, wer Italien liebt,
wird auch dieses Buch lieben.*
Dr. Hansgeorg Bergmann

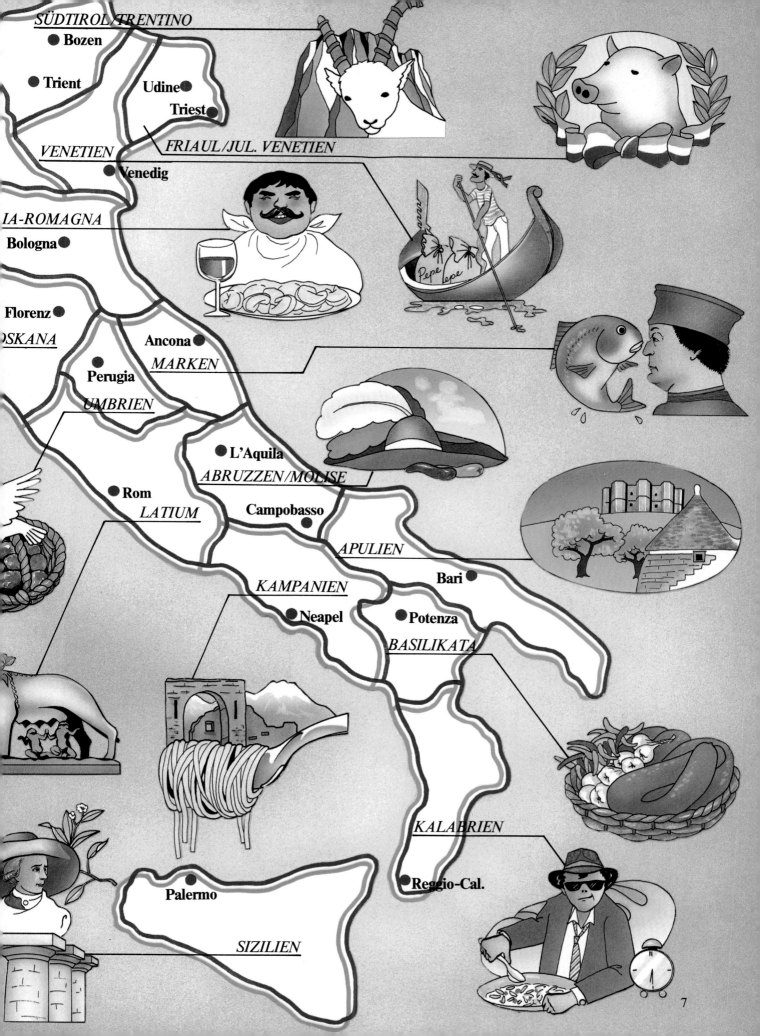

SÜDTIROL/TRENTINO
- Bozen
- Trient
- Udine
- Triest

VENETIEN
- Venedig

FRIAUL/JUL. VENETIEN

...IA-ROMAGNA
- Bologna

...OSKANA
- Florenz

- Ancona

MARKEN

- Perugia

UMBRIEN

- L'Aquila

ABRUZZEN/MOLISE

- Rom

LATIUM

- Campobasso

APULIEN

KAMPANIEN

- Bari

- Neapel

- Potenza

BASILIKATA

KALABRIEN

- Reggio-Cal.

- Palermo

SIZILIEN

7

VORSPEISEN
ANTIPASTI

Gemüsefondue

Bagna cauda
Piemont

Für 6 Portionen:
2 rote Paprikaschoten
2 Bund zarte Frühlings-
zwiebeln
1 Bund junge Möhren
1 Staudensellerie
2 Fenchelknollen
2 Chicoree
Sardellensauce:
6 Sardellenfilets
2 Knoblauchzehen
100 g Butter
⅛ l Olivenöl

Gemüse putzen und wa-
schen. Paprikaschoten in
2 cm breite Streifen
schneiden. Frühlingszwie-
beln längs halbieren. Möhren längs vierteln. Selle-
riestangen längs halbie-
ren. Fenchel in dünne
Scheiben schneiden. Chi-
coree in Blätter zerlegen.
Gemüse auf einer Platte
oder einzeln in Schälchen
anrichten.

Für die Sauce Sardellen-
filets abspülen, trocknen,
wie den gepellten Knob-
lauch fein hacken.
Butter in einer Fondue-
Pfanne schmelzen, Knob-
lauch darin andünsten,
ohne daß er braun wird.
Olivenöl und Sardellen
zugeben und bis zum
Siedepunkt erhitzen. Sau-
ce auf kleinster Hitze
10 Min. leise kochen las-
sen. Dann bei Tisch auf
einem Rechaud warm
halten. Die vorbereiteten
Gemüse per Hand oder
mit der Gabel eintunken.

Zubereitungszeit: 30 Minuten
1 Port.: 6 g E, 32 g F, 13 g KH =
1556 kJ (372 kcal)

Die passende Variation:
Sie können die Bagna
cauda während des gan-
zen Jahres auf den Tisch
bringen, weil sich jedes
Gemüse zum Eintauchen
in die heiße Sauce eignet.
Die Sauce kann übrigens,
wie im Piemont üblich,
entweder mit Sahne oder
mit einem roten Barbera
„gestreckt" und einer ge-
hackten Trüffel gewürzt
werden.

Die passende Beilage:
Grissini
Lange, schmale Weißbrot-
stangen, die Grissini
heißen, sind die passende
Begleitung zur Bagna
cauda. Diese Turiner Spe-
zialität gibt es bei uns
nicht nur in italienischen
Geschäften, sondern auch
in Supermärkten und
Warenhäusern zu kaufen.
Eine angebrochene
Packung sollte man
schnell verbrauchen.
Grissini werden weich und
schlaff, wenn man sie
länger offen liegen läßt.
Man kann sie übrigens
auch wunderbar mit
Schinken oder mit Salami
umwickeln und so als
Vorspeise anbieten.

Rohes Gemüse mit zwei Saucen

Pinzimonio
Sporting Club,
Porto Rotondo, Sardinien

Für 6 Portionen:
1 Bund junge Möhren
2 gelbe Paprikaschoten
1 Salatgurke
1 Staudensellerie
Sauce:
⅛ l sehr gutes, kalt-
gepreßtes Olivenöl
Salz
Pfeffer a. d. Mühle

Die Möhren schälen, wa-
schen, längs vierteln oder
halbieren. Paprikaschoten
halbieren, entkernen, wa-
schen, in 2 cm breite
Streifen schneiden. Gurke
schälen und halbieren,
mit einem Löffel die Ker-
ne herauskratzen. Gur-
kenhälften quer und längs
halbieren.
Eiswürfel in ein sauberes
Tuch geben, vorsichtig
mit einem Hammer zer-
kleinern, dann in eine
große Schüssel geben.
Das vorbereitete Gemüse
darin senkrecht anrichten.
Für die Sauce das Öl erst
mit Salz und dann mit
reichlich frisch gemahle-
nem Pfeffer würzen.
Bei Tisch wird das Gemü-
se dann in das gewürzte
Öl gestippt.

Zubereitung: 30 Minuten
1 Port.: 2 g E, 17 g F, 6 g KH =
803 kJ (192 kcal)

Das paßt dazu:
Als Brot Grissini und
dann zum Stippen noch
eine zweite Sauce, z. B.
die pikante Mayonnaise
von S. 126.

Die passende Geschichte:
Pinzimonio heißt eigent-
lich nur die aus bestem
Olivenöl, reichlich Salz
und frisch gemahlenem
Pfeffer zusammengerühr-
te Sauce. In den einfa-
chen Weinwirtschaften
wird sie im Winter zu
jungem Wein und zartem
frischen Fenchel serviert.

Diese schöne kalte Vorspeise
aus frischem Gemüse
ist fast nie auf einer Speisen-
karte zu finden. Man muß
einfach nach einem
Pinzimonio fragen, der dann
auch blitzschnell und äu-
ßerst bereitwillig serviert wird,
weil die Frage Kenner-
schaft verheißt

13

Parmaschinken und Melone

Prosciutto e melone

Für 12 Portionen:
4 größere oder
6 kleine Galia- oder
Ogen-Melonen
1,25 kg Parmaschinken
(möglichst dünn
geschnitten)
evtl. Pfeffer a. d. Mühle

Melonen halbieren, mit einem Löffel die Kerne herausschaben. Melonenhälften vierteln oder sechsteln, entweder auf Portionstellern oder auf einer großen Platte anrichten und mit Schinkenscheiben belegen. Pfeffermühle bereitstellen.

Zubereiten: 20 Minuten
1 Port.: 21 g E, 35 g F, 25 g KH
= 2176 kJ (521 kcal)

Das paßt hinterher:
Mit Melone und Schinken kann man eigentlich jedes schöne italienische Essen einleiten. Wenn es jedoch keinen Fleisch- oder Fischgang geben soll, darf es nach dieser leichten Vorspeise eine üppigere Pasta geben, zum Beispiel eine Steinpilz-Lasagne (S. 38).

Zucchini in roher Tomatensauce

Zucchini in salsa cruda di pomodoro

Für 4–6 Portionen:
1,5 kg nicht zu große
Zucchini
Salz
³/₈ l Tomatensaft
¼ l Olivenöl
3 mittelgroße
Knoblauchzehen
schwarzer Pfeffer (Mühle)
4 Bund Basilikum

Zucchini putzen, waschen und der Länge nach in ½ cm dicke Scheiben schneiden. Die Scheiben auf Küchenkrepp ausbreiten und dünn mit Salz bestreuen. Zucchini so in 15 Min. Wasser ziehen lassen.
In der Zwischenzeit Tomatensaft mit ⅛ l Öl verquirlen. Knoblauchzehen pellen, in den Tomatensaft pressen, herzhaft salzen und pfeffern. Zucchinischeiben trockentupfen. Basilikumblätter von den Stielen zupfen. Das restliche Öl in einer großen Pfanne erhitzen. Zucchinischeiben darin portionsweise von allen Seiten braun braten, danach wieder auf Küchenkrepp ausbreiten. Zucchinischeiben mit dem

Basilikum in ein Glas schichten, mit der Tomatensauce übergießen und zugedeckt eine Nacht durchziehen lassen.
Zucchini entweder allein oder als Bestandteil einer großen Vorspeisenplatte servieren.

Zubereiten: 1 Stunde
Marinieren: über Nacht
1 Port. (bei 6 Port.): 3 g E, 42 g F,
16 g KH = 1988 kJ (475 kcal)

Und so wird serviert:
Eine große Platte mit Salatblättern auslegen. Zucchinischeiben daraufgeben. Schwarze und grüne Oliven, gehobelten Käse und hauchdünne Salamischeiben mit auf die Platte geben. Frisches Baguette dazu servieren.

Praktisch: Zucchini
Je kleiner die Zucchini sind, die Sie für diese Vorspeise verarbeiten, um so besser. Sie sind im Fruchtfleisch fester und im Geschmack viel ausgeprägter. Zucchini machen in der Küche keine Arbeit, weil sie nur gewaschen und nicht auch noch geschält werden müssen.

Zuerst werden die Zucchini in einer
herzhaften rohen Tomatensauce
zwischen Basilikumblättern mariniert.
Beim Anrichten mit Käse, Oliven,
Salami und Meterbrot sind sie dann der
Mittelpunkt auf einer italienisch an-
gerichteten Vorspeisenplatte

13

Kalbfleisch mit Thunfischsauce

Vitello tonnato
Mailand, Lombardei

Für 6 Portionen:
*1 kg Kalbfleisch (Nuß
oder Filet), Salz
1 Bund Suppengrün
2 Lorbeerblätter
1 Zwiebel, 1 Chilischote*

Thunfischsauce:
*1 Dose Thunfisch
(naturell, ca. 200 g EW)
4 Sardellenfilets (abge-
spült)
2 EL Kapern
8 Cornichons (gehackt)
2 Eigelb (von hartgekoch-
ten Eiern)
Pfeffer a. d. Mühle
200 ccm Olivenöl
1 EL Essig
4 EL Zitronensaft*

Kalbfleisch in leicht ko-
chendes Salzwasser ge-
ben. Geputztes, grob zer-
teiltes Suppengrün, Lor-
beer, Zwiebel und Chili-
schote auch. Fleisch auf
kleinster Hitze 1½–2 Std.
garen, im Sud abkühlen.

Für die Sauce Thunfisch
abgetropft zerpflücken. In
einer Schüssel 50 ccm
Kalbsbrühe, Sardellenfi-
lets, 1 EL kleingehackte
Kapern und 4 EL klein-
geschnittene Cornichons
mit dem Schneidstab pü-
rieren. Eigelb durch ein
Sieb drücken und unter-
mischen, salzen und pfef-
fern. Öl in dünnem Strahl
unterrühren, mit Essig
und Zitronensaft würzen.
Kaltes Fleisch in feine
Scheiben schneiden, an-
richten und dabei dick
mit der pastigen Sauce
bestreichen. Mit Kapern
und Cornichonstreifen
garnieren.

*Zubereiten: 2½ Stunden
1 Port.: 43 g E, 36 g F, 1 g KH =
2240 kJ (535 kcal)*

Die passende Variation:
Statt mit Essig und Zitronensaft kann auch mit ei-
nem trockenen Weißwein
gewürzt werden.

Geröstetes Brot mit Trüffelpaste

Crostini al tartufo nero
Norcia, Umbrien

Für 4 Portionen:
*100 g schwarze Trüffel
2 Sardellenfilets
3 EL Olivenöl, Pfeffer
4 Scheiben Toastbrot
grüne Oliven*

Trüffel unter Wasser gut
bürsten, trocknen, fein
reiben. Abgespülte Sar-
dellenfilets im Mörser mit
Öl zerstoßen. Trüffel un-
termischen. Paste leicht
mit Pfeffer würzen. Auf
geröstetes Toastbrot streichen. Scheiben diagonal
halbieren. Beim Anrich-
ten mit Oliven garnieren.

*Zubereiten: 20 Minuten
1 Port.: 4 g E, 9 g F, 14 g KH =
639 kJ (153 kcal)*

Die passende Variation:
Die Paste können Sie
auch mit aromatischen
Champignons machen.

Geröstetes Brot mit Leberpaste

Crostini con rigagli
Campello, Umbrien

Für 6–8 Portionen:
*200 g Hühnerleber
100 g durchw. Speck
50 g Parmaschinken
10 Wacholderbeeren
2 Lorbeerblätter
1 kleiner Rosmarinzweig
1 Salbeiblatt, je 1 Oran-
gen- u. Zitronenscheibe
3 EL Öl
3 EL Rotweinessig
Salz, Pfeffer (Mühle)
20 g Butter
4 Scheiben Toastbrot*

Leber, Speck, Schinken
(alles kleingehackt) mit
den anderen Zutaten (bis
auf die Butter) rösten.
Große Gewürze heraus-
nehmen. Soviel Butter zu-
geben, bis eine Paste entsteht. Kalt auf geröstetes
Brot streichen.

*Zubereiten: 30 Minuten
1 Port. (8 Port.): 9 g E, 18 g F,
6 g KH = 962 kJ (230 kcal)*

*Umbrischer Antipasto-
Teller im Winter:
geröstetes Brot mit einer
Paste aus schwarzen
Trüffeln und mit einer aus
Hühnerleber. Dazu
frisch geerntete grüne und
schwarze Oliven und
Kirschtomaten*

15

Ligurischer Tintenfischsalat

Insalata di polipi e patate
*Bistro Schmidt-Grashoff,
Bremen*

Für 4 Portionen:
750 g kleine, festkochende
Kartoffeln
Salz
400 g frische, geputzte
Tintenfische (Fisch-
händler)
4–5 EL Olivenöl
weißer Pfeffer (Mühle)
1 Bund Basilikum
25 g kleine Kapern
1 EL Basilikumpaste
(fertig gekauft oder
Rezept Pesto auf S. 124)
2 EL Zitronensaft

Kartoffeln schälen, waschen und mit Salz kochen. Inzwischen Tintenfische abspülen und in ½ cm dicke Ringe schneiden. 2 EL Öl in der Pfanne erhitzen. Tintenfische darin 2–3 Min. andünsten, hinterher salzen und pfeffern und zugedeckt beiseite stellen.

Basilikumblätter von den Stielen zupfen. Kapern im Teesieb abspülen, in eine vorgewärmte Schüssel geben und mit der Gabel grob zerdrücken. Basilikumpaste mit Zitronensaft, restlichem Öl und Kapern mischen, mit den Tintenfischen (ohne Flüssigkeit) vorsichtig unter die gut abgedämpften Kartoffeln heben. Salat salzen, pfeffern, die Hälfte Basilikumblätter unterheben. Salat etwas durchziehen lassen, mit den restlichen Basilikumblättern bestreuen.

Zubereiten: 1 Stunde
1 Port.: 18 g E, 13 g F, 28 g KH
= 1376 kJ (329 kcal)

Warum kommen die Bohnen in die Flasche?

Die weißen Bohnen aus der Chianti-Flasche sind ein uraltes toskanisches Rezept. Und ein praktisches zudem, weil man früher mit der Zubereitung die Resthitze vom Brotbacken im Ofen ausgenutzt hat. Waren die Brote raus und das Feuer verglüht, wurden die gefüllten Flaschen tief in den Ofen eingeschoben, und die Bohnen konnten ganz langsam vor sich hin garen. Je langsamer um so besser. Das gilt auch für unsere modernen Backöfen. Je niedriger die Temperatur gehalten wird, um so besser gelingen die Bohnen.

Bohnen aus der Chianti-Flasche

Fagioli al fiasco
Toskana

Für 6–8 Portionen:
500 g große weiße Bohnen
2 Knoblauchzehen
6 Salbeiblätter
1 getrocknete Chilischote
Salz
50 ccm Olivenöl

Bohnen über Nacht in reichlich kaltem Wasser einweichen. Am nächsten Tag das Wasser abgießen. Knoblauchzehen pellen. Salbeiblätter waschen. Chilischote längs halbieren und die Kerne herauskratzen.

Bohnen, Knoblauch, Salbei und Chilischote in eine sauber ausgespülte Glasflasche geben. Etwas Salz zugeben. Öl und ½ l kaltes Wasser zugießen. Die Flasche mit einem Stoffpfropfen locker zustöpseln, damit das Wasser verdampfen kann. Flasche in den Backofen stellen. Die Bohnen bei 120 Grad (Gas 1) etwa 3 Stunden garen. Eventuell zwischendurch heißes Wasser zugießen, wenn die Flüssigkeit verdampft sein sollte. Es darf kein Wasser mehr in der Flasche sein, wenn die Bohnen gar sind.

Zubereiten: 3–5 Stunden
1 Port. (8 Port.): 13 g E, 6 g F,
30 g KH = 984 kJ (235 kcal)

Das paßt dazu:

Am besten eine toskanische salamiähnliche Wurst, die **finocchiona** heißt. Sie wird aus dem Fleisch von Hausschweinen gemacht und mit Knoblauch, Pfeffer und sehr viel Fenchel gewürzt.

Übrigens:

Die Bohnen werden vor dem Essen noch einmal mit einem sehr guten Olivenöl beträufelt.

Weiße Bohnen aus der Chianti-Flasche – Fagioli al fiasco. Ein besonders schönes Rezept nicht zuletzt deshalb, weil vorher der Chianti getrunken werden muß, ehe die Flasche gefüllt werden kann

17

Von den Hirten der Insel Capri erfunden: die schönste Vorspeise Italiens – die Caprese. Gerichte wie diese schlichte, höchst raffinierte Vorspeise aus Tomaten, Mozzarella und Basilikum machen den guten Ruf der italienischen Küche aus

Steinpilze in Basilikumöl

Funghi porcini in olio al basilico

Für 4 Portionen:
500 g Steinpilze
2 Knoblauchzehen
2 Bund Basilikum
6 EL Olivenöl
Salz
Pfeffer a. d. Mühle

Die Steinpilze putzen und nur wenn nötig waschen. Dann in lange Scheiben schneiden.
Die Knoblauchzehen pellen und dann in hauchdünne Scheiben schneiden. Das Basilikum waschen, gut trocknen, die Blätter grob hacken.
Das Öl in einer sehr großen Pfanne heiß werden lassen. Die Pilzscheiben darin von beiden Seiten goldbraun braten und anschließend mit Salz und Pfeffer würzen.
Knoblauch und Basilikum zu den Pilzen geben, vorsichtig mischen und sofort servieren. Die Pilze sollten zumindest noch lauwarm sein.

Zubereiten: 30 Minuten
1 Port.: 3 g E, 15 g F, 5 g KH =
724 kJ (173 kcal)

Das paßt dazu:
Frisches knuspriges Baguette, damit man das Öl vom Teller reiben kann.

Der passende Tip:
Die Steinpilze können bei Tisch noch zusätzlich mit ein paar Tropfen von einem sehr guten Olivenöl gewürzt werden.

Tomaten mit Mozzarella und Basilikum

Pomodori, mozzarella e basilico: Caprese

Für 6 Portionen:
1 kg Tomaten
300 g Mozzarella
4 EL Olivenöl
2 EL Weinessig, Salz
grober schwarzer Pfeffer
3 Bund Basilikum

Die Tomaten waschen, wie den Käse in Scheiben schneiden. Im Wechsel anrichten. Öl und Essig verrühren und darübergießen, mit Salz und Pfeffer würzen. Zum Schluß mit grob zerpflücktem Basilikum bestreuen.

Zubereiten: 15 Minuten
1 Port.: 14 g E, 19 g F, 6 g KH =
1096 kJ (262 kcal)

Schweinefilet in Balsamsauce

Filetto di maiale in salsa balsamica
Auf dem oberen Teller

Für 10 Portionen:
400 g Schweinefilet
Salz, weißer Pfeffer
4 EL trockener Weißwein
2 EL Balsamessig
3 EL Olivenöl
1 Zweig Rosmarin

Schweinefilet mit Salz und Pfeffer einreiben. 2 EL Wein mit Essig mischen. Öl in der Pfanne erhitzen. Filet darin rundherum anbraten. Die Rosmarinnadeln darüberstreuen. Fleisch 10 Min. sanft braten, aber nicht bräunen. Dabei nach und nach die Wein-Essig-Mischung zugießen und immer wieder einkochen lassen.
Filet fest in Alufolie wickeln. Bratfond mit restlichem Wein loskochen. Kaltes Filet in dünne Scheiben schneiden. Den Fleischsaft aus der Folie mit der Sauce verrühren, über das Filet gießen.

Zubereiten: 20 Minuten
1 Port.: 8 g E, 8 g F, 0 g KH =
489 kJ (117 kcal)

Das paßt dazu:
Eine Caprese: Tomaten, Mozzarella und Basilikum (S. 18).

Der passende Tip:
Wenn Sie ein umfangreiches Vorspeisenbuffet ausrichten wollen, können Sie außerdem noch die beiden Crostini-Versionen von Seite 14 mit anrichten, jede Menge verschiedene Würste und Schinken anbieten und als Dessert vielleicht die Erdbeercreme mit Mascarpone von Seite 292 vorbereiten.

Gegrillte Kaisergranatschwänze

Scampi alla griglia
Auf dem mittleren Teller

Für 10 Portionen:
3 unbehandelte Orangen
10 rohe Kaisergranatschwänze (etwa 500 g)
Salz
weißer Pfeffer (Mühle)
3–4 Stiele glatte Petersilie

Eine Orange auspressen. Kaisergranatschwänze der Länge nach halbieren, am Schwanzende aber nicht durchschneiden. Die Därme entfernen. Kaisergranatschwänze salzen, pfeffern und mit Orangensaft beträufeln. Auf den Gitterrost vom Backofen legen und auf der obersten Leiste im Ofen 3–4 Min. grillen. Danach noch einmal mit Orangensaft beträufeln. Die restlichen Orangen in Scheiben schneiden. Kaisergranatschwänze anrichten und mit gezupfter Petersilie bestreuen.

Zubereiten: 25 Minuten
1 Port.: 5 g E, 0 g F, 3 g KH =
137 kJ (33 kcal)

Wichtig: Kaisergranatschwanz ist der richtige Ausdruck für das Tier, das wir beim Fischhändler gewöhnlich als Hummerkrabbe kaufen. Das Wort Hummerkrabbe aber ist vom Lebensmittelgesetz bei uns nicht mehr erlaubt. Wie auch immer – auf italienisch heißt das tolle Tier „lo scampo", was in der Mehrzahl zu „scampi" wird.

Grüne Bohnen mit Basilikum

Fagiolini al basilico
Auf dem unteren Teller

Für 10 Portionen:
500 g grüne Bohnen
Salz, 3 Knoblauchzehen
4 EL Olivenöl
2 Bund Basilikum

Geputzte Bohnen in kochendem Salzwasser 12–15 Minuten garen. Gepellten Knoblauch pürieren, mit Öl und Salz verrühren. Lauwarme Bohnen in der Sauce wenden, beim Anrichten mit gezupftem Basilikum bestreuen.

Zubereiten: 30 Minuten
1 Port.: 1 g E, 5 g F, 3 g KH =
259 kJ (62 kcal)

Melone mit Rettich und Chilisauce

Melone, rafano
e salsa di peperoncino
Auf dem unteren Teller

Für 10 Portionen:
1 kleine frische rote Chilischote
1 kleine frische grüne Chilischote
300 g Rettich
50 ccm trockener Weißwein, Salz
Pfeffer a. d. Mühle
3 EL Olivenöl
1 mittelgroße Ogenmelone

Chilischoten putzen, entkernen, waschen und fein würfeln. Rettich schälen, auf der Haushaltsreibe grob raffeln.
Für die Sauce Weißwein, Salz und Pfeffer verrühren. Das Öl zugeben, mit Chilischoten und dem Rettich mischen. Die Melone halbieren und die Kerne mit einem Eßlöffel herausschaben. Die Melonenhälften in 5 Spalten schneiden und beim Anrichten auf einer großen Platte mit Sauce begießen.

Zubereiten: 20–25 Minuten
1 Port.: 1 g E, 4 g F, 12 g KH =
391 kJ (93 kcal)

Obst, Gemüse, Fleisch und Fisch – das alles gehört bei einer Vorspeisen-Party mit auf den Tisch. Oben Tomaten und Mozzarella, daneben Schweinefilet. In der Mitte gegrillte Scampi. Und unten Basilikumbohnen und Melonen mit einer scharfen Sauce

21

Gefüllte Oliven

Olive farcite
Toskana

Für 8 Portionen:
20 g Butter
100 g gehacktes Fleisch
(z. B. eine Mischung aus
Kalb, Schwein, Mortadella
und gekochtem Schinken)
50 ccm Weißwein
Pfeffer, Muskatnuß
2 Eier
40 g frisch geriebener
Parmesankäse
40 große, sehr reife
grüne Oliven
etwas Mehl
Öl zum Fritieren

Butter in einer Pfanne erhitzen. Gehacktes Fleisch
zugeben und unter gele-
gentlichem Wenden eini-
ge Minuten bräunen.
Wein zugießen und offen
einkochen lassen. Farce
kräftig mit Pfeffer und
Muskat würzen. Pfanne
vom Herd nehmen. 1 Ei
und Käse unterrühren.

Oliven vorsichtig entsteinen (mit dem Dorn an
der italienischen Knob-
lauchpresse oder mit
einem Kirschentsteiner),
dann mit der Fleischfarce
füllen.
Das zweite Ei verquirlen.
Die Oliven zuerst im Ei,
dann im Mehl wenden
und im siedenden Öl
3 Min. fritieren. Oliven
auf Küchenkrepp kurz
abtropfen lassen, warm
servieren.

Zubereiten: 40 Minuten
1 Port.: 7 g E, 14 g F, 3 g KH =
738 kJ (176 kcal)

Der passende Tip:
Das Olivenentsteinen ist
eine heikle Sache. Wenn's
nicht klappt, schneiden
Sie sie an einer Seite längs
auf und holen dann die
Steine vorsichtig heraus.
Nach dem Füllen können
Sie die Oliven mit einem
schmalen Speckband um-
wickeln, das Sie mit ei-
nem Hölzchen fest zu-
sammenstecken. Die Oli-
ven werden dann im
Speckhemd fritiert.

Frische Feigen und Salami

Fichi freschi e salame

Für 4 Portionen:
8 reife, frische Feigen
125 g hauchdünn
geschnittene Salami

Die Feigen im Kühl-
schrank gut durchkühlen
lassen. Vor dem Anrich-
ten halbieren und dann
mit der Wurst servieren.

Zubereiten: 10 Minuten
1 Port.: 7 g E, 16 g F, 13 g KH =
977 kJ (233 kcal)

Wurst und Schinken
Die beiden bekanntesten
Schinkensorten sind die
*luftgetrockneten aus **Par-***
ma** und aus **San Daniele.
Daneben hat fast jede
Provinz ihre einfachen
*Schinkensorten, **prosciutto***
***crudo** nennt man den ro-*
*hen, **prosciutto cotto** den*
gekochten Schinken. Die
waldreichen Gegenden lie-
*fern einen würzigen **pro-***
***sciutto di cinghiale,** einen*
Wildschweinschinken. An-
dere Spezialitäten sind der
*Südtiroler **Bauernspeck***
*und die Veltliner **bresàola,***
ein gesalzenes, getrockne-
tes und geräuchertes Rin-
derfilet, das man in feine
Scheiben schneidet und
mit Öl, Zitrone und Pfef-
fer würzt. Daneben gibt es
*noch die umbrische **coppa,***
eine Art Preßsack, und
*den **zampone** aus Mode-*
na, das mit Speck und
Schweinefleisch gefüllte
Spitzbein, das zu Weih-
nachten in die glücksbrin-
genden Linsen wandert.
Andere schweinerne Spe-
*zialitäten sind der **capocol-***
***lo,** der geräucherte*
Schweinekamm, und der
***zocco,** die in Rinderdarm*
gefüllte Schweinswurst.
Die berühmteste unter den
*unzähligen **mortadella-***
Variationen ist die aus Bo-
*logna. Bei der **salami** (aus*
Schwein, Rind, Lamm,
Esel oder aus allem) sind
alle Provinzen Meister.

*Frische Feigen
gelten bei uns noch
immer als ausgefallene
Delikatesse. Besonders wenn
sie, wie hier, mit einer
würzigen Salami als Vorspeise
serviert werden*

23

Zucchini und Champignons in Oregano-Vinaigrette

Zucchini e prataioli trifolati

Für 4 Portionen:
400 g Zucchinistifte
400 g Champignon-
scheiben
8 EL Olivenöl, Salz
schwarzer Pfeffer (Mühle)
2 Knoblauchzehen
(in Scheiben)
⅛ l trockener Weißwein
2–3 EL Zitronensaft
1–2 Bund Oregano

Zucchini und Champignons nacheinander im erhitzten Öl braten, salzen, auf einer Platte anrichten und mit Pfeffer bestreuen.
Knoblauch im Öl anbraten, mit Wein ablöschen und mit Zitronensaft abschmecken. Oreganoblättchen auf das Gemüse streuen. Sauce darübergießen. Das Gemüse noch etwas durchziehen lassen.

Zubereiten: 30 Minuten
1 Port.: 2 g E, 20 g F, 9 g KH =
1101 kJ (263 kcal)

Carpaccio –
das Original von Cipriani
Das Gericht ist eine Krea-
tion des Signor Cipriani,
dem Besitzer der legendä-
ren venezianischen
,,Harry's Bar''. Er hat es
für eine magenleidende
Engländerin erfunden
und es nach dem Maler
Carpaccio benannt,
von dessen Rosatönen er
hingerissen war. Ciprianis
Carpaccio wird mit einer
rosa Mayonnaise aus
100 g Mayonnaise,
2 EL Worcestershiresauce,
1 TL Dijonsenf und 1 EL
Schlagsahne serviert.

Carpaccio mit altem Pecorino

Carpaccio con pecorino vecchio
Sporting Club, Porto
Rotondo, Sardinien

Für 6 Portionen:
300 g Rinderfilet
3 EL Zitronensaft, Salz
Pfeffer a. d. Mühle
6 EL bestes Olivenöl
125 g alter sardischer
Pecorino (Pecorino
vecchio)

Fleisch 45 Min. ins Gefriergerät legen. Aus Zitronensaft, Salz, Pfeffer und Öl eine sämige Sauce rühren. Fleisch mit dem elektrischen Allesschneider in dünne Scheiben schneiden, anrichten, mit sehr wenig Sauce beträufeln. Bei Tisch den Käse darüberhobeln.

Zubereiten: 10 Minuten
1 Port.: 17 g E, 18 g F, 0 g KH =
1004 kJ (240 kcal)

In einem der elegantesten Restaurants auf Sardinien, dem ,,Sporting Club'' in Porto Rotondo, wird das Carpaccio mit einem sehr alten sardischen Sch. käse, einem Pecorino vecchio, serviert

Eingelegter Schafskäse

Pecorino sott'olio
Abruzzen

Für 4–6 Portionen:
400 g frischer Schafskäse
4 Knoblauchzehen
½ EL schwarze
Pfefferkörner
1 Zitrone (unbehandelt)
4 EL frische
Rosmarinnadeln
300 ccm sehr gutes
Olivenöl (kaltgepreßt)

Schafskäse abspülen, abtropfen lassen und grob würfeln. Knoblauch pellen und längs in Scheiben schneiden. Pfefferkörner im Mörser grob zerstoßen. Zitrone dünn abschälen und auspressen. Käse, Knoblauch, Pfeffer, Zitronenschale und Rosmarinnadeln in ein verschließbares, gut gesäubertes Glasgefäß von etwa 1 l Inhalt schichten. Dabei den Rosmarin gleichmäßig verteilen. Öl mit Zitronensaft verrühren und über den Käse gießen. Das Gefäß verschließen. Den Käse kühl gestellt mindestens 2 Tage durchziehen lassen.

Zubereiten: 15 Minuten
1 Port. (6 Port.): 24 g E, 57 g F,
2 g KH = 2690 kJ (642 kcal)

Das paßt dazu:
Weißbrot, Oliven und ein kühler trockener Weißwein.

Unser Tip:
Der eingelegte Schafskäse hält sich im Kühlschrank eigentlich unbegrenzt. Voraussetzung: Sie entnehmen die einzelnen Stücke immer mit einem peinlich sauberen Besteck.

Fleischklößchen mit Kapern

Polpettine ai capperi

Für 4 Portionen:
1 kleines Brötchen (60 g)
5 EL warme Milch
15 g weiche Butter
Salz
Pfeffer a. d. Mühle
½ TL getrockneter Majoran
500 g gehacktes Rindfleisch
50 g Kapern
1 EL Mehl
6 EL Öl
8 EL Weißwein

Brötchenkruste dünn abreiben. Das Brötchen fein zerschneiden, in einer Schüssel mit der warmen (aber nicht heißen) Milch übergießen.
Butter, Salz, Pfeffer und Majoran (auf der Handfläche zerrieben) zugeben und gut untermischen. Jetzt das Hackfleisch unterkneten und mit feuchten Händen kleine Klößchen daraus formen. In jedes Klößchen etwa 3 Kapern drücken. Klößchen in Mehl wenden.
Öl in einer großen Pfanne erhitzen. Klößchen darin langsam rundherum braun braten. 6 EL Wein darüberträufeln. Klößchen noch 4 Min. weiter schmoren, bis der Wein auf ungefähr die Hälfte eingekocht ist.
Klößchen aus der Pfanne nehmen und anrichten. Bratfond mit dem restlichen Wein lösen. Restliche Kapern darin erwärmen. Sauce mit Salz und Pfeffer abschmecken und vor dem Servieren über die Klößchen gießen.

Zubereiten: 40 Minuten
1 Port.: 31 g E, 36 g F, 12 g KH
= 2246 kJ (537 kcal)

Fleischklößchen mit Salbei

Polpettine alla salvia

Für 4 Portionen:
8 Salbeiblätter
60 g weiche Butter
Salz
Pfeffer a. d. Mühle
2 EL frisch geriebener Parmesankäse
500 g gehacktes Rindfleisch
Mehl zum Arbeiten
4 EL Marsala

Salbeiblätter wenn nötig abspülen, dann fein hakken und in eine Schüssel geben. Die Hälfte der Butter, Salz, Pfeffer und Käse zugeben, alles mischen und dann das Hackfleisch unterkneten. Mit eingemehlten Händen kleine Klößchen aus dem Teig formen.
Die restliche Butter in einer großen Pfanne erhitzen. Die Klößchen in etwa 5–6 Min. rundherum goldbraun braten. Marsala darüberträufeln und verdampfen lassen. Die Klößchen auf einer heißen Platte anrichten und sofort servieren.

Zubereiten: 30 Minuten
1 Port.: 31 g E, 32 g F, 2 g KH =
1900 kJ (454 kcal)

Umbrische Fleischklößchen
(Polpette alla umbra)
Üblicherweise werden die Fleischklößchen in Italien aus Hackfleisch, Eiern, Petersilie, Knoblauch, Semmelbröseln und geriebenem Käse zusammengemischt. In Umbrien ist das anders. Da mischt man Gehacktes von Schwein, Rind und Schinken mit Eiern und Brot, das in Brühe eingeweicht war, und würzt mit geriebenem Schafskäse, Knoblauch, Majoran, Salz und Pfeffer und mit geriebener Zitronenschale. Die Klößchen werden in Fett gebacken und dann in einer Tomatensauce serviert.

Jede Hausfrau hat ihr Spezialrezept für Fleischklößchen. Und wie bei uns sind sie eine gern genommene Zutat auf jedem Buffet, das für viele Gäste angerichtet wird — weil sie sich so schön vorbereiten lassen

27

Auberginen auf ligurische Art

Melanzane alla ligure

Für 4 Portionen:
500 g Auberginen, Salz
⅛ l Olivenöl
500 g Tomatenpüree
(z. B. Parmalat)
4 EL Rotwein
Cayennepfeffer
40 g Parmesankäse im
Stück

Die geputzten Auberginen in 1 cm dicke Scheiben schneiden, nebeneinanderlegen und salzen.
4 EL Öl mit Tomatenpüree und Rotwein auf mittlerer Hitze 15 Minuten kochen, mit Salz und Cayennepfeffer würzen.
Das restliche Öl in einer großen Pfanne erhitzen. Auberginen von beiden Seiten bei starker Hitze goldbraun braten, abgetropft anrichten und mit Tomatensauce begießen. Zum Schluß den Käse darüberhobeln.

Zubereiten: 40 Minuten
1 Port.: 6 g E, 34 g F, 10 g KH =
1623 kJ (388 kcal)

Marinierte Artischocken

Carciofi all'agrodolce

Für 20 Portionen:
6 Dosen kleine Artischokkenherzen (à 240 g EW)
1 Knoblauchzehe
⅜ l Weißweinessig
⅜ l Weißwein
2 EL Honig
2 TL Korianderkörner
1 TL Kümmel
1 TL Salz
¼ l Olivenöl

Artischockenherzen in einem Sieb abtropfen lassen. Knoblauch pellen und durchpressen. Essig, Wein und ¼ l Wasser mit Knoblauch, Honig, Koriander, Kümmel und Salz aufkochen.
Artischockenherzen in einer Schüssel mit kochendem Sud begießen und über Nacht durchziehen lassen. Sud am nächsten Tag abgießen, mit Öl verquirlen, wieder über die Artischocken gießen. Ohne Marinade anrichten.

Zubereiten: 30 Minuten
Marinieren: über Nacht
1 Port.: 0 g E, 13 g F, 3 g KH =
590 kJ (141 kcal)

Marinierte Möhren

Carote all'agrodolce

Für 20 Portionen:
2 kg mittelgroße Möhren
½ l trockener Weißwein
⅛ l Weißweinessig
6 EL Honig
4 EL Kümmel
Salz
100 g Pinienkerne
4 EL Olivenöl

Geputzte Möhren in 1 cm dicke Streifen schneiden, in wenig Wasser zugedeckt 10 Minuten garen, im Sieb abtropfen lassen. Wein mit Essig, Honig, Kümmel und Salz aufkochen. Möhren damit in einer Schüssel übergießen und über Nacht durchziehen lassen. Pinienkerne ohne Fett rösten. Möhren abgetropft anrichten, mit Öl beträufeln, mit Pinienkernen bestreuen.

Zubereiten: 1 Stunde
Marinieren: über Nacht
1 Port.: 2 g E, 5 g F, 10 g KH =
428 kJ (102 kcal)

Marinierter Porree

Porri all'agrodolce

Für 20 Portionen:
2 kg Porree (möglichst gleich große, nicht zu dicke Stangen)
Salz
1 Knoblauchzehe
4 Bund Dill
⅛ l Weißweinessig
4 EL Honig
2 TL Korianderkörner
⅛ l Olivenöl

Porree putzen, nur die weißen und hellgrünen Teile verwenden. Porreestangen der Länge nach aufschlitzen und gut waschen. Stangen in 6–8 cm lange Stücke schneiden, im Topf knapp mit Salzwasser bedecken und zugedeckt 10–12 Min. garen. Porree im Sieb abtropfen lassen. Die Stücke sollen möglichst nicht zerfallen.
Knoblauch pellen und durchpressen. Den Dill abspülen, von den Stielen zupfen, etwas zum Garnieren zurücklegen, den Rest hacken.
Den Essig aufkochen. Den Honig darin auflösen. Knoblauch, Salz, Koriander, gehackten Dill und Öl zugeben. Den Porree in eine Schüssel legen, mit dem Sud übergießen und über Nacht durchziehen lassen. Aus der Marinade nehmen und anrichten, dabei mit dem restlichen Dill dekorieren.

Zubereiten: 1 Stunde
Marinieren: über Nacht
1 Port.: 2 g E, 7 g F, 9 g KH =
444 kJ (106 kcal)

Der passende Tip:
Die drei marinierten Gemüse werden zusammen auf einer Platte angerichtet, wenn sie Bestandteil bei einer Vorspeisen-Party sein sollen. Man kann sie aber auch im Sud im peinlich sauberen, gut verschließbaren Glas bis zu 14 Tagen im Kühlschrank aufbewahren.

Süß-sauer eingelegtes Gemüse erfreut
sich in Italien größter Beliebtheit.
Schichtet man alles (und man
kann fast alle Gemüse nach unserer
Methode süßsauer einlegen)
in große Gläser ein, spricht man
von einer „Giardiniera",
einer Gärtnerin

29

Eingelegte Knoblauchzehen

Aglio sott'olio

Für 6–8 Portionen:
4 Knollen Knoblauch
Salz
1 EL Essig
1 Rosmarinzweig
2 rote Chilischoten
200 ccm kaltgepreßtes Olivenöl

Zehen einzeln aus den Knoblauchknollen auslösen und ungeschält in kochendem Salzwasser und Essig 3 Min. blanchieren, kalt abschrecken, pellen. Knoblauchzehen mit Rosmarin und Chilischoten in ein Glas schichten, mit Olivenöl begießen und vor dem Servieren mindestens 3 Tage durchziehen lassen.

Zubereiten: 20 Minuten
1 Port. (6 Port.): 1 g E, 20 g F,
6 g KH = 905 kJ (216 kcal)

Sizilianische Kapern

Capperi alla siciliana

Für 4–6 Portionen:
100 g große Kapern
2 Knoblauchzehen
3 rote Chilischoten
1/2 Bund glatte Petersilie
1/8 l Olivenöl

Kapern gut abtropfen lassen, in ein verschließbares Glasgefäß legen. Knoblauchzehen pellen und in Scheiben schneiden. Chilischoten aufschlitzen, entkernen, halbieren oder dritteln. Petersilienblättchen abzupfen, hacken. Knoblauch, Chili und Petersilie unter die Kapern mischen. Öl zugießen. Die Kapern müssen ganz bedeckt sein. Kühl stellen und 1 Woche durchziehen lassen.

Zubereiten: 15 Minuten
1 Port. (6 Port.): 0 g E, 17 g F,
1 g KH = 665 kJ (159 kcal)

Die passende Variation:
Mit grob zerstoßener Fenchelsaat würzen.

Süßsaurer Fenchel

Finocchio all'agrodolce

Für ein 3-l-Glas:
2 kg Fenchelknollen
Salz
1/4 l Weinessig
125 g Zucker
100 g Schalotten
3 Knoblauchzehen
3 kleine rote Chilischoten
5 Sternanisblüten
1 EL grüner Pfeffer
Rosmarinnadeln
1 Zitrone, unbehandelt

Fenchel putzen, waschen, vierteln und in 1/2 l Salzwasser 10 Min. blanchieren, mit der Schaumkelle herausnehmen und abtropfen lassen.
Essig mit Zucker und 1/4 l Wasser aufkochen. Inzwischen Schalotten und Knoblauch pellen. Knoblauch fein hacken. Beides mit Chilischoten, Sternanisblüten, den Pfefferkörnern, Rosmarin und der in Scheiben geschnittenen Zitrone in den heißen Sud geben, einmal kurz aufkochen lassen.
Inzwischen den Fenchel in ein 3-l-Glas (oder in drei Litergläser) schichten. Den heißen Sud darübergießen, dabei die Zitronenscheiben und den Sternanis zwischen dem Fenchel verteilen. Das Glas sofort verschließen. Fenchel vor dem Servieren mindestens 3 Tage kühl gestellt durchziehen lassen.

Zubereiten: 30 Minuten
Insgesamt: 47 g E, 6 g F,
306 g KH = 6166 kJ (1473 kcal)

Der passende Tip:
Der süßsaure Fenchel hält sich kühlgestellt etwa 6 Wochen und ist eine hervorragende Beilage zu Fleisch und zu Fisch.

Süßsaure Zucchini

Zucchini all'agrodolce

Für drei 1-l-Gläser:
3 kg kleine bis mittelgroße Zucchini
60 g Salz
500 g Zucker
1/2 l Weißweinessig
50 g frische Ingwerwurzel
100 g frischer Meerrettich
3 Bund Dill (oder mehrere Stiele Dillblüten)
100 g Schalotten
2 EL Senfkörner
1 EL schwarze Pfefferkörner
4 kleine rote, getrocknete Chilischoten
2 EL Wacholderbeeren
8 Lorbeerblätter

Zucchini waschen und putzen. Größere Früchte der Länge nach vierteln und in fingerlange Stücke schneiden. Zucchini mit Salz, Zucker und Essig in einer großen Schüssel mischen und zugedeckt über Nacht durchziehen lassen. Am nächsten Tag in einen Durchschlag schütten und die Flüssigkeit auffangen. Ingwerwurzel und Meerrettich schälen, in Scheiben schneiden und in die Flüssigkeit geben. Dillästchen von den Stielen zupfen. Schalotten pellen. Beides mit Senf- und Pfefferkörnern, Chili, Wacholder und den Lorbeerblättern in die Flüssigkeit geben und alles 8–10 Min. kochen lassen. Sud vom Herd nehmen und kalt werden lassen. Zucchini und Gewürze lagenweise in sterile Gläser (mit Bügelverschluß) einschichten und mit dem Sud übergießen. Gläser sofort verschließen. Die süßsauren Zucchini bis zum Servieren mindestens 2 Tage kühlgestellt durchziehen lassen.

Zubereiten: 1 Stunde
Marinieren: über Nacht
1 Glas.: 1 g E, 42 g F, 178 g KH
= 4814 kJ (1151 kcal)

Schwarze Oliven in Rotwein

(Olive nere al vino rosso)
Zehen von 1/2 Knoblauchknolle pellen und längs halbieren, dann mit 500 g schwarzen Oliven und 5 Lorbeerblättern in ein verschließbares Glas (1 l) schichten. 1/2 Flasche trockenen Rotwein mit 1/8 l Olivenöl und 1 EL zerrebeltem Oregano verrühren, über die Oliven gießen. Verschließen, kühl gestellt mindestens 3 Tage marinieren.

Grüne Oliven in Weißwein

(Olive verdi al vino bianco)
500 g grüne Oliven mit 5 Estragonzweigen, 3 Rosmarinzweigen und Schale von 1 Limette in ein verschließbares Glas (1 l) schichten. 1/2 l Weißwein mit 60 g Olivenöl verrühren, über die Oliven gießen. Glas schließen. Oliven 3 Tage marinieren.

Eingelegte Oliven

(Olive marinate)
1 kleine Zitrone dünn abschälen, in Scheiben schneiden. 1/2 EL Fenchelsaat und 1/2 EL Senfkörner im Mörser zerstoßen. 1 kleine Chilischote entkernen und in dünne Ringe schneiden. Alles mit 500 g violetten Oliven in ein verschließbares Glas (1 l) schichten. 1/2 l Weißwein mit 60 g Olivenöl verrühren und darübergießen. Glas verschließen. Oliven vorm Servieren kühl gestellt mindestens 3 Tage marinieren.

Eingelegte Knoblauchzehen: mit Chili scharf gemacht *Sizilianische Kapern: mit Knoblauch und Petersilie gewürzt*

Süßsaurer Fenchel: mit Sternanis sehr ungewöhnlich *Süßsaure Zucchini: durch frischen Ingwer ein Hauch Fernost*

NUDELN
PASTA

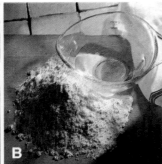
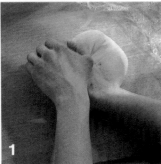

Bandnudeln mit Butter und Käse

Fettuccine all'Alfredo
Rom, Latium

Für 4 Portionen:
1 Grundrezept Nudelteig
mit Ei (500 g)
Salz, 1 EL Olivenöl
100 g Parmesankäse
(frisch gerieben)
120 g Butter (weich)

Nudeln nach dem Grundrezept machen, in 4 l Salzwasser mit Öl in etwa 2–3 Min. bißfest kochen (gekaufte Nudeln nach Packungsanweisung kochen). Nudeln sofort abgießen und in eine große, vorgewärmte Schüssel geben. Sehr schnell den Käse unterziehen, damit die Nudeln nicht kalt werden. Die Butter stückchenweise untermischen. Die Nudeln sofort servieren.

Zubereiten: 15 Min. (ohne Teig)
1 Port.: 24 g E, 40 g F, 54 g KH
= 2897 kJ (693 kcal)

Kleiner Tip:
Während Käse und Butter untergemischt werden, müssen Sie die Nudeln immer wieder mit zwei Gabeln hochziehen, damit sich beides gut anschmiegen kann.

Die passende Geschichte:
Mit dieser Nudelzubereitung erlangte ihr Schöpfer Weltruhm: Alfredo, der dieses Meisterwerk (angeblich nach einem Rezept seiner Großmutter aus der Franzosenzeit) kreierte, hatte später jede Menge Ärger damit. Der Fettuccine-König *(Il re delle fettuccine,* so nannte er sich selber) hatte Neider und Kopisten. Um sich von diesen abzusetzen, nannte sich Alfredo schließlich erst *Il vero* (der Wahrhafte), um dann, ganz römischer Cäsaren-Wahn, als *Il imperatore delle fettuccine* (der Kaiser) seine Pasta-Laufbahn abzuschließen.

Nudelteig mit Ei

Für 500 g Teig:
300 g Mehl
3 Eier (Gew.-Kl. 2)
1 EL Olivenöl
Mehl zum Arbeiten

In das Mehl eine Mulde drücken, Eier und Öl hineingeben (A), von der Mitte her zu Teig kneten (1), so lange durch die Maschine drehen (2), bis er geschmeidig ist, dabei immer wieder mit Mehl bestäuben. Teig in Klarsichtfolie wickeln, 30–40 Min. ruhenlassen. Danach in 4 Stücke teilen, mit der Maschine in Nudeln aufschneiden (3), auf einem bemehlten Tuch ausbreiten und antrocknen lassen (4).

Zubereiten: 1 Stunde
100 g: 12 g E, 7 g F, 43 g KH =
1208 kJ (289 kcal)

Nudelteig ohne Ei

Für 600 g Teig:
200 g Mehl
200 g Hartweizengrieß
200 ccm kaltes Wasser
Mehl zum Arbeiten

Mehl und Grieß mischen (B), eine Mulde drücken, Wasser zugießen, von der Mitte her zu Teig kneten (1), so lange durch die Maschine drehen (2), bis er geschmeidig ist, dabei immer wieder mit Mehl bestäuben. Teig in Klarsichtfolie wickeln, 30–40 Min. ruhenlassen. Danach in 4 Stücke teilen, mit der Maschine in Nudeln aufschneiden (3), auf einem bemehlten Tuch ausbreiten und antrocknen lassen (4).

Zubereiten: 1 Stunde
100 g: 8 g E, 0 g F, 48 g KH =
972 kJ (233 kcal)

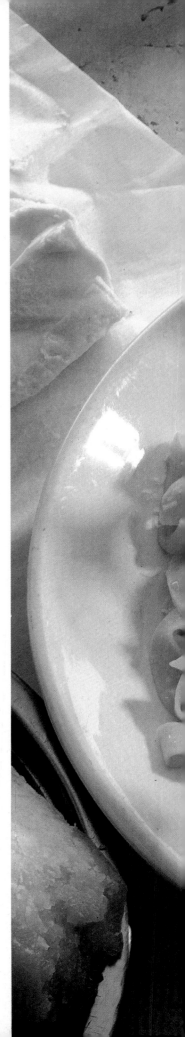

Schlicht vollkommen: zartes Geflecht aus dünnen Teigbändern, halbflüssigem Käse und zerlassener Butter

35

Spaghetti nach Art von Amatrice

Spaghetti all'amatriciana
Latium, Abruzzen

Für 4 Portionen:
100 g durchw. Speckwürfel
2 EL Olivenöl
1 gehackte Zwiebel
1 gehackte Chilischote
500 g Tomatenwürfel
Salz, 500 g Spaghetti
80 g geriebener Pecorino

Speck in 1 EL Öl bräunen, rausnehmen. Zwiebel und Chili im Fett dünsten. Tomaten zugeben, salzen, 10 Min. dünsten. Inzwischen Nudeln mit 1 EL Öl in reichlich Salzwasser bißfest kochen, abgießen. Abgetropft in die Pfanne zur Tomatensauce geben, Käse untermischen. Beim Servieren mit Speck bestreuen.

Zubereiten: 20 Minuten
1 Port.: 27 g E, 30 g F, 88 g KH
= 3166 kJ (757 kcal)

Schmetterlingsnudeln mit jungem Gemüse

Farfalle alla burina
Toskana

Für 6 Portionen:
20 g getrocknete Steinpilze
100 g Zuckerschoten
100 g Parmaschinken
100 g Champignons
100 g Erbsen (TK)
Salz
50 g Butter
2 EL Olivenöl
¼ l Schlagsahne
schwarzer Pfeffer (Mühle)
500 g Schmetterlingsnudeln

Steinpilze in 150 ccm Wasser aufkochen, zum Quellen beiseite stellen. Zuckerschoten putzen, in schräge Streifen schneiden. Schinken in große Stücke, geputzte Champignons in Scheiben schneiden.
Zuckerschoten und Erbsen in Salzwasser 1 Min. blanchieren.
Butter und 1 EL Öl in einer großen Pfanne erhitzen. Steinpilze mit dem Wasser zugeben. Zuckerschoten, Champignons, Erbsen und Schinken 2 Min. darin dünsten. Sahne zugießen, in 3 Min. einkochen lassen, salzen und pfeffern.
Inzwischen Nudeln in reichlich Salzwasser mit 1 EL Öl bißfest kochen, abgießen und abgetropft in einer vorgewärmten Schüssel mit Sauce mischen. Gleich servieren.

Zubereiten: 30 Minuten
1 Port.: 17 g E, 32 g F, 43 g KH
= 2257 kJ (539 kcal)

Alles, was die toskanische Bäuerin, die burina, morgens aus ihrem Gemüsegarten holt, mischt sie mittags unter die Nudeln

Steinpilz-Lasagne

Lasagne alla piemontese
Piemont, Aostatal

Für 6 Portionen:
100 g getrocknete Stein-
pilze
1,5 kg Fleischtomaten
100 g Zwiebeln
2 Knoblauchzehen
250 g Parmesan im Stück
⅛ l Olivenöl
80 g Butter
schwarzer Pfeffer (Mühle)
500 g Lasagneblätter, Salz
20–25 kleine Salbeiblätter

Steinpilze in heißem Was-
ser einweichen. Tomaten
brühen, häuten, ohne Ker-
ne in Spalten schneiden.
Zwiebeln und Knoblauch
pellen. Die Zwiebeln fein
würfeln, den Knoblauch
pürieren. Parmesan grob
raffeln. Öl (bis auf 3
EL) und Butter erhitzen.
Zwiebeln und Knoblauch
glasig dünsten. Tomaten
(350 g abnehmen, beiseite
stellen) und Steinpilze mit
Wasser zugeben, bei mil-
der Hitze 40 Min. kochen.
Mit Pfeffer würzen.

Inzwischen Lasagneblät-
ter nach Packungsangabe
in Salzwasser mit 1 EL Öl
garen, abtropfen lassen.
Eine ofenfeste Form
(30 × 25 cm) mit 1 EL
Öl auspinseln. 2 Teigblät-
ter auf den Boden legen,
mit 2 EL Tomatenmasse
bestreichen, 4–5 Salbei-
blätter, 3 EL Parmesan
und 10 Tomatenspalten
darauf verteilen. Zuta-
ten weiterschichten, dabei
4 EL Käse und 5–6 Sal-
beiblätter zurückbehalten.
Beides als letzte Schicht
obenauf legen, mit 1 EL
Olivenöl beträufeln.
Lasagne im vorgeheizten
Ofen (225 Grad, Gas 4,
2. Leiste v. u.) 25–30 Min.
garen. Eventuell in den
letzten 10 Min. mit Alufolie abdecken. In der Form
servieren.

Zubereiten: 1½ Stunden
1 Port.: 30 g E, 47 g F, 51 g KH
= 3218 kJ (770 kcal)

Bandnudeln mit Schinken und Petersilie

Taglierini con prosciutto
e prezzemolo

Für 4 Portionen:
4 Bund glatte Petersilie
4 Knoblauchzehen
200 g Saftschinken
Salz
9 EL Olivenöl
350 g Bandnudeln
Pfeffer (Mühle)

Petersilie hacken. Knob-
lauch pellen, in Scheiben,
den Schinken in Streifen
schneiden. Salzwasser mit
1 EL Öl aufkochen. Nu-
deln darin bißfest garen.
Restliches Öl erhitzen.
Knoblauch darin hell-
gelb braten, herausneh-
men und beiseite stellen.
Schinken im Öl anbraten,
Petersilie zugeben, durchschwenken und pfeffern.
Knoblauch zugeben. Nu-
deln abgießen, abgetropft
mit der Sauce in einer
vorgewärmten Schüssel
mischen.

Zubereiten: 25 Minuten
1 Port.: 23 g E, 29 g F, 66 g KH
= 2716 kJ (649 kcal)

Italienische Hausmannskost:
Für die Taglierini con prosciutto e
prezzemolo gibt es keine
regionale Zuordnung – so werden
sie überall in Italien gemacht

Gnocchi mit Salbei und Butter

Gnocchi alla piemontese
Piemont, Aostatal

Für 4 Portionen:
500 g Kartoffeln
300 g Mehl
2–3 kleine Eier
2 TL Salz
Muskatnuß
1 EL Olivenöl
60 g Butter
20 kleine Salbeiblättchen
4–6 EL Parmesan
(frisch gerieben)

Kartoffeln waschen, ungeschält in wenig Wasser in etwa 15 Min. garen, abgießen und abdämpfen. Kartoffeln pellen, sofort durch die Presse in eine Schüssel drücken. Mehl, Eier, Salz und Muskat zugeben. Mit den Händen einen weichen, elastischen Teig daraus kneten. Auf der bemehlten Arbeitsfläche daumendicke Röllchen daraus formen und 3 cm lange Stücke davon abschneiden. In jedes Stück eine Mulde eindrücken.
Reichlich Salzwasser mit 1 EL Öl aufkochen. Gnocchi portionsweise darin sieden lassen, bis sie an die Oberfläche kommen. Dann mit der Schaumkelle herausheben und auf vorgewärmten Tellern anrichten.
Während die Gnocchi garen, die Butter mit den Salbeiblättern langsam erhitzen und gleich nach dem Servieren über die Gnocchi gießen. Nach Belieben noch Parmesan nehmen.

Zubereiten: 1 Stunde
1 Port.: 18 g E, 20 g F, 70 g KH
= 2302 kJ (550 kcal)

Das paßt dazu:
Ein schöner grüner oder bunter Salat, davor vielleicht ein paar eingelegte Pilze. Das wäre dann schon eine ganze Mahlzeit, denn die Gnocchi machen sehr satt.

Spaghetti auf Matrosenart

Spaghetti alla marinara
Kampanien

Für 6 Portionen:
1 kg Fleischtomaten
2 große Knoblauchzehen
100 g schwarze Oliven
2 EL Kapern
2 Bund glatte Petersilie
5 EL Olivenöl, Salz
schwarzer Pfeffer (Mühle)
500 g Spaghetti
(Hartweizen)

Tomaten brühen, pellen, grob hacken. Knoblauch pellen, grob hacken. Oliven halbieren und entsteinen. Kapern abtropfen lassen. Petersilie grob hacken.
4 EL Öl in einer großen Pfanne erhitzen. Tomaten darin auf mittlerer Hitze dünsten. Knoblauch, Oliven und Kapern zugeben. Sauce weitere 10 Min. dünsten, eventuell vorsichtig salzen und pfeffern.

Inzwischen in einem großen Topf herzhaft gesalzenes Wasser mit 1 EL Öl aufkochen. Spaghetti zugeben und bißfest garen, abgießen und abtropfen lassen. Dann in einer vorgewärmten Schüssel mit einem Teil der Sauce mischen und mit Petersilie bestreuen. Die restliche Sauce separat servieren.

Zubereiten: 45 Minuten
1 Port.: 10 g E; 20 g F, 41 g KH
= 1683 kJ (402 kcal)

Das paßt dazu:
Ein bunter Salat und Brot zum Aufstippen der Sauce. Mit einem schönen Stück Käse und etwas Obst nach den Nudeln ist das in der Gegend von Neapel ein komplettes Mittagessen.

Das passende Getränk:
Ein schöner Roter vom Vesuv.

Alla marinara heißt nicht Fisch und Krustentier – in der Sauce steckt, was die Matrosenfrau gerade im Haus hat

Spaghetti auf Köhlerart

Spaghetti alla carbonara
Latium

Für 4 Portionen:
500 g Spaghetti
1 EL Öl, Salz
200 g durchw. Speck
10 g Butter
100 g Parmesan
schwarzer Pfeffer
(grob gestoßen)
Muskatnuß
6 Eier
3 EL Schlagsahne

Spaghetti mit Öl in Salzwasser bißfest kochen. Speck würfeln und in Butter ausbraten. Käse reiben, mit viel Pfeffer, Muskat, Eiern und Sahne verrühren. Nudeln abgießen, abtropfen, in einer vorgewärmten Schüssel mit Speck und Bratenfett mischen. Dann vorsichtig die Ei-Käse-Sauce unter die heißen Nudeln ziehen. Die Spaghetti auf Köhlerart mit reichlich schwarzem Pfeffer servieren.

Zubereiten: 30 Minuten
1 Port.: 43 g E, 65 g F, 91 g KH
= 5070 kJ (1212 kcal)

Spinatgnocchi

Gnocchi agli spinaci
Lombardei

Für 4 Portionen:
500 g Wurzelspinat
1 kleine Zwiebel
100 g Butter
150 g Ricotta-Käse (oder
Mascarpone, ersatzweise
abgetropfter Sahnequark)
80 g Parmesan
(frisch gerieben)
2 Eier, 1 Eigelb
2 TL Salz, Muskatnuß
Pfeffer (Mühle)
200 g Weizenmehl

Spinat verlesen, sorgfältig waschen, tropfnaß im Topf bei mittlerer Hitze zusammenfallen, anschließend abtropfen lassen und grob hacken. Zwiebel pellen und würfeln. 30 g Butter in einer Pfanne erhitzen, Zwiebel darin goldgelb andünsten. Spinat untermischen, vom Herd nehmen und abkühlen lassen, bis er nur noch lauwarm ist.
Ricotta glatt verrühren. Hälfte Parmesan, Eier und Eigelb, Salz, Muskat, Pfeffer und Spinat unterrühren. Zuletzt das Mehl unterrühren. Masse noch einmal herzhaft mit Salz und Pfeffer abschmecken. Reichlich Salzwasser aufkochen. Die Hitze zurückschalten. Mit 2 nassen Teelöffeln etwa nußgroße Klößchen aus dem Teig stechen und Gnocchi daraus formen. Gnocchi im siedenden Salzwasser in etwa 5 Min. gar ziehen lassen, bis sie an die Oberfläche kommen. Mit der Schaumkelle herausheben und in eine flache, ofenfeste Form setzen.
Restliche Butter schmelzen, über die Gnocchi träufeln und mit restlichem Parmesan bestreuen. Die Gnocchi im vorgeheizten Backofen (150 Grad, Gas 1–2) etwa 5 Min. überbacken.

Zubereiten: 1 Stunde
1 Port.: 24 g E, 43 g F, 38 g KH
= 2739 kJ (654 kcal)

Das passende Getränk:
Ein kräftiger roter Lugana vom sonnenüberströmten Südufer des Gardasees.

Die Lombarden haben lange unter den Habsburgern leben müssen. Gerne gesehen hat man nur deren vielfältige süße und salzige Knödel-Variationen. Die Spinatgnocchi sind nur eine davon

43

Rabiate Nudeln

Penne all'arrabbiata
Rom, Latium

Für 4 Portionen:
200 g geräucherte
Schweinebacke (oder
durchwachsener Speck)
1 Zwiebel
2 Knoblauchzehen
2 kleine Chilischoten
1 Dose geschälte Tomaten
(420 g EW), Salz
½ Bund Basilikum
400 g kurze Makkaroni
(Penne), 1 EL Öl
80 g frisch geriebener
Pecorino-Käse

Gewürfelte Schweinebak-
ke ausbraten. Zwiebel,
Knoblauch (beides ge-
hackt) und Chili (ent-
kernt) andünsten. Toma-
ten mit Flüssigkeit zuge-
ben, bei starker Hitze 7
Min. einkochen, evtl. salzen. Basilikumblätter in
Streifen unterziehen.
Inzwischen Nudeln in
Salzwasser mit Öl biß-
fest garen, abgießen, gut
abtropfen. Chili aus
der Sauce nehmen, Hälf-
te Käse einrühren. Nu-
deln in einer vorgewärm-
ten Schüssel mit Sauce
mischen, sofort servieren.
Restlichen Käse dazu rei-
chen.

Zubereiten: 30 Minuten
1 Port.: 25 g E, 39 g F, 72 g KH
= 3221 kJ (771 kcal)

Römischer Wildsalat
(Ruchetta alla romana)
In der Campagna süd-
lich von Rom wächst im
frühen Sommer ein wil-
des Salatkraut, das unver-
gleichlich würzig ist, die
Ruchetta (im Norden Ita-
liens Rucola, franz. Rou-
quette, deutsch Rauke).
Für 4 Portionen reichen
250 Gramm, die mit einer
Sauce aus 2 EL Zitronen-
saft, 1 zerdrücktem Sar-
dellenfilet, reichlich Salz,
etwas Pfeffer und mit
4 EL kaltgepreßtem Oli-
venöl angemacht werden.

*Stummelkurze Makkaroni in einer herzhaft-
scharfen und deshalb rabiat genannten Sauce. Dazu
ein Salat aus dem wildwachsenden Kraut der
Campagna, der Ruchetta: römischer geht's kaum*

45

Spaghetti mit Knoblauch und Öl

Spaghetti aglio, olio
e peperoncino
Abruzzen

Für 4 Portionen:
375 g Spaghetti
150 ccm Olivenöl, Salz
2 kleine getrocknete
Chilischoten (gehackt)
4–6 Knoblauchzehen
(gehackt)
2 Bund Petersilie
(gehackt)
frisch geraffelter
Pecorino-Käse

Spaghetti nach Packungs-
anweisung mit 1 EL Öl in
reichlich Salzwasser ko-
chen. Inzwischen restli-
ches Öl in einer großen
Pfanne erhitzen. Chili
und Knoblauch darin an-
braten, Petersilie untermischen. Nudeln abgießen,
abgetropft ins Öl geben,
gut untermischen. Sofort
mit Käse servieren.

Zubereiten: 20 Minuten
1 Port.: 21 g E, 46 g F, 70 g KH
= 3460 kJ (827 kcal)

Grüne Lasagne

Lasagne verdi al forno
Emilia-Romagna

Für 10–12 Portionen:
3 kg Spinat, Salz
500 g Lasagneblätter
2 EL Öl, 50 g Butter

in Scheiben:
600 g gekochter Schinken
600 g Gruyère-Käse
200 g Parmaschinken
außerdem:
¾ l Schlagsahne
6 Eigelb, Muskat, Pfeffer
gerieben und gemischt:
300 g Emmentaler Käse
200 g Parmesankäse

Gewaschenen Spinat mit
Salz bei milder Hitze
zusammenfallen lassen,
ausdrücken und grob
hacken. Lasagneblätter in
Salzwasser mit Öl nach
Packungsanweisung ga-
ren, auf Küchenkrepp le-
gen. Große Auflaufform
mit Butter fetten. 6 Lasagneblätter einlegen. Auf

die restlichen Blätter je
1 Scheibe Schinken und
Gruyère legen, aufrollen
und mit je 1 Scheibe Par-
maschinken umwickeln.
Sahne 5 Min. einkochen,
vom Herd nehmen. 2 EL
abnehmen, mit 2 Eigelb
verquirlen, restliche Ei-
gelb unterrühren, alles
in der Sahne verquirlen.
Mit Muskat, Pfeffer, Salz
würzen.
Hälfte Spinat auf die
6 Platten in der Form
streichen. Ein Drittel Käsemischung daraufstreuen.
10 Nudelrollen darauf-
legen, mit restlichem Spinat bedecken. Restliche
Nudelrollen darauflegen
und mit dem zweiten
Drittel Käsemischung be-
streuen. Sahne darüber-
gießen und mit dem rest-
lichen Käse bestreuen.
Auflauf im vorgeheizten
Ofen (225 Grad, Gas 4,
2. Leiste v. u.) 70 Min.
backen. In den letzten 10
Minuten mit Alufolie ab-
decken.

Zubereiten: 3 Stunden
1 Port. (bei 12): 54 g E, 69 g F,
43 g KH = 4412 kJ (1054 kcal)

Die Lasagne al forno (egal ob
weiß oder grün) ist, gleich
nach den unzähligen Spaghetti-
Variationen, die beliebteste
Möglichkeit, Nudeln auf den
Tisch zu bringen

47

Bandnudeln mit Trüffeln

Fettuccine al tartufo
Umbrien

Für 4 Portionen:
500 g breite Bandnudeln
Salz, 1 EL Öl
80–100 g Parmesan im
Stück
½ l Schlagsahne
2 Eigelb
1 schwarze Trüffel
(25–30 g)

Nudeln in reichlich Salz-
wasser mit Öl nach Pak-
kungsanweisung bißfest
garen, abgießen, im Sieb
abtropfen lassen.
Während die Nudeln ga-
ren, Käse grob hobeln.
Sahne im Topf auf die
Hälfte einkochen lassen.
Eigelb mit 3 EL heißer
Sahne verquirlen, in die
Sahne rühren, bis eine
leicht cremige Sauce ent-
standen ist. Nudeln mit
Parmesan und Sauce in
eine vorgewärmte Schüs-
sel schichten. Trüffel hobeln und unterheben. So-
fort servieren.

Zubereiten: knapp 30 Minuten
1 Port.: 30 g E, 55 g F, 94 g KH
= 4804 kJ (1148 kcal)

Das passende Getränk:
Ein leichter Roter aus
Torgiano oder ein etwas
schwererer aus Monte-
falco.

Schwarzer Diamant
Die wertvolle schwarze
Trüffel aus dem umbri-
schen Norcia hat eine
schwarze Hülle mit feinen
Runzeln. Ihr Fleisch ist
von rostfarbigen Adern
durchzogen und hat einen
eher leichten, durchaus
angenehmen Geruch. Ist
die Trüffel perfekt gewach-
sen, hat sie Facetten wie
ein Diamant.

Ravioli mit Fisch

Ravioli di magro
Ligurien

Für 6 Portionen:
1 Rezept Nudelteig ohne
Ei (S. 34), Salz, 1 EL Öl
Füllung:
250 g Mangoldblätter
1 TL grobes Meersalz
250 g Kabeljaufilet
Salz, Pfeffer a. d. Mühle
2 EL Olivenöl
30 g frisch geriebener
Parmesankäse
75 g Ricotta, 2 Eier
Muschelsauce:
1 kg TK-Venusmuscheln
200 ccm Weißwein
1 Knoblauchzehe
1 Bund glatte Petersilie
2 EL Olivenöl

Nudelteig machen, in
Klarsichtfolie 30–40 Min.
ruhenlassen.
Mangold waschen, tropf-
naß mit Salz im Topf zu-
sammenfallen lassen, aus-
drücken, fein hacken.
Fisch salzen, pfeffern, im
Öl von beiden Seiten
je 3 Min. braten, abküh-
len lassen. Parmesan mit
Ricotta und Eiern glatt-
rühren. Fisch mit 2 Ga-
beln zerzupfen, mit Man-
gold unter den Käse mi-
schen, salzen, pfeffern
und 30 Min. kalt stellen.
Aus dem Teig 4 Blätter
walzen, auf einer Blatt-
hälfte der Länge nach al-
le 5 cm 1 TL Füllung auf-
setzen. Teig auf der freien
Hälfte mit Wasser bepin-
seln, der Länge nach über
der Füllung zusammen-
klappen. Mit dem Ku-
chenrädchen 5 cm große
Quadrate ausschneiden,
zugedeckt ruhenlassen.
Inzwischen Muscheln in
einer trockenen Pfanne
bis zum Öffnen erhit-
zen, mit Wein ablöschen.
Knoblauch und Petersi-
lie (beides gehackt) mit
dem Öl unterrühren, kurz
kochen. Ravioli in ko-
chendem Salzwasser mit
Öl 8–10 Min. garen, ab-
gießen, abgetropft mit
Sauce übergießen.

Zubereiten: 2 Stunden
1 Port.: 33 g E, 21 g F, 37 g KH
= 2107 kJ (504 kcal)

Heißt ein Gericht „di magro", kann man da-von ausgehen, daß es besonders üppig bestückt ist — und früher eine Fastenspeise war

49

Makkaroni mit sizilianischer Sauce

Maccheroni alla siciliana

Für 4 Portionen:
100 g Haselnußkerne
50 g Pinienkerne
100 g Walnußkerne
100 g Rosinen
2–3 kleine scharfe,
frische Chilischoten
60 g Butter
4 Zimtstangen
$\frac{1}{4}$ l Kalbs- oder Hühner-
brühe
3 EL trockener Weißwein
500 g Makkaroni
Salz, 1 EL Öl
1 Bund Basilikum
1 unbehandelte Zitrone

Haselnußkerne in einer trockenen Pfanne gold-braun rösten und grob hacken. Pinienkerne auch ohne Fett goldbraun rö-sten. Walnußkerne durch die Mandelmühle drehen. Die Rosinen grob hacken. Chilischoten putzen, ent-kernen, fein hacken.
Butter in einer Pfanne schmelzen. Rosinen, Chi-lischoten, die Haselnüsse, Walnüsse und Zimtstan-gen darin unter Wenden anbraten. Mit Brühe und Weißwein ablöschen und etwas einkochen lassen.
Inzwischen die Nudeln in kochendem Salzwasser mit Öl nach Packungsanwei-sung bißfest garen, abgie-ßen und gut abtropfen lassen.
Basilikumblättchen abzup-fen. Schale von $\frac{1}{2}$ Zitrone dünn abreiben (andere Hälfte in Spalten schnei-den), beides unter die Nußsauce mischen. Zimt-stangen herausfischen.
Nudeln und Sauce in ei-ner vorgewärmten Schüs-sel mischen und mit Zi-tronenspalten servieren.

Zubereiten: 30 Minuten
1 Port.: 26 g E, 59 g F, 68 g KH
= 3915 kJ (936 kcal)

Muschelnudeln mit Radicchio

Lumache al radicchio
Ristorante Antica Pesa
Rom, Latium

Für 4 Portionen:
250 g Muschelnudeln
1 EL Olivenöl
Salz
2 Knoblauchzehen
$\frac{3}{8}$ l Schlagsahne
125 g kleinblättriger
Radicchio
40 g Butter
65 g frisch geriebener
Parmesankäse
schwarzer Pfeffer (Mühle)

Nudeln mit Öl in 3 l ko-chendem Salzwasser nach der Packungsanweisung knapp gar kochen. Knob-lauchzehen pellen. Eine ins Kochwasser geben. Inzwischen Sahne bei mil-der Hitze cremig einko-chen. Zweite Knoblauch-zehe durch die Presse in die Sahne drücken. Ra-dicchio putzen, waschen, trockenschleudern und in kleine Stücke zerzupfen. Servierschüssel vorwär-men. Nudeln abgießen und gut abtropfen lassen, in die Schüssel geben. Sahne, Butter und Käse unterrühren. Zum Schluß den Radicchio unterhe-ben. Nudeln kräftig pfef-fern und sofort servieren.

Zubereiten: 25 Minuten
1 Port.: 16 g E, 47 g F, 50 g KH
= 2962 kJ (708 kcal)

Das müssen Sie beachten:
Es ist wichtig, daß die Servierschüssel gut vorge-wärmt ist. Das geht auch so: Stellen Sie sie einfach 10 Minuten vorher in brühendheißes Wasser.

Das paßt dazu:
Ein frischer grüner Blatt-salat, der mit Zitronensaft und einem guten Olivenöl angemacht ist.

Die passende Variation:
Statt der Nudeln können Sie auch einen Risotto zu-bereiten, den Sie dann, wie in diesem Rezept, mit Käse, Sahne und Radic-chio mischen.

Das passende Getränk:
Ein leichter Rotwein aus Cerveteri.

*Der starke
arabische Einfluß
auf die sizilianische Küche
kommt in dieser Sauce
wunderschön zum Ausdruck*

51

Spaghetti mit Kapern und schwarzen Oliven

Spaghetti con capperi
e olive nere
Apulien, Kalabrien

Für 4 Portionen:
200 g schwarze Oliven
1 kleine rote, getrocknete
Chilischote
50 g Kapern
2–3 EL Tomatensauce
(S. 115)
⅛ l Olivenöl
400 g Spaghetti, Salz

Oliven längs halbieren und entsteinen. Chilischote der Länge nach aufschlitzen und entkernen. Kapern abspülen, abtropfen lassen und einmal durchhacken.
Oliven, Chilischote und Kapern mit Tomatensauce und Olivenöl (1 EL abnehmen) in einer großen Schüssel mischen und etwas durchziehen lassen.

Inzwischen die Spaghetti mit Salz und 1 EL Öl in kochendem Wasser nach Packungsanweisung bißfest garen, abgießen, gut abtropfen lassen, in die Schüssel schütten und gut mit dem Öl mischen. Vorm Servieren die Chilischote entfernen. Brot dazu reichen.

Zubereiten: 30 Minuten
1 Port.: 15 g E, 20 g F, 69 g KH
= 2207 kJ (527 kcal)

Die passende Beilage:
Ausgewachsene Kapern, wie Sie sie hinten im Foto sehen.

Ravioli mit Spinat und Salbeibutter

Ravioli alla genovese
Ligurien

Für 6–8 Portionen:
1 Rezept Nudelteig ohne
Ei (S. 34) für 70–75 Ra-
violi, 1 EL Öl, Salz
Füllung:
200 g Spinat, Salz
150 g Schweineschnitzel
1 EL Öl
150 g gekochter Schinken
4 EL frisch geriebener
Parmesankäse, 2 Eigelb
20 g Butter, Pfeffer
Außerdem:
100 g Butter
20 Salbeiblätter

Ravioli nach dem Rezept von Seite 34 herstellen. Spinat gründlich waschen, tropfnaß bei milder Hitze mit Salz zusammenfallen, dann abtropfen lassen. Schnitzel im heißen Öl von beiden Seiten anbraten. Fleisch und Schinken grob wür-

feln. Spinat ausdrücken und mit Schnitzel und Schinken zweimal durch die mittlere Scheibe vom Fleischwolf drehen. Farce mit Parmesan, Eigelb, Butter mischen, kräftig salzen und pfeffern.
Füllung im Abstand von 5 cm auf die Längsseiten von 2 ausgerollten Teigplatten setzen. Freigelassene Teighälften dünn mit Wasser bepinseln, überklappen, festdrücken. Ravioli ausstechen.
Ravioli mit Öl in kochendem Salzwasser 10–12 Min. garen, abgetropft in einer vorgewärmten Schüssel anrichten.
Während die Ravioli garen, Butter schmelzen, Salbei darin bräunen. Vorm Servieren über die Ravioli gießen.

Zubereiten: 1¾ Stunden
1 Port. (8 Port.): 22 g E, 29 g F,
47 g KH = 2462 kJ (588 kcal)

Das Wort Ravioli heißt soviel wie „gefüllte Täschchen". Diese hier sind besonders hübsch und reichlich bestückt

Nudeln mit Sardinen

Pasta con sarde
Quinzi & Gabrieli, Rom

Für 4–6 Portionen:
100 g frische Sardinen
1–2 Knoblauchzehen
1 getrocknete Chilischote
2 Zwiebeln
25 g Pinienkerne
50 g Sultaninen
4 geschälte Tomaten
(a. d. Dose, 160 g)
3 TL Fenchelsaat
1 Bund Petersilie
2 l Rindfleischbrühe
½ TL schwarze Pfeffer-
körner
4 EL Olivenöl
500 g Penne-Nudeln
schwarzer Pfeffer (Mühle)
Salz, 1 Prise Safran

Die Sardinen ausnehmen, putzen, entgräten, klein-schneiden. Den Knob-lauch pellen, hacken. Bei-des mit der Chilischote im Mörser zerstoßen.
1 Zwiebel pellen, fein würfeln. Pinienkerne und Sultaninen fein hacken. Tomaten abtropfen (7 EL Saft auffangen), grob hak-ken. Fenchel im Mörser zerstoßen. Petersilie grob hacken.
Brühe mit ungepellter Zwiebel, Pfefferkörnern und 2 EL Öl aufkochen. Nudeln nach Packungs-anweisung darin bißfest garen.
Inzwischen die gehackte Zwiebel im restlichen Öl andünsten, Sardinenpaste, Pinienkerne, Sultaninen, Fenchel und die Hälfte Petersilie, Tomaten und -saft unterrühren, etwas einkochen lassen und zum Schluß mit Salz, Pfeffer und Safran würzen.
Nudeln abgießen, gut ab-tropfen lassen (Zwiebeln herausnehmen), in einer vorgewärmten Schüssel mit der Sauce mischen. Mit restlicher Petersilie bestreuen. Heiß oder auch kalt servieren.

Zubereiten: 50 Minuten
1 Port. (6 Port.): 15 g E, 8 g F,
64 g KH = 1664 kJ (398 kcal)

Spaghettini mit Artischocken

Spaghettini con carciofi
Kalabrien

Für 6 Portionen:
2 Zitronen
12 kleine Artischocken
1 große Knoblauchzehe
1 Bund glatte Petersilie
125 g Schafskäse mit
Pfefferkörnern
7 EL Olivenöl
Salz, schwarzer Pfeffer
600 g Spaghettini (feine
Spaghetti)

Zitronen auspressen. Saft in 1 l Wasser gießen. Stie-le aus den Artischocken rausdrehen, äußere harte Blätter entfernen, Blatt-spitzen abschneiden. Ar-tischocken längs halbie-ren, längs in Scheiben schneiden, sofort ins Zi-tronenwasser legen.
Knoblauch pellen, hak-ken. Petersilie grob hak-ken. Käse grob raffeln. Artischocken aus dem Wasser nehmen und an-schließend auf Küchen-krepp abtropfen lassen.
6 EL Öl in einer großen Pfanne erhitzen. Die Arti-schocken unter Wenden darin bei starker Hitze 5 Min. anbraten. Mit 100 ccm Wasser ablöschen, salzen und pfeffern.
Inzwischen Spaghettini in herzhaft gesalzenem Was-ser mit 1 EL Öl nach Pak-kungsanweisung bißfest garen, abgießen, gut ab-tropfen lassen.
Knoblauch und Petersilie unter die Artischocken mischen und erhitzen.
Nudeln mit Artischok-kensauce und Käse in ei-ner vorgewärmten Schüs-sel mischen und dann gleich servieren.

Zubereiten: 1 Stunde
1 Port.: 16 g E, 22 g F, 49 g KH
= 1980 kJ (473 kcal)

Das passende Getränk:
Ein kräftiger Roter aus Kalabrien.

*Aus dem sonnendurchglühten
Kalabrien stammen die
Spaghettini mit Artischocken, die
für dieses Gericht jung und
zart und ganz klein sein müssen*

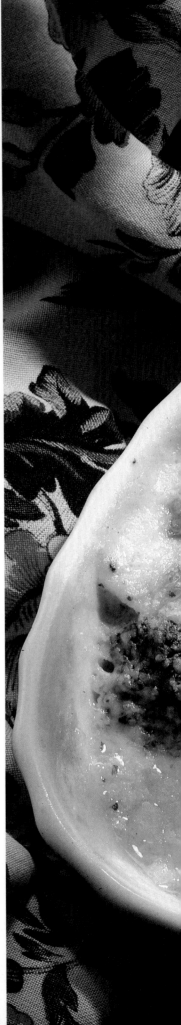

Spaghetti mit roher Tomatensauce

Spaghetti con salsa cruda di pomodoro
Lieto Barberi, Enoteca toscana, Hamburg

Für 4 Portionen:
1 kg reife Fleischtomaten
1 Knoblauchzehe
1 großes Bund Basilikum
Salz, Pfeffer a. d. Mühle
400 g Spaghetti
1 EL Olivenöl, 20 g Butter

Tomaten ohne Stielansatz würfeln. Knoblauch und Basilikumblätter fein hakken. Beides unter die Tomaten mischen, herzhaft salzen, pfeffern und in eine Schüssel geben.
Spaghetti in herzhaft gesalzenem Wasser mit Öl bißfest garen, abgießen, gut abtropfen lassen. Butter unterrühren. Spaghetti auf die Tomatensauce schütten und unterheben.

Zubereiten: 1 Stunde
1 Port.: 16 g E, 7 g F, 74 g KH = 1827 kJ (437 kcal)

Cannelloni mit Spinat

Cannelloni agli spinaci

Für 4 Portionen:
1 Rezept Nudelteig ohne Ei (Seite 34), Grieß
500 g Wurzelspinat
200 g Ricotta-Käse
je 50 g Pecorino und Parmesan (gerieben)
1 Knoblauchzehe (gehackt)
Salz, Pfeffer, Muskat
3–4 EL Olivenöl
1 Bund Basilikum (gehackt)
30 g Butter, 30 g Mehl
$\frac{1}{4}$ l Milch
$\frac{1}{8}$ l Schlagsahne
Butter für die Form
1 Fleischtomate (gewürfelt)
3 EL Parmesan zum Bestreuen

Nudelteig zubereiten, ausrollen, in 12 Vierecke schneiden, mit Grieß bestreuen, zugedeckt ruhenlassen. Spinat waschen, tropfnaß bei milder Hitze zusammenfallen lassen, gut ausdrücken und grob hakken, in einer Schüssel mit Ricotta, Pecorino, Parmesan und Knoblauch mischen. Mit Salz, Pfeffer und Muskat abschmekken. Einen Schuß Öl und Basilikum unterrühren.
Für die Sauce Butter im Topf aufschäumen, Mehl unterrühren. Nach und nach Milch und Sahne zugießen. Kräftig rühren, bis die Sauce aufkocht und dick und glatt ist. Hitze runterschalten. Sauce 3 Min. leise kochen, vom Herd nehmen, mit Salz, Pfeffer und Muskat würzen.
Eine ofenfeste Form mit Butter ausfetten. Hälfte Sauce hineingießen. 1½ EL Füllung auf jedes Teigstück geben. Teig aufrollen. Rollen in die Sauce legen. Restliche Sauce darübergießen. Erst Tomatenwürfel und dann Parmesan daraufstreuen. Im vorgeheizten Ofen (200 Grad, Gas 3, 2. Leiste v. u.) 20 Min. backen, kurz unterm Grill bräunen.

Zubereiten: 1½ Stunden
1 Port.: 36 g E, 48 g F, 83 g KH = 3941 kJ (943 kcal)

*Andere Möglichkeit: Für die Füllung
statt nur Spinat auch mal halb
Spinat/halb Mangold nehmen und
mit Borretsch statt Basilikum würzen.
So macht's Lidio di Bilio vom
„Lo Spuntino" in Hamburg-Altona.*

Spaghetti mit Languste

Spaghetti all'aragosta
*Ristorante Gallura
Olbia, Sardinien*

Für 6 Portionen:
500 g Spaghetti
Sud:
1 EL Meersalz
1 kleiner Rosmarinzweig
3 Thymianzweige
1 Lorbeerblatt
3 Petersilienzweige
1 Stange Staudensellerie
6 Langusten à 400 g
1 EL Öl
Gemüsesauce (Soffritto):
4 Knoblauchzehen
je 2 rote und grüne frische
Chilischoten (peperoncini
freschi)
4 Frühlingszwiebeln
2 Stangen Staudensellerie
2 Bund glatte Petersilie
2 Bund Basilikum
10 Salbeiblätter
2 EL Butter
2 EL Olivenöl
Salz
Pfeffer a. d. Mühle

Für den Sud 3 l Wasser und das Meersalz in einem großen Topf aufkochen. Kräuter und Staudensellerie hineingeben und 20 Min. kochen. Langusten einzeln kopfüber in den sprudelnd kochenden Sud geben und 3 Min. kochen, anschließend im Sud auskühlen lassen.

Für die Sauce Knoblauch pellen. Chilischoten halbieren, entkernen, kalt abspülen. Frühlingszwiebeln und Staudensellerie putzen, waschen und in dünne Scheiben schneiden. Petersilie, Basilikum, Salbei waschen, trocknen, von den Stielen zupfen, mittelfein hacken und zugedeckt beiseite stellen. Langusten aus dem Sud nehmen. Sud aufbewahren. Langustenschwänze

von den Körpern trennen, mit einem schweren Messer längs halbieren. Jede Hälfte in 4 Stücke schneiden.

Butter und Öl in einer großen Pfanne erhitzen. Langustenteile, Kräuter und Gemüse darin bei starker Hitze unter Wenden etwa 1 Min. rösten, mit 1 Kelle Langustensud ablöschen, salzen und pfeffern. Die Sauce warmhalten.

Langustensud mit Öl im großen Topf aufkochen. Spaghetti darin nach Packungsanweisung bißfest garen, abgießen und gut abgetropft in einer vorgewärmten Schüssel mit Langusten und Sauce mischen. Nudeln sofort servieren und vorgewärmte Teller bereitstellen.

Zubereiten: 1½ Stunden
1 Port.: 46 g E, 16 g F, 40 g KH
= 2111 kJ (504 kcal)

Unser Tip:
Die Gemüsesauce, die gleichzeitig das klassische Rezept für einen „soffritto" ist, paßt selbstverständlich zu anderen Nudelsorten und schmeckt auch ohne Langusteneinlage.

Das passende Getränk:
Ein würziger Weißer aus Sardinien, ein Terre Bianche aus Alghero zum Beispiel.

Das paßt dazu:
Sardisches Fladenbrot und ein grüner Salat, in dem der Staudensellerie sich wiederholt.

Was ist ein soffritto?
Etwas, das eine italienische Hausfrau als erstes in der Küche lernt: Feingehacktes, in Öl oder Butter durchgeschmortes Gemüse als Basis für Saucen mit weiteren Zutaten (Fleisch, Pilze oder Fisch und Krustentiere). Wird die Sauce erweitert, entsteht aus dem soffritto ein intingolo. Zwei Sachen, die so etwas wie die beiden Standbeine in der italienischen Küche sind.

*Ein Rezept von Rita Denzer,
der großartigen sardisch-
schwäbischen Köchin und Chefin
vom Hotel Gallura in Olbia
auf Sardinien*

59

SUPPEN UND EINTÖPFE
MINESTRE E MINESTRONI

Erbsensuppe mit jungen Artischocken

Minestra di stagione
Kampanien, Kalabrien

Für 4 Portionen:
1 kg frische Erbsenschoten
200 g kleine zarte
Artischocken
1 EL Zitronensaft
1 Knoblauchzehe
2 EL Olivenöl
4 EL gehackte Petersilie
$1\frac{1}{2}$ l klare Fleischbrühe
Salz
100 g frisch geriebener
Parmesankäse

Die Erbsen auspalen. Von den Artischocken etwa zwei Drittel der Blätter vom Stiel her abzupfen. Die Spitzen mit einem scharfen Messer abschneiden, so daß nur die unteren zarten Teile der Artischocken übrigbleiben. Zitronensaft in reichlich Wasser gießen. Geputzte Artischocken hineinlegen, damit sie nicht braun anlaufen.

Die Knoblauchzehe pellen und pürieren, in einem Topf im Öl goldbraun anbraten und anschließend mit der Schaumkelle herausfischen. Gut abgetropfte Artischocken kurz im Knoblauchöl andünsten. Erbsen und die Hälfte Petersilie zugeben. Brühe angießen. Suppe zugedeckt bei milder Hitze etwa 20 Min. leise kochen lassen. Vorm Servieren salzen und die restliche Petersilie unterziehen. Zur Erbsensuppe mit Artischocken Parmesankäse und geröstetes Brot servieren.

Zubereiten: 1 Stunde
1 Port.: 18 g E, 14 g F, 20 g KH
= 1179 kJ (282 kcal)

Gemüsesuppe mit Reis

Minestrone

Für 8 Portionen:
200 g getrocknete
weiße Bohnen
1 Zwiebel
1 kleine frische Chilischote
1 Lorbeerblatt, Salz
100 g Staudensellerie
150 g Kartoffeln
100 g Möhren
200 g Zucchini
1 kleine rote Paprika-
schote (150 g)
250 g Schneidebohnen
150 g Porree (nur weiße
und hellgrüne Teile)
375 g Wirsing
500 g frische Erbsen-
schoten (155 g netto)
150 g durchwachsener
Speck
5 EL Olivenöl, 75 g Reis
1 Bund glatte Petersilie
2 Knoblauchzehen
schwarzer Pfeffer (Mühle)
100 g frisch geriebener
Parmesankäse

Bohnen am Tag vorher in $2\frac{1}{2}$ l kaltem Wasser einweichen. Am nächsten Tag mit der gepellten, geviertelten Zwiebel, der Chili-schote und dem Lorbeer zum Kochen bringen, bei Bedarf abschäumen, bei milder Hitze zugedeckt $1\frac{1}{2}$ Std. kochen, hinterher salzen.
Inzwischen den Sellerie putzen, waschen und quer in Stücke schneiden. Kartoffeln und Möhren schälen und waschen. Zucchini und Paprika putzen und waschen. Alles Gemüse würfeln. Die Bohnen waschen, entfädeln, schräg in Stücke schneiden. Porree putzen, waschen, in Ringe schneiden. Äußere Kohlblätter abnehmen. Kohl achteln und in Streifen vom Strunk schneiden. Die Erbsen auspalen.
Den Speck fein würfeln, in 2 EL Öl ausbraten, Gemüse (bis auf den Wirsing) darin gut andünsten. Weiße Bohnen mit dem Einweichwasser zugeben. Vom Kochen an 10 Min. kochen lassen. Wirsing und Reis zugeben. Suppe zugedeckt 20 Min. garen. Petersilie hacken, Knoblauch pürieren. Beides in die Suppe geben. Suppe mit Pfeffer und dem restlichen Öl würzen. Mit Käse servieren.

Zubereiten: 2 Stunden
1 Port.: 17 g E, 23 g F, 30 g KH
= 1697 kJ (406 kcal)

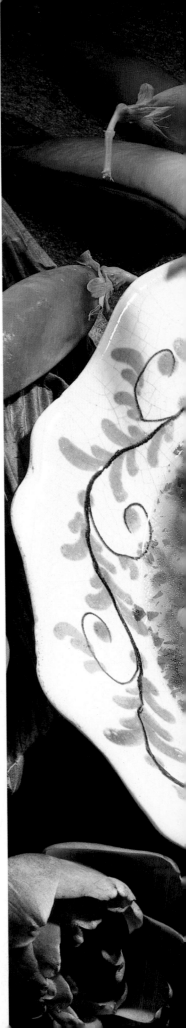

Die ersten zartbitteren
Artischocken des Jahres, die

Lammtopf mit Tomaten

Agnello in ragù
Apulien

Für 4–6 Portionen:
1 kg mageres Lammfleisch
schwarzer Pfeffer (Mühle)
30 g Butterschmalz
1 Knoblauchzehe
1 TL Salz
3 Lorbeerblätter
1 Rosmarinzweig
1 Bund Thymian
½ l kräftiger Rotwein
**500 g grüne Paprika-
schoten**
375 g kleine Zwiebeln
200 g kleine Tomaten

Lammfleisch wie für Gulasch würfeln und pfeffern. Butterschmalz im Schmortopf stark erhitzen. Fleisch darin unter Wenden kräftig anbraten, bis die Flüssigkeit verdampft und das Fleisch gebräunt ist.

Inzwischen Knoblauchzehe pellen und mit einem Messer auf dem Salz zerdrücken, dann mit Lorbeer, Rosmarin und Thymianblättchen zum Fleisch geben. Rotwein angießen. Fleisch zugedeckt bei mittlerer Hitze 30 Min. schmoren.

Inzwischen Paprikaschoten putzen, waschen und würfeln. Zwiebeln pellen und mit dem Paprika unter das Fleisch mischen. Alles weitere 30 Minuten schmoren.

Inzwischen die Tomaten häuten (s. Kasten) und zum Schluß 10 Min. mitschmoren lassen.

Lammtopf vorm Servieren noch einmal abschmecken. Den Rosmarin und Lorbeer entfernen.

Zubereiten: 2 Stunden
1 Port. (6 Port.): 32 g E, 35 g F,
11 g KH = 2451 kJ (586 kcal)

Das paßt dazu:
Reis, Polenta oder frisches Landbrot, ein paar Oliven und ein frischer Salat.

Die passende Geschichte:
In Apulien bereitet man das Gericht mit einem Jungschaf, einem *agnellone*, zu. Jungschaf nennt man in Italien ein Schaf, wenn es zwischen drei und zwölf Monaten jung ist. Die beste Zeit für dieses Gericht ist der Juli, was sehr günstig war, denn meist fanden in diesem Monat Rück- oder Übergabe der Pachthöfe statt. Und aus diesem Anlaß mußten die Pächter, ob sie wollten oder nicht, für die Grundherren (fürs Gesinde Gott sei Dank auch!) ein mehrstündiges Festessen veranstalten, dessen Mittelpunkt das Lammragout war. Das Ragù wurde in ungeheuren Mengen aufgetischt, die mit vielen Litern Wein heruntergespült werden mußten.

Tomaten: häuten
Mit einem spitzen, scharfen Messer den Stielansatz tief aus der Tomate herausschneiden. Dann die Haut auf der gegenüberliegenden Seite über Kreuz einritzen. Die Tomate jetzt kurz in kochendes Wasser legen, mit der Schaumkelle herausheben und sofort in eiskaltes Wasser tauchen. Das Tomatenfleisch anschließend ganz einfach aus der Haut gleiten lassen.

*Südlicher kann ein
Eintopf kaum sein: Fleisch
von Lämmern, die
auf Kräuterwiesen aufge-
wachsen sind und
saftiges Gemüse, das die
ganze Kraft der Sonne
in ein aufregendes Aroma
umgesetzt hat*

65

Linsen mit Schweinswürsten

Lenticchie con salsicce
Umbrien, Abruzzen

Für 6 Portionen:
3 Stangen Staudensellerie
100 g Möhren, 1 Zwiebel
6 Knoblauchzehen
1 kleine frische Chilischote
300 g Linsen
1 Lorbeerblatt
1 kleiner Salbeizweig
1 Dose geschälte Tomaten
(425 g EW)
4 EL Olivenöl
8 kleine italienische
Schweinswürste (Salsicce,
etwa 800 g)
200 g Cotechino (ersatzw.
2 Schweinskochwürste)
Salz, Pfeffer (Mühle)

Sellerie waschen, putzen, 2 Stangen würfeln. Möhren schälen und würfeln. Die Zwiebel und 4 Knoblauchzehen pellen und fein hacken. Die Chilischote entkernen, fein zerschneiden. Die Linsen waschen und abtropfen lassen.
Vorbereitete Zutaten mit Lorbeer und Salbei in einen Topf geben, ¾ l Wasser zugießen und 45 Min. leise kochen lassen.
Den restlichen Knoblauch pellen und wie die übriggebliebene Selleriestange fein würfeln. Die Tomaten abtropfen lassen und pürieren.
Öl in einer Pfanne erhitzen. Würste darin anbraten. Sellerie und Knoblauch zugeben und kurz mitbraten. Tomaten zugeben und 10 Min. leise kochen lassen. Linsen mit etwas Kochflüssigkeit zugeben und weitere 10 Min. leise kochen. Zum Schluß mit Salz und Pfeffer abschmecken.

Zubereiten: 1¼ Stunden
1 Port.: 34 g E, 62 g F, 30 g KH
= 3582 kJ (857 kcal)

Wichtig: Dieses typische Wintergericht wird mit Knoblauchbrot und einem Salat serviert, wenn es als Hauptgang auf den Tisch kommt.

Tomatensuppe mit Eigelb und Parmesan

Zuppa di pomodoro
con uovo e parmigiano

Für 4 Portionen:
750 g kleine, reife
Suppentomaten
300 g Zwiebeln
4 Knoblauchzehen
4 EL Olivenöl
¼ l Rotwein
1 EL Tomatenmark
2 Lorbeerblätter
½ Bund Thymian
Salz
Zucker
Cayennepfeffer
4 Eigelb
50 g frisch geriebener
Parmesankäse

Tomaten häuten (s. S. 64), grob zerdrücken und beiseite stellen. Die Zwiebeln pellen und in feine Streifen schneiden. Knoblauch pellen und in sehr dünne Scheiben schneiden.
Öl im großen Topf nicht zu heiß werden lassen. Zuerst die Zwiebeln unter Rühren andünsten. Knoblauch zugeben und hell andünsten. Wein mit ¼ l Wasser und Tomatenmark verrühren und in den Topf gießen. Lorbeer und Thymianzweige zugeben, mit Salz, Zucker und Cayennepfeffer würzen und im offenen Topf bei mittlerer Hitze 20 Min. leise kochen.
Tomaten zugeben und darin 5 Min. ziehen lassen (nicht kochen!). Suppe noch einmal abschmekken. Lorbeer und Thymian herausfischen.
Zur Suppe Eigelb und Parmesankäse servieren. Beides wird erst bei Tisch und auf dem Teller unter die Suppe gerührt. Eventuell Baguette oder Fladenbrot dazu servieren.

Zubereiten: 1 Stunde
1 Port.: 9 g E, 21 g F, 18 g KH =
1390 kJ (322 kcal)

*Eine winterliche Spezialität
sind in Umbrien die
kernigen Linsen von der
Hexen-Hochebene
von Castelluccio, die mit
herzhaft gewürzten
Schweinswürsten aus Norcia
angereichert werden*

Auberginenauflauf
Melanzane al forno

Für 6 Portionen:
100 g Zwiebeln
2 Knoblauchzehen
6 EL Öl
1 Dose geschälte Tomaten
(425 g EW)
3 Lorbeerblätter
½ EL Rosmarinnadeln
30 g Tomatenmark
Salz, Zucker
Cayennepfeffer
1 kg Auberginen
300 g Mozzarella
100 g frisch geriebener
Parmesankäse

Zwiebeln und Knoblauch pellen und hacken. Beides in 4 EL Öl glasig dünsten, dann grob geschnittene Tomaten und Saft, Lorbeer, Rosmarin und Tomatenmark unterrühren. Tomaten einmal aufkochen, mit Salz, Zucker und Cayenne würzen. Im offenen Topf bei mittlerer Hitze in 20 Min. dick einkochen.

Inzwischen die Auberginen waschen, Stielansätze abschneiden. Auberginen längs in 1 cm dicke Scheiben schneiden. In einer mit Öl ausgepinselten Pfanne von beiden Seiten anbraten und salzen. Mozzarella würfeln und mit Parmesan mischen.
Eine ofenfeste Form mit restlichem Öl auspinseln. Abwechselnd Auberginen, Tomaten und Käsemischung einschichten.
Auflauf im vorgeheizten Backofen (200 Grad, Gas 3, 2. Leiste v. u.) etwa 40–45 Min. backen. In der Form servieren. Grünen Salat dazu reichen.

Zubereiten: 1¾ Stunden
1 Port.: 20 g E, 25 g F, 44 g KH
= 2106 kJ (503 kcal)

Ausgebrütete Suppe
Sopa caoda

Für 4 Portionen:
1 Poularde (1,2 kg, küchenfertig vorbereitet)
Salz, Pfeffer (Mühle)
100 g Hähnchenleber
3 EL Marsala
30 g magerer Speck
1 Möhre, 1 Schalotte
75 g Butter, 1 EL Öl
½ Bund Petersilie
50 ccm Weißwein
1 l Fleischbrühe (heiß)
6 Scheiben Weißbrot
100 g frisch geriebener
Parmesankäse

Poularde waschen und trocknen, innen und außen salzen und pfeffern. Leber putzen und mit Marsala beträufeln. Speck und geputzte Möhre würfeln. Schalotte würfeln.
1 EL Butter und das Öl im Topf erhitzen. Poularde darin rundherum anbraten. Leber im Bratfett kurz anbraten und herausnehmen. Speck, Möhre, Schalotte, gehackte Petersilie in den Topf geben und andünsten. Wein angießen und verdampfen lassen. Brühe zugießen.
Huhn zugedeckt bei milder Hitze 45 Min. garen, aus dem Topf nehmen, abkühlen lassen. Fleisch von den Knochen lösen, Haut entfernen.
Brot würfeln, in etwas Butter rösten. Leber würfeln. Parmesan grob raffeln.
Eine ofenfeste Form mit der restlichen Butter ausstreichen. Brotwürfel, Parmesan, Fleisch und Leber abwechselnd einschichten. Mit Brot und Parmesan abschließen. Die Brühe am Rand der Form eingießen.
Die Suppe im vorgeheizten Backofen (80 Grad, Gas 1, 1. Leiste v. u.) etwa 3 Stunden garen.

Vorbereiten: 1 Stunde
Garen: 3 Stunden
1 Port.: 65 g E, 45 g F, 22 g KH
= 3376 kJ (807 kcal)

Diese Spezialität aus Venetien, die man
ursprünglich mit Taubenfleisch zubereitet hat,
ist ein Mittelding aus Suppe, Eintopf
und Auflauf – und demzufolge sehr nahrhaft.
Das Fleisch kann übrigens in „ärmeren
Zeiten" durch Eier oder Kohl
und anderes Gemüse
ersetzt werden

Sardische Hirtensuppe

Zuppa dei pastori galluresi

Für 12 Portionen:
1,2 kg Lammnacken
1,2 kg Ochsenbein
1 Suppenhuhn (2 kg)
350 g Zwiebeln
300 g Staudensellerie
200 g Möhren
1 Bund Basilikum
Salz
1 kg Fleischtomaten
6 EL Olivenöl
50 g Tomatenmark
Zucker
Cayennepfeffer
Zimtpulver
1 Bund glatte Petersilie
200 g junger Schafskäse
400 g sehr dünnes Fladenbrot (Pane carasau)

Fleisch waschen, mit 6 l kaltem Wasser zum Kochen bringen, sorgfältig abschäumen.

Inzwischen Zwiebeln pellen und vierteln. Sellerie und Möhren putzen, waschen und grob zerschneiden. Alles mit Basilikumblättern zum Fleisch geben und salzen.
Fleisch in der Brühe ohne Deckel bei milder Hitze 3 Stunden garen. Danach mit Salz abschmecken.
Während das Fleisch gart, Tomaten häuten, grob zerschneiden und im Olivenöl aufkochen. Tomatenmark unterrühren. Tomaten in 30 Min. dicklich einkochen, mit Salz, Zucker, Cayenne und Zimt würzen.
Petersilie grob hacken. Käse in Scheiben schneiden. Brotblätter in einen ofenfesten Topf einschichten. Lagenweise mit Tomatensauce beträufeln und mit Käse und Petersilie belegen. Etwa 4 l Brühe durch ein Sieb über das Brot gießen.
Die Suppe im vorgeheizten Backofen (200 Grad, Gas 3, 1. Leiste v. u.) so lange garen, bis sich oben eine schöne Kruste gebildet hat. Das dauert etwa 1 Stunde. Die sardische Hirtensuppe anschließend in der Form servieren.

Vorbereiten: 3 Stunden
Garen: 1 Stunde
1 Port.: 7 g E, 11 g F, 21 g KH = 872 kJ (208 kcal)

Die Suppe als Festmahl
Die Zuppa dei pastori galluresi wird nur bei großen Festlichkeiten aufgetischt. Die Zubereitung ist aufwendig. Und man sollte ein bis zwei Tage vorher damit anfangen. Ist die Brühe gekocht und mit Brot und Käse in die Form geschichtet, dauert's nur noch eine Stunde. Das Fleisch von Lamm, Ochse und Huhn, das die Kraft der Brühe ausmacht, wird übrigens hinterher lauwarm und mit sauer eingelegten Zwiebeln gegessen.

Fenchelsuppe

Zuppa di finocchi
Kalabrien

Für 4 Portionen:
2 Fenchelknollen (700 g)
1 Zwiebel
50 g Speck
1 Bund glatte Petersilie
1 Dose Kichererbsen
(840 g EW)
2 EL Olivenöl
1 l Gemüsebrühe (Instant)
2 EL Tomatenmark
Salz
Pfeffer a. d. Mühle

Fenchel putzen, waschen und in dünne Scheiben schneiden. Zartes Fenchelgrün beiseite legen. Zwiebel pellen und würfeln. Speck fein würfeln. Petersilie hacken. Kichererbsen im Sieb abtropfen lassen.
Olivenöl im Topf erhitzen. Speck und Zwiebeln darin glasig dünsten. Fenchel und Petersilie zugeben und kurz mitdünsten. Heiße Gemüsebrühe und Tomatenmark verrühren, in den Topf gießen. Die Suppe bei milder Hitze etwa 15 Min. sanft kochen lassen. Danach die Kichererbsen in die Suppe geben und 10 Minuten mitkochen.
Fenchelsuppe mit Salz und Pfeffer abschmecken, vor dem Servieren mit Fenchelgrün bestreuen. Brot dazu reichen.

Zubereiten: 50 Minuten
1 Port.: 30 g E, 16 g F, 77 g KH = 2484 kJ (595 kcal)

An diese frische Fenchel-suppe gehört kein Parmesan-käse. Der würde das zarte Aroma völlig über-decken. Gewürzt wird beim Essen allenfalls noch mit einem Schuß vom besten Olivenöl, das Sie bekom-men können

Gemüseauflauf

Verdure varie in padella
Apulien, Kalabrien

Für 12 Portionen:
750 g Zucchini
750 g Auberginen
Salz
750 g Kartoffeln
(mehlig kochende Sorte)
750 g grüne
Paprikaschoten
1 kg Fleischtomaten
250 g Staudensellerie
2 Bund Frühlingszwiebeln
6 Knoblauchzehen
2 Bund glatte Petersilie
2 Bund Basilikum
1 Bund Oregano (ersatzw.
3 TL getrockneter)
125 g schwarze Oliven
(mit Stein)
200 g milder, nasser
Schafskäse
200 g Fontina-Käse (er-
satzw. mittelalter Gouda)
7 EL Olivenöl
4 EL Öl
4 EL Tomatenmark
schwarzer Pfeffer (Mühle)
100 g Fadennudeln
(Hartweizen)

Zucchini und Auberginen waschen, putzen und der Länge nach in ½ cm dicke Scheiben schneiden und halbieren. Jedes Gemüse für sich in eine Schüssel geben, salzen und zur Seite stellen.

Kartoffeln schälen, waschen und in Scheiben schneiden, in Wasser legen und beiseite stellen. Paprika putzen, waschen und der Länge nach sechsteln. Tomaten waschen, Stielansätze keilförmig herausschneiden. Tomaten grob würfeln. Staudensellerie putzen, waschen und mit den zarten Blättern fein hacken. Die Frühlingszwiebeln putzen, waschen und nur die weißen und hellgrünen Teile in dünne Ringe schneiden. Den Knoblauch pellen und pürieren. Die Kräuter, wenn nötig, abspülen, abgetropft von den Stielen zupfen und grob hacken.

Oliven abspülen und das Fleisch vom Stein schnei-den. Schafskäse und Fontina grob hacken bzw. raffeln.

4 EL Olivenöl mit dem anderen Öl in einer großen Pfanne erhitzen. Knoblauch, Sellerie und Frühlingszwiebeln unter Wenden darin glasig dünsten. Tomatenwürfel und das in ⅛ l Wasser aufgelöste Tomatenmark zugeben. Alles bei mittlerer Hitze 25–30 Min. offen einkochen lassen. Mit Salz und Pfeffer würzen. Oliven unterrühren.

Die Saftpfanne aus dem Backofen mit 1 EL Olivenöl bepinseln und ein Drittel der Fadennudeln daraufstreuen. Abgetropfte Kartoffelscheiben darauflegen. Die Auberginen- und die Zucchinischeiben ausdrücken. Auberginenscheiben auf die Kartoffeln legen und mit Paprikaschoten belegen. Ein weiteres Drittel Fadennudeln, ein Drittel Käse und die Hälfte Kräuter darauf verteilen. Jetzt die Zucchinischeiben aufschichten. Zum Schluß die restlichen Nudeln, Kräuter und ein weiteres Drittel Käse darauf verteilen. Das eingekochte Tomaten-Gemüse auf das Gemüse in der Saftpfanne streichen und mit dem restlichen Käse bestreuen.

Den Auflauf im vorgeheizten Backofen (225 Grad, Gas 4, 2. Leiste v. u.) etwa 1 Std. garen. Eventuell in den letzten 10 Min. mit Alufolie abdecken.

Auflauf mit dem restlichen Olivenöl bestreichen, in Stücke teilen und in der Form servieren.

Zubereiten: 3 Stunden
1 Port.: 13 g E, 15 g F, 34 g KH
= 1445 kJ (348 kcal)

Aufläufe wie diesen hier kennt man rund ums Mittelmeer. Es wird eigentlich alles hineingetan, was der Garten gerade bietet. Wichtig, und sehr italienisch, sind die eingearbeiteten Fadennudeln, die beim Garen im Ofen den austretenden Gemüsesaft wieder aufsaugen. Dieses Rezept kennt man sowohl in Apulien als auch in Kalabrien

Nudeln mit Kichererbsen

Pasta e ceci
Rom, Latium

Für 4 Portionen:
200 g Kichererbsen
1 Zwiebel
1 Lorbeerblatt
2 EL Gemüsebrühe-
pulver (Instant)
4 EL Olivenöl
2 Knoblauchzehen
1 kleiner Rosmarinzweig
2 EL Tomatenmark
Salz
Pfeffer (Mühle)
200 g kurze Nudeln
1 Bund glatte Petersilie

Kichererbsen über Nacht in 1½ l lauwarmem Wasser einweichen.
Zwiebel pellen und vierteln. Kichererbsen abgießen. Beides mit Lorbeer und Gemüsebrühepulver in 1½ l Wasser in etwa 2 Stunden weichkochen.
Olivenöl im Topf erhitzen. Knoblauch pellen, grob hacken oder pürieren und mit dem Rosmarinzweig im Fett kurz anrösten. Tomatenmark mit etwas Gemüsebrühe verrühren und in den Topf gießen. Die Hälfte Kichererbsen zugeben. Die andere Hälfte Kichererbsen durchs Sieb in den Topf streichen. Alles gut verrühren und mit Salz und Pfeffer würzen. Die Nudeln in die Suppe geben und mitkochen, bis sie gar sind.
Den Rosmarinzweig aus der Suppe nehmen. Die Petersilie hacken und vor dem Servieren unter die Pasta ziehen.

Zubereiten: 2¼ Stunden
1 Port.: 18 g E, 14 g F, 61 g KH
= 1896 kJ (455 kcal)

Kichererbsen – von den Etruskern in die Vollwertkost
Weiße Bohnen waren im Altertum noch unbekannt. Kichererbsen dagegen und die dicken Saubohnen gehörten schon zu den wichtigsten Grundnahrungsmitteln. Alte etruskische Wandmalereien in den Totenstädten von Cerveteri und Velletri überliefern das. Auch der römische Dichter Horaz war einer Suppe aus Kichererbsen (Ceci), Lauch und Tagliatelle-Nudeln (Pasta) sehr zugetan. Die Machart dieses Pasta-Gerichtes, der Pasta e ceci eben, hat sich im Laufe der Jahrhunderte nicht wesentlich verändert. In Rom wird sie heute genauso wie damals aufgetischt, wenn sie auch manchmal mit gehacktem Staudensellerie und einer zerquetschten Sardelle gewürzt wird.

Nudeln mit Bohnen

Pasta e fagioli
Venetien

Für 4 Portionen:
300 g getrocknete Bohnen
(gesprenkelte Borlotti-
Bohnen oder weiße
Bohnen), 1 Zwiebel
1 Schinkenknochen
2 kleine rote getrocknete
Chilischoten
4 Salbeiblätter
1 Msp. Zimt
200 g kurze Nudeln
(gebrochene Bandnudeln
oder Suppennudeln)
Salz, Pfeffer (Mühle)
4 EL Olivenöl
100 g frisch geriebener
Parmesankäse

Die Bohnen über Nacht in kaltem Wasser einweichen. Zwiebel pellen und würfeln. Bohnen abgießen und mit Zwiebel, Schinkenknochen, Chilischoten, Salbei und Zimt in 1½ l kaltem Wasser zum Kochen bringen, zugedeckt bei milder Hitze 2 Stunden leise kochen lassen.
Schinkenknochen aus der Suppe nehmen, Nudeln hineingeben und darin in etwa 12 Min. (s. Packungsanweisung) garen. Inzwischen das Fleisch vom Knochen lösen, würfeln und in der Suppe wieder erwärmen.
Die Suppe eventuell mit Salz und Pfeffer abschmecken. Vor dem Servieren das Öl unterrühren. Außerdem Parmesankäse dazu reichen.

Zubereiten: 2½ Stunden
1 Port.: 33 g E, 21 g F, 71 g KH
= 2589 kJ (619 kcal)

Wichtig:
Die Qualität dieses Gerichtes hängt nicht zuletzt von der Qualität des verwendeten Olivenöls ab. Es sollte das beste sein, das Sie kriegen können. Eines, das als Olio Extra Vergine klassifiziert, also ein jungfräuliches, kaltgepreßtes Öl ist.

Rezepte für Pasta e fagioli, die Bohnensuppe mit Nudeln, gibt es in Italien viele. Die raffiniertesten stammen aus Venetien, weil da die Bohnen immer eine besondere Rolle gespielt haben

Linsensuppe auf abruzzesische Art

Lenticchie all'abruzzese
Abruzzen

Für 4 Portionen:
200 g Linsen
1 Lorbeerblatt
1½ l Fleischbrühe (Instant)
16 Eßkastanien (ersatzw.
1 Dose à 425 ml)
3 Stangen Staudensellerie
1 Zwiebel
100 g magerer Speck
50 g Butter
1 EL Tomatenmark
Salz
Pfeffer (Mühle)
100 g Weißbrot (in
Scheiben)

Linsen mit dem Lorbeerblatt in der Brühe zum Kochen bringen, bei milder Hitze etwa 30 Min. kochen lassen.
Inzwischen die Kastanien kreuzweise einschneiden und unter dem vorgeheizten Grill unter Wenden etwa 15 Min. rösten, ab-
kühlen lassen und dann schälen.
Den Staudensellerie putzen, waschen und in kleine Stücke schneiden. Zwiebel pellen und würfeln. Speck auch würfeln. Speck mit 20 g Butter in einer Pfanne anbraten. Zwiebel und Sellerie zugeben und kurz andünsten und dann in den Topf zu den Linsen schütten. Tomatenmark mit etwas Linsenbrühe verrühren, unter die Linsen rühren. Kastanien zugeben. Die Suppe mit Salz und Pfeffer abschmecken und bei milder Hitze noch einmal 15 Minuten leise kochen lassen.
Inzwischen das Brot würfeln und in der restlichen Butter knusprig und braun braten. Die Brotwürfel werden getrennt serviert.

Zubereiten: etwa 1 Stunde
1 Port.: 19 g E, 30 g F, 49 g KH
= 2316 kJ (554 kcal)

Unser Tip:
Die abruzzesischen Linsen können bei Tisch noch mit einem Schuß Olivenöl gewürzt werden.

Linsen bringen Glück
In den Abruzzen (aber auch sonst in Italien) glaubt man, daß ein Linsenessen am Ende des alten oder am Anfang des neuen Jahres viel Glück und ebensoviel Geld in den nächsten zwölf Monaten bedeutet. Öl auf dem Fußboden soll hingegen Unglück bringen. Ölflecken auf den Kleidern wiederum sind ein ungemein gutes Zeichen. In den Abruzzen ist es nicht anders als anderswo: Je höher die Berge und je tiefer die Wälder, um so stärker der Aberglaube. Er ist allumfassend. Öl, das die Hausfrau mit kleinen gehackten Chilischoten (Peperoncini) anreichert, wird nach einigen Tagen scharf und heißt jetzt Olio santo, Heiliges Öl. Linsengerichte werden damit gewürzt, aber auch Fleisch, anderes Gemüse und Salat.

Gemüsesuppe mit Gerstengraupen

Minestra di orzo
Trentino

Für 4–6 Portionen:
250 g Möhren
150 g Sellerie
150 g Brechbohnen
200 g Porree
1 Knoblauchzehe
50 g Butter
150 g Gerstengraupen
1½ l Rinderbouillon
2 EL getr. Steinpilze
150 g Erbsen (TK)
1 Bund Basilikum
50 g frisch geriebener
Parmesankäse

Die Möhren und den Sellerie schälen, Bohnen und Porree putzen. Alles waschen. Möhren und Sellerie in kleine Würfel, Bohnen in 1 cm lange Stücke, Porree in Ringe schneiden. Die Knoblauchzehe pellen.
Butter schmelzen lassen. Knoblauch dazupressen. Graupen in der Knoblauchbutter durchschwenken. Das vorbereitete Gemüse zugeben und kräftig andünsten. Mit Bouillon aufgießen. Die Steinpilze zugeben.
Suppe bei milder Hitze 25 Min. kochen. Erbsen zugeben und 5 Min. mitkochen.
Das Basilikum hacken und vor dem Servieren unter die Suppe ziehen. Käse getrennt servieren. Etwas Fladenbrot oder Baguette dazu reichen.

Zubereiten: 1 Stunde
1 Port. (6 Port.): 10 g E, 11 g F,
26 g KH = 1042 kJ (249 kcal)

Eine frühlingshafte Gemüsesuppe aus Oberitalien: mit Steinpilzen und viel jungem Gemüse und mit Graupen aus Gerste als Einlage. Wer mag, kann sich die Minestra noch mit einem Stück geräuchertem Speck anreichern, wie man es in Bozen tut

Bouillon mit Ei und Brot

Zuppa alla pavese
Padua, Lombardei
Im Foto links

Für 4 Portionen:
¾ l Rinderbouillon
¼ l Weißwein
2 EL Butter
1 Knoblauchzehe
4 Weißbrotscheiben
4 kleine, sehr frische Eier
Pfeffer (Mühle)
60 g frisch geriebener
Parmesankäse
Petersilienblättchen
zum Garnieren

Fleischbrühe mit Weißwein erhitzen. Butter in einer Pfanne erhitzen. Knoblauch pellen und in die Butter pressen, glasig werden lassen. Brotscheiben in der Knoblauchbutter goldbraun braten. Brotscheiben in 4 Suppenteller legen, darauf vorsichtig je 1 Ei gleiten lassen. Mit der Pfeffermühle darübermahlen, mit etwas Parmesankäse bestreuen und vorsichtig mit der sehr heißen Brühe begießen. Gleich servieren und mit Petersilienblättchen bestreuen. Den restlichen Käse getrennt bereitstellen.

Zubereiten: 15 Minuten
1 Port.: 13 g E, 17 g F, 8 g KH =
1174 kJ (281 kcal)

Tortellini-Füllung

50 g Rindermark, 80 g Schweinefilet und 50 g Hähnchenbrust in 40 g Butter kräftig anbraten. Alles mit 50 g Mortadella und 30 g ital. Schinken durch den Fleischwolf drehen. 1 Ei und 80 g frisch geriebenen Parmesankäse unterrühren. Die Farce kräftig mit Salz und Pfeffer und vorsichtig mit Muskat abschmecken. Nudelteig mit Ei nach Rezept auf Seite 34 machen. Tortellini daraus herstellen und mit der Farce füllen.

Bouillon mit Tortellini

Tortellini in brodo
Emilia-Romagna
Im Foto unten

Für 4 Portionen:
1 l Rinderbouillon
500 g frische oder
getrocknete Tortellini
100 g frisch geriebener
Pecorino- oder
Parmesankäse
weißer Pfeffer (Mühle)

Brühe zum Kochen bringen. Tortellini hineingeben und darin garen. Bei Tisch mit geriebenem Käse und Pfeffer würzen.

Garen: frische Tortellini 3–4 Min.,
getrocknete Tortellini 15–20 Min.
1 Port.: 21 g E, 19 g F, 28 g KH
= 1677 kJ (397 kcal)

Wichtig:
Als Einlage rechnet man in Italien rund 20 Tortellini pro Person.

Rindfleischbouillon

Brodo di manzo

Für 1½ l Brühe:
1 Bund Suppengrün
1 Zwiebel
1 kg Roastbeefknochen
1 kg Ochsenbein
2 EL Pfefferkörner
2 Lorbeerblätter
1 Bund glatte Petersilie

Suppengrün putzen, waschen und grob zerkleinern. Zwiebel ungepellt halbieren und auf der Herdplatte anrösten. Roastbeefknochen mit Suppengrün in 2 l kaltem Wasser langsam zum Kochen bringen und abschäumen. Ochsenbein, Pfefferkörner, Lorbeerblätter, Zwiebel und Petersilie zugeben. Bouillon offen und bei milder Hitze 2 Stunden leise kochen lassen, zwischendurch immer wieder abschäumen. Die Rinderbouillon wird erst bei der Weiterverwendung gesalzen.

Zubereiten: 2½ Stunden
1 l: 3 g E, 4 g F, 3 g KH =
232 kJ (56 kcal)

Bouillon mit zerrissenem Ei

Stracciatella alla romana
Rom, Latium
Im Foto rechts

Für 4 Portionen:
1 l Rinderbouillon
3 Eier
4 EL frisch geriebener
Parmesankäse
Salz
Pfeffer (Mühle)
½–1 TL abgeriebene
Zitronenschale von einer
unbehandelten Frucht

Rinderbouillon zum Kochen bringen. Inzwischen Eier in einer Schüssel aufschlagen. Mit Käse, Salz, Pfeffer und Zitronenschale gut verrühren.
Eimischung in die heiße Brühe gleiten und etwas stocken lassen. Dann durch Schlagen mit einer Gabel in viele kleine Stücke reißen. Die Suppe 5 Min. kochen lassen und dann sofort servieren.
Wer mag, nimmt noch Brot dazu und kann sich die Suppe mit einem Löffel Olivenöl würzen.

Zubereiten: 10 Minuten
1 Port.: 10 g E, 9 g F, 2 g KH =
544 kJ (130 kcal)

Stracciatella-Variationen
Die „Stracciatella" ist eine Suppe, die in Rom seit Urzeiten gegessen wird. „Stracciare" heißt „zerreißen", daher also der Name. In Pesaro, wo diese Suppe auch gegessen wird und wo sie „alla pesarese" heißt und in der Emilia Romagna, wo man sie unter dem wunderschönen Namen „Minestra del paradiso" kennt, wird die Stracciatella nur 1 Minute und dann mit Semmelbröseln gekocht und relativ kräftig mit Muskat gewürzt.

Die drei italienischen Bouillon-Klassiker schlechthin (v. l. n. r.): Zuppa alla pavese, Tortellini in brodo und die Stracciatella alla romana. Alle drei sind im Handumdrehen zubereitet – wenn man sich vorher eine gute Bouillon gekocht hat. Wir sind von einer Rinderbouillon ausgegangen, Sie können als Basis aber auch immer eine kräftige Hühnerbrühe nehmen

Käsesuppe

Zuppa di fontina
Piemont, Aostatal

Für 4 Portionen:
80 g Meterbrot
200 g Fontina-Käse
etwa 1¼ l Rindfleisch-
bouillon (s. Seite 78)

Brot in sehr dünne Schei-
ben schneiden und im vor-
geheizten Backofen bei
200 Grad (Gas 3) oder in
der Pfanne (ohne Fett)
hellbraun rösten. Käse in
hauchdünne Scheiben ho-
beln. Brühe langsam er-
hitzen. 4 feuerfeste Tassen
vorwärmen.
Brot- und Käsescheiben
abwechselnd in die Sup-
pentassen einschichten. Die
Brühe kochendheiß dar-
übergießen.
Suppentassen in den vor-
geheizten Ofen setzen.
Die Suppe bei 200 Grad
(Gas 3) so lange überbak-
ken, bis der Käse ge-
bräunt ist. Das dauert etwa 5 Minuten. Die Suppe
sofort servieren.

Zubereiten: 30 Minuten
1 Port.: 16 g E, 16 g F, 11 g K H
= 1094 kJ (261 kcal)

Toskanische Gemüsesuppe

Ribollita

Für 4–6 Portionen:
300 g weiße Bohnen
1 Zwiebel
2 Knoblauchzehen
1 Lorbeerblatt
1 kg Schinkenknochen
175 ccm sehr gutes, kalt-
gepreßtes Olivenöl
1 Bund Thymian
½ kleiner Wirsingkohl
(300 g)
500 g Tomaten
250 g Kartoffeln
200 g Möhren
1 Stange Porree
1 kleiner Rosmarinzweig
Salz
Pfeffer (Mühle)
200 g Fladenbrot (in
Scheiben)

Bohnen über Nacht in 2 l
Wasser einweichen.
Zwiebel pellen und grob
würfeln. Knoblauch pel-
len. Zwiebel, 1 Knob-
lauchzehe, Lorbeer und
Schinkenknochen zu den
Bohnen geben. Bohnen
im Einweichwasser auf
milder Hitze zugedeckt etwa 1½ Stunden leise ko-
chen lassen.
Inzwischen 125 ccm Öl in
einem kleinen Topf lang-
sam erhitzen. Die übrig-
gebliebene Knoblauch-
zehe und das Bund Thy-
mian hineingeben und
darin bei milder Hitze
5 Min. ziehen lassen.
Knoblauch und Thymian
rausnehmen. Thymianöl
beiseite stellen.
Während die Bohnen ga-
ren, vom Wirsing die äu-
ßeren dunkelgrünen Blät-
ter abnehmen und den
Strunk entfernen. Kohl in
grobe Stücke schneiden.

Die Tomaten überbrühen,
häuten und in Stücke
schneiden. Die Kartoffeln
schälen, waschen und
würfeln. Die Möhren put-
zen, waschen und in Stücke
schneiden. Den Porree putzen, waschen und in Ringe
schneiden.
3 EL Thymianöl in einem
großen, schweren Topf
erhitzen. Das Gemüse (bis
auf die Tomaten) darin
unter Wenden einige Mi-
nuten andünsten.
Den Schinkenknochen aus
dem Bohnentopf nehmen.
Bohnen samt Kochwasser
zum Gemüse gießen. To-
maten und Rosmarin-
zweig zugeben. Die Suppe
40 Min. kochen, anschlie-
ßend mit Salz, Pfeffer
und 1 EL Thymianöl wür-
zen. Den Rosmarin ent-
fernen.
Fladenbrotscheiben mit
dem restlichen Thymianöl
einreiben, in die Suppen-
teller legen und mit Sup-
pe übergießen.

Zubereiten: 2¼ Stunden
1 Port. (6 Port.): 17 g E, 25 g F,
52 g K H = 2148 kJ (513 kcal)

Wichtig:
Die „Ribollita" ist die
„Aufgewärmte". Die Sup-
pe wird in der Toskana
immer gleich für ein paar
Tage zubereitet. Ein Teil
wird sofort gegessen, der
Rest aufgewärmt. Und
zwar immer mit dem al-
ten Brot vom Tag vorher.
Sehr gut schmeckt die Ri-
bollita auch, wenn das
Brot mit frisch geriebe-
nem Pecorino bestreut, in
eine feuerfeste Form ein-
geschichtet, mit Suppe
übergossen und dann im
Ofen überbacken wird.

Am ersten Tag frisch – danach dann immer wieder aufgewärmt: die Ribollita, eine schöne kräftige Gemüse-suppe aus der Toskana, in der das alte Brot vom Tag vorher zu neuen Ehren kommt

81

REIS UND POLENTA
RISO E POLENTA

Risotto mit Seeteufel

Risotto con rospo di mare

Für 4 Portionen:
4 Zucchini (350 g)
120 g Zwiebeln
2 Knoblauchzehen
1 Bund Thymian
2 kleine Rosmarinzweige
2 Bund glatte Petersilie
500 g Seeteufelfilet
Salz
schwarzer Pfeffer (Mühle)
1 EL Zitronensaft
40 g Butter
5 EL Öl
250 g Risotto-Reis
¼ l trockener Weißwein
½ l Hühnerbrühe (Instant)
frisch geriebene
Muskatnuß

Die geputzten Zucchini in Rauten schneiden. Zwiebeln und Knoblauch pellen und fein würfeln. Kräuter fein hacken.
Den Fisch kalt abspülen, trocknen, auf Alufolie legen und mit Salz, Pfeffer und Zitronensaft würzen, anschließend mit 10 g Butter in Flöckchen belegen. Die Folie jetzt so schließen, daß kein Saft herauslaufen kann.

Die restliche Butter mit 2 EL Öl im Topf erhitzen. Zwiebeln und Knoblauch darin glasig dünsten. Reis zugeben und bei mittlerer Hitze und unter Rühren 5 Min. andünsten. Mit dem Wein ablöschen und verdampfen lassen. Mit heißer Brühe auffüllen und zugedeckt 25 Min. garen, dabei mehrmals gut umrühren.
Inzwischen den Fisch im vorgeheizten Backofen (225 Grad, Gas 4, 2. Leiste v. u.) 20 Min. dünsten. Zucchini im restlichen Öl bei starker Hitze 4 Min. braten, anschließend die Kräuter untermischen.
Reis mit Salz, Pfeffer und Muskat würzen. Seeteufel aus der Folie nehmen, Sud in den Reis geben. Das Fischfilet grob würfeln und mit den Zucchini vorsichtig unter den Reis geben. Auf vorgewärmten Tellern anrichten.

Zubereiten: 1 Stunde
1 Port.: 27 g E, 25 g F, 52 g KH = 2509 kJ (600 kcal)

Risotto mit Borretsch

Risotto alla borrana
Ligurien

Für 4 Portionen:
100 g Zwiebeln
50 g Rindermark
50 g Butter
250 g Risotto-Reis
⅛ l trockener Weißwein
½ l Brühe (Instant)
Salz
Pfeffer (Mühle)
375 g Mangold
100 g Pinienkerne
1 Bund Borretsch
(5–6 große Blätter und
ein paar kleine zum
Garnieren)
30 g frisch geriebenen
Parmesan

Zwiebeln pellen und fein würfeln. Mark würfeln und in Butter auslassen. Zwiebeln darin goldgelb dünsten. Den Reis zugeben und gut andünsten. Nach und nach Wein zugießen und wieder verdampfen lassen. Zum Schluß nach und nach die Brühe zugießen und immer etwas einkochen lassen. Reis dabei öfter umrühren, damit er nicht anbrennt. Mit Salz und Pfeffer würzen.
Inzwischen Mangold putzen, waschen, grob zerkleinern und nach 15 Min. zum Reis geben. Herdplatte ausschalten, Topf zudecken, den Reis 8 Min. ziehen lassen.
Pinienkerne ohne Fett rösten. Borretsch waschen, trocknen, grob hacken und kurz vor dem Servieren unter den Reis mischen. Mit Pinienkernen und Parmesan bestreuen.

Zubereiten: 1 Stunde
1 Port.: 21 g E, 24 g F, 7 g KH = 1518 kJ (363 kcal)

Das paßt dazu:
Zum Beispiel die knusprig gebratenen Lammkoteletts von Seite 146, die auf dem Risotto angerichtet werden können. Aber auch die Fleischklößchen von Seite 26.

In der ligurischen Küche
wird häufig Borretsch
genommen, besonders in
der Kombination mit
Mangold. Außerdem sind
immer noch Pinien-
kerne und frisch geriebener
Parmesan mit im Spiel

85

Für einen saftigen, kräftigen Risotto gibt es viele Rezepte. Was Sie alles unter die Reiskörner mischen können, zeigen wir Ihnen auf diesem Foto. Nützliche Tips und die verschiedenen Macharten beschreiben wir auf den nächsten Seiten

Vier Dinge braucht der Risotto-Koch:

Nämlich erstens einen **Risotto-Reis**, zweitens dreimal soviel **heiße Flüssigkeit** wie Reis, drittens einen **guten Kochlöffel** und viertens **30 Minuten Geduld**. Dann wird's bestimmt was.

● Immer einen Risotto-Reis nehmen, d. h. einen Rundkornreis, der nicht gehärtet (par poiled) sein darf, weil der sich nicht richtig mit der Flüssigkeit verbinden kann.

● **Risotto-Reis:** Avorio-, oder Arborio-Reis, Vialone-Reis.

● **Pro Person** bei einer Hauptmahlzeit 50 g, als Beilage 30–40 g.

● Immer die **dreifache Menge Flüssigkeit** (wie Reis) bereitstellen, und zwar heiße.

● Risotto-Reis **niemals waschen**, damit keine Stärke verlorengeht.

● Risotto-Reis immer erst in einem **soffritto** (Seite 58) andünsten: In Oberitalien nimmt man gehackte Zwiebel, Butter und Öl oder Ochsenmark, in Süditalien Olivenöl.

● **Vorschlag:** für feine Fischgerichte Butter und für rustikale Lammgerichte Olivenöl nehmen.

● **Ablöschen:** Wer zuerst mit Wein ablöscht (das macht den Reis würziger und bekömmlicher), nimmt einen herben, trockenen Weißen (für roten Reis natürlich Rotwein).

● **Faustregel für das Garen:** Heiße Flüssigkeit zum Garen in drei Portionen teilen. Wenn der Wein verdampft ist, das erste Drittel unter Rühren zugießen. Wenn der Reis die Flüssigkeit völlig aufgesogen hat, das zweite Drittel zugießen und immer weiter rühren. Ist diese Flüssigkeit ebenfalls aufgesogen, das letzte Drittel (immer noch heiße) Flüssigkeit zugießen und unter Rühren wieder ganz vom Reis aufnehmen lassen.

● **Hühnerbrühe** für Risotto mit Huhn oder Käse und für Risotto alla milanese, aber auch für Fisch.

● **Fleischbrühe** für Risotto mit Fleisch oder Käse.

● **Gemüsebrühe** für Risotto mit Gemüse (auch das Einweichwasser von getrockneten Pilzen).

● **Verfeinern** mit gehackten Kräutern, mit Butter, mit 20 g frisch geriebenem Käse pro Person oder mit ein wenig Sahne.

Risotto-Variationen

... **alla certosina:** weißer Reis mit einem Ragout aus Flußkrebsen, Pilzen und zarten jungen Erbsen (Rezept aus der berühmten Kartause von Pavia).

... **alla pilota:** Reis 10 Min. in sehr viel Brühe kochen. Nachgaren im geschlossenen Topf für 10 Min., dann mit gebratenen Wurstscheiben und viel frisch geriebenem Käse mischen.

... **alla gambola:** gemischt mit Tomatensauce, wenig Knoblauch und Petersilie und sehr viel Basilikum.

... **alla campagnola:** Tomaten mit Bohnen und Speckschwarte.

... **alla toscana:** mit Rinderhack und Leber, gewürzt mit Chianti.

... **rosso alla piemontese:** rot durch viel Tomatenmark.

... **coi carciofi:** mit kleinen Artischocken und rohem Schinken.

... **con asparagi:** mit weißem oder mit grünem Spargel.

... **alla chioggiotta:** mit kleinen Fischen.

... **con anguilla:** mit frischem Aal und Rosinen.

... **con scampi:** ganz einfach mit gebratenen Scampischwänzen.

Geschmorter Reis auf Mailänder Art

Risotto alla milanese

Für 6 Portionen:
1 kleine Zwiebel
50 g Knochenmark
80 g Butter
400 g Risotto-Reis
1¼ l sehr gute Brühe
1 Briefchen Safranpulver
Salz
80 g frisch geriebener Parmesan

Zwiebel pellen und fein hacken. Mark fein hacken. 1 TL Butter und das Mark in einem breiten Topf erhitzen. Zwiebel darin unter Wenden glasig dünsten. Reis einstreuen und unter Rühren glasig braten. Etwa 2 Suppenkellen heiße Brühe angießen und unter Rühren fast völlig verdampfen lassen. Diesen Vorgang wiederholen, bis die Brühe verbraucht ist. Dabei immer wieder rühren, damit der Reis nicht ansetzt. Safran mit etwas heißer Brühe verrühren und den Reis kurz vor Ende der Garzeit damit färben. Risotto mit Salz würzen, die restliche Butter und die Hälfte vom Käse unterrühren. Der Rest wird extra gereicht.

Zubereiten: 1 Stunde
1 Port.: 10 g E, 24 g F, 53 g KH
= 2012 kJ (481 kcal)

Risotto mit Meeresfrüchten

Risotto con frutti di mare

Für 4 Portionen:
750 g Fenchel
100 g Zwiebeln
1 kg Miesmuscheln
8 rohe Scampi (Kaisergranat)
3 Lorbeerblätter
1 Bund Dill
¼ l Weißwein, 100 g Butter
250 g Risotto-Reis
weißer Pfeffer (Mühle)
Salz, 50 g frisch geriebener Parmesankäse

Geputzten Fenchel würfeln. Das Fenchelkraut hacken. Die gepellten Zwiebeln fein würfeln. Die Muscheln gründlich kalt waschen, in einem Durchschlag abtropfen lassen. Därme aus den Scampi ziehen.
Lorbeer, zerschnittenen Dill und Wein im Topf aufkochen. Die Muscheln und die Scampi hineingeben, durchrühren und zugedeckt 6–8 Min. garen. Topf rütteln. Muscheln und Scampi in ein Sieb schütten, Sud auffangen. Butter im Topf schmelzen. Fenchel, Zwiebeln und Reis darin unter Rühren glasig dünsten. Muschelsud durch ein Teesieb dazugießen. Reis und Sud kräftig durchrühren. Reis bei mittlerer Hitze zugedeckt in 15–18 Min. ausquellen lassen. Inzwischen Muscheln und Scampi aus den Schalen lösen. Die Scampi längs halbieren.
Muscheln und Scampi unter den heißen Reis mischen. Risotto pfeffern und eventuell salzen, in einer vorgewärmten Schüssel anrichten, mit Fenchelkraut und Parmesan bestreuen und servieren.

Zubereiten: 1¼ Stunden
1 Port.: 67 g E, 25 g F, 21 g KH
= 2762 kJ (660 kcal)

Das paßt dazu:
Ein frischer grüner Salat und ein trockener Weißwein.

Sehr italienisch, dieser Meeres-
früchte-Risotto, der reich mit
Scampi und Muscheln bestückt und
mit viel frischem Fenchelkraut
gewürzt ist. Will man weniger Arbeit
haben, macht man einen Risotto
mit Herzmuscheln (vongole) aus der Dose

89

Römische Reiskroketten

Suppli
Im Foto links

Für 20 Kroketten:
15 g getr. Steinpilze
400 g Risotto-Reis
Salz, 80 g Butter
100 g ger. Parmesan
100 g Mozzarella
2 Eier, 1 Zwiebel
20 g roher Schinken
100 g Geflügelleber
50 g gehacktes Rindfleisch
1 TL Tomatenmark
150 ccm Rinderbrühe
1 Stück getr. Chilischote
100 g Semmelbrösel
Öl zum Ausbacken

Steinpilze 20 Min. in ⅛ l heißem Wasser einweichen. Durchgefiltertes Pilzwasser mit 650 ml Wasser aufkochen. Reis darin unter Umrühren bei kleinster Hitze zugedeckt 20 Min. garen, bis die Flüssigkeit verkocht ist. Salzen, 60 g Butter, Parmesan, grob gehackten Mozzarella und Eier unterrühren. Reis 2 Std. abkühlen. Zwiebel und gut ausgedrückte Pilze, Schinken und geputzte Leber grob hacken.
Restliche Butter erhitzen. Zwiebel goldbraun braten. Hack, Schinken und Leber darin anbraten. Tomatenmark und Rinderbrühe unterrühren, mit Salz und Chili würzen. Bei kleiner Hitze offen in 5–10 Min. einkochen.
Mit nassen Händen aus dem Reis 20 Kugeln formen. Jeweils 1 TL Füllung hineingeben. Kugeln in Semmelbröseln wälzen, im Öl etwa 8 Min. schwimmend ausbacken. Auf Küchenkrepp abtropfen, heiß servieren.

Zubereiten: 90 Minuten
Kühlen: 2 Stunden
1 Krokette: 7 g E, 9 g F, 19 g KH
= 816 kJ (195 kcal)

Sizilianische Reisklöße

Arancine
Im Foto rechts

Für 8 Klöße:
250 g Risotto-Reis
Salz, 2 Eier
40 g Butter
4 EL frisch geriebenen Parmesankäse
1 Zwiebel
100 g gehacktes Rindfleisch
100 g TK-Erbsen
1 Fleischtomate (300 g)
Pfeffer a. d. Mühle
100 g Semmelbrösel
Öl zum Ausbacken

Reis in 1½ l kochendes Salzwasser geben, nach Packungsanweisung kochen, 5 Min. nachquellen lassen, zum Abtropfen in ein Sieb geben. Eier, 20 g Butter und Parmesan sofort unter den abgetropften Reis mischen und zum Auskühlen für 2 Std. in den Kühlschrank geben. Für die Füllung Zwiebel pellen und würfeln, in einer Pfanne in der restlichen Butter glasig dünsten. Fleisch und Erbsen zugeben. Tomaten auf der groben Seite der Haushaltsreibe in die Pfanne reiben (so bleibt die Schale zurück). Farce salzen, pfeffern und 5 Min. leise kochen lassen. Danach offen dicklich einkochen und kräftig würzen.
Mit nassen Händen aus dem Reis 8 Bälle formen. Mit dem Daumen ein Loch hineindrücken. Etwas Füllung in das Loch geben. Bälle gut verschließen und nachformen und dann in Semmelbröseln wälzen.
Reisklöße im heißen Öl in ca. 8 Min. schwimmend ausbacken, auf Küchenkrepp abtropfen lassen und heiß servieren.

Zubereiten: 80 Minuten
Kühlen: 2 Stunden
1 Kloß: 10 g E, 13 g F, 35 g KH
= 1298 kJ (310 kcal)

Teutonisch groß geraten
sind die gefüllten
römischen und sizilianischen
Reisbälle – mit einem
schönen frischen Salat eine
völlig ausreichende
Hauptmahlzeit. In etwas
kleinerer Form werden sie
überall in Italien als
kleines Zwischendurch in der
Tavola calda angeboten

Tomaten mit Reis

Pomodori col riso
Rom, Latium

**Für 4 Port. als Haupt- und
für 8 Port. als Vorspeise:**
300 g Risotto-Reis
Salz
8 große Fleischtomaten
6 EL Olivenöl
Pfeffer (Mühle)
1 Knoblauchzehe
1 Bund glatte Petersilie
1 Bund Basilikum
30 g Kapern
3 Sardellenfilets
7 EL ger. Parmesan

Reis in reichlich Salzwasser 10 Min. vorkochen, abtropfen. Von jeder Tomate einen Deckel abschneiden. Tomatenfleisch herauskratzen, durch ein Sieb streichen, mit 4 EL Öl unter den Reis rühren, salzen und pfeffern. Knoblauch, Petersilie, Basilikum, abgetropfte Kapern und abgespülte Sardellen hacken, mit Käse unter den Reis rühren, herzhaft abschmecken. Tomaten auf ein leicht eingeöltes Backblech setzen, innen salzen, pfeffern, mit Reis füllen, die Deckel aufsetzen.

Im vorgeheizten Ofen (200 Grad, Gas 3, 2. Leiste v. u.) 25 Min. backen. Eventuell beim Garen 1 Tasse Wasser aufs Blech gießen.

Zubereiten: 45 Minuten
1 Tomate: 11 g E, 12 g F,
41 g KH = 1352 kJ (323 kcal)

Unser Tip:
Sehr römisch wird es, wenn Sie etwas mehr Füllung zubereiten und mit auf das gut geölte Blech geben. Setzen Sie die Tomaten kopfüber und ohne Deckel hinein. Beim Garen können Sie dann noch etwas kräftig gewürzten Tomatensaft zugießen.
Statt mit Basilikum können Sie die Füllung auch vorsichtig mit etwas Minze würzen.

Trüffel-Risotto

Risotto tartufato
Umbrien

Für 4–6 Portionen:
1 l ungesalzene
Hühnerbrühe (heiß)
100 g Schalotten
75 g Butter
350 g Risotto-Reis
150 ccm trockener
Weißwein
Salz, schwarzer Pfeffer
1 schwarze Trüffel (45 g)
75 g Parmesan im Stück

Die Hühnerbrühe erhitzen. Die Schalotten pellen und fein würfeln. 50 g Butter im Topf aufschäumen lassen. Schalotten darin glasig dünsten. Reis unterrühren und glasig dünsten. Mit Wein und ¼ l Hühnerbrühe ablöschen. Reis offen 4–5 Min. kochen, bis die Flüssigkeit verdampft ist. Restliche Brühe zugießen und durchrühren. Reis bei milder Hitze zugedeckt in 20–25 Min. ausquellen lassen, dann im offenen Topf die Flüssigkeit bei mittlerer Hitze fast völlig verdampfen lassen. Risotto salzen und pfeffern. Während der Reis gart, die Trüffel in sehr dünne Scheiben schneiden. Parmesan grob raffeln. Risotto in eine stark vorgewärmte Schüssel geben. Trüffel und Parmesan (bis auf einen kleinen Rest zum Garnieren) unterheben. Restliche Butter in Flöckchen daraufsetzen, mit Trüffel und Parmesan bestreuen und sofort servieren.

Zubereiten: 1 Stunde
1 Port. (6 Port.): 8 g E, 14 g F,
41 g KH = 1541 kJ (368 kcal)

Das paßt dazu:
Ein gemischter Salat (S. 248), der mit einer sehr milden Vinaigrette angemacht wird, weil der kräftige Trüffelgeschmack sich nicht mit Säure verträgt.

Ein wahrhaft fürstliches Wintergericht:
ein saftiger Risotto, der mit einer
kostbaren schwarzen Trüffel aus Norcia
geadelt wird. In Verbindung
mit Butter und altem Parmesan
ein Feinschmecker-Traum

Pilz-Risotto

Risotto ai funghi

Für 4 Portionen:
15 g Morcheln
10 g Steinpilze (beides
getrocknet)
250 g Champignons
1 gewürfelte Zwiebel
1 EL Butter
250 g Risotto-Reis
Salz, ⅛ l Weißwein
⅜ l Hühnerbrühe (heiß)
3 EL Schlagsahne

Getrocknete Pilze einwei-
chen. Champignons put-
zen, in Scheiben schnei-
den. Zwiebel im Fett gla-
sig dünsten. Reis, Cham-
pignons, gut ausgedrückte
Pilze zugeben und salzen.
Wein und Brühe zugie-
ßen, aufkochen. Bei mil-
der Hitze 25 Min. aus-
quellen lassen. Sahne un-
terrühren und noch ein-
mal abschmecken.

Zubereiten: 40 Minuten
1 Port.: 7 g E, 8 g F, 57 g KH =
1500 kJ (358 kcal)

Das paßt dazu:
Frisch geriebener Parme-
sankäse und ein Salat.

Risotto mit Scampi

Risotto con scampi
Emilia-Romagna

Für 4 Portionen:
2 Zwiebeln
1 kleine Ananas
12 rohe Scampi
(Kaisergranatschwänze)
2 Tütchen Safran
(gemahlen)
½ l Rinderbrühe (heiß)
1 Zitrone
80 g Butter
6 EL Öl
250 g Risotto-Reis
⅛ l Weißwein
Cayennepfeffer
eventuell Salz
1 EL Cognac
Zitronenmelisse

Zwiebeln pellen und fein
würfeln. Ananas vierteln,
Fruchtfleisch von der Schale lösen und in Stücke
schneiden. Scampi aus
der Schale brechen, längs
halbieren, Därme heraus-
ziehen. Den Safran in
2 EL heißer Brühe auflö-
sen. Die Zitrone auspres-
sen.
1 EL Butter und 3 EL Öl
im Topf erhitzen. Zwie-
beln und Reis darin glasig
dünsten. Wein zugießen,
bei milder Hitze in 5 Min.
verdampfen lassen. Sa-
fran, restliche Brühe und
Zitronensaft zugeben, 25
Min. garen. 50 g kalte
Butter unterheben. Mit
Cayennepfeffer und even-
tuell Salz würzen.
1 El Butter und 3 El Öl
in der Pfanne erhitzen.
Scampi darin braten, bis
sie sich krümmen. Mit
Cayennepfeffer und Co-
gnac würzen. Scampi aus
der Pfanne nehmen. Ana-
nas kurz im Bratfond
schwenken. Alles unter
den Reis mischen und
mit Zitronenmelisse gar-
nieren.

Zubereiten: 1 Stunde
1 Port.: 26 g E, 38 g F, 71 g KH
= 3077 kJ (735 kcal)

Scampi auf edle, venezianische Art: nämlich unter einen saftigen Risotto gemischt und sehr scharf mit sehr viel Pfeffer gewürzt. Schließlich ist der Reichtum der schönen Lagunenstadt auf dem Pfeffer- handel begründet

Schwarzer Reis mit Tintenfisch

Riso col nero di seppie
Venetien

Für 4 Portionen:
*500 g frische, möglichst
kleine Tintenfische mit
Tintenbeuteln (beim Fischhändler vorbestellen)
2 Knoblauchzehen
1 kleine Zwiebel
1 Bund glatte Petersilie
4 EL Öl
150 ccm Weißwein
400 ccm heißer Fischfond
(oder Gemüsebrühe)
300 g Risotto-Reis
1 EL Tomatenmark
Salz, 1 EL Zitronensaft
30 g Butter*

Tintenfische putzen, da-
bei Augen, Knochen und
Maul entfernen (am be-
sten vom Fischhändler
machen lassen). Tinten-
beutel vorsichtig heraus-
nehmen und beiseite le-
gen. Fische gründlich wa-
schen, trocknen und in
feine Streifen schneiden.
Knoblauch und Zwiebel
pellen und mit Petersi-
lienblättern feinhacken.
Öl im Topf erhitzen,
Zwiebelmischung darin
leicht andünsten. Tinten-
fisch zugeben, 5 Min. mitdünsten. Wein und Tinte
aus den Beuteln dazuge-
ben. Alles unter gelegentlichem Umrühren 15 Min.
leise offen garen.
Fischfond zugießen und
den Reis einstreuen. Un-
ter gelegentlichem Rüh-
ren 30 Min. leise offen
kochen. Tomatenmark
mit etwas Brühe verrüh-
ren, in den Risotto mi-
schen, zum Schluß mit
Salz und Zitronensaft
würzen. Butter in Flöck-
chen unterrühren. Risotto
in einer stark erhitzten
Schüssel servieren.

*Zubereiten: 1½ Stunden
1 Port.: 22 g E, 18 g F, 63 g KH
= 2242 kJ (536 kcal)*

Der passende Tip:
Sie können natürlich
auch TK-Tintenfischringe
nehmen. Nur wird dann
der Reis nicht schwarz.

Weißer Reis mit Käsesauce

Riso bianco con fonduta
Piemont

Für 4 Portionen:
*1 kleine Zwiebel
30 g Butter
300 g Risotto-Reis
100 ccm Weißwein
600 ccm heiße Fleischbrühe
Salz
400 g Fontina-Käse
1 Knoblauchzehe
⅛ l Schlagsahne
4 Eigelb*

Zwiebel pellen, fein hak-
ken und in der Butter
glasig dünsten. Reis ein-
streuen und glasig rösten.
Mit Weißwein ablöschen.
Wein verdampfen lassen.
Heiße Fleischbrühe an-
gießen und salzen. Reis
auf kleiner Hitze etwa
30 Min. sanft kochen, da-
bei hin und wieder um-
rühren, damit er nicht ansetzt.
Inzwischen den Käse rei-
ben. Knoblauch pellen
und durchpressen. Käse
mit Knoblauch und Sah-
ne im Wasserbad (oder
bei kleinster Hitze) schmelzen lassen, dabei ständig
umrühren. Eigelb nach
und nach in den flüssigen
Käse rühren.
Den Reis auf stark erhitz-
te tiefe Teller füllen und
mit der Käsesauce über-
ziehen.

*Zubereiten: 50 Minuten
1 Port.: 35 g E, 52 g F, 62 g KH
= 3801 kJ (908 kcal)*

Der passende Tip:
Im Piemont wird über
dieses rustikale Gericht
im Winter noch eine fri-
sche weiße Trüffel geho-
belt.

*Zwei weltbekannte
italienische Spezialitäten:
auf dem linken Teller
schwarzer Reis mit Tintenfisch aus Venetien
und auf dem rechten Tel-
ler weißer Reis mit einer
sahnigen Käsesauce
aus dem Piemont*

Risotto mit Erbsen

Risi e bisi
Venedig

Für 4 Portionen:
1 Zwiebel
50 g durchw. Speck
80 g Butter
250 g Risotto-Reis
½–⅜ l heiße Hühnerbrühe
(Instant oder Suppenpaste)
Salz, Pfeffer (Mühle)
1 Pk. TK-Erbsen (300 g)
1 Bund glatte Petersilie
80 g frisch geriebener
Parmesan

Zwiebel pellen und hak-
ken. Speck fein würfeln,
in 50 g Butter mit der
Zwiebel glasig dünsten.
Reis zugeben, unter Rüh-
ren 5 Min. mitbraten. ½ l
heiße Hühnerbrühe zugie-
ßen, salzen und pfeffern.
Zugedeckt bei schwacher
Hitze 10 Min. garen. Die
Erbsen zugeben, weitere
10 Min. garen. Eventuell
noch Brühe unterrühren.
Das Gericht muß relativ
flüssig sein. Zum Schluß
die gehackte Petersilie unterziehen. Den Käse und
die restliche kalte Butter
in kleinen Stückchen un-
terheben.

Zubereiten: 30 Minuten
1 Port.: 19 g E, 31 g F, 61 g KH
= 2577 kJ (616 kcal)

Die passende Geschichte:
Als Venedig noch eine
eigenständige Republik
war, wurde das Fest des
Stadtheiligen, des Heili-
gen Markus also, mit ei-
nem Festmahl begangen,
das der Doge ausrichtete.
Fester Bestandteil war
„Risi e bisi". Nun ist das
Fest des Heiligen Markus
ein frühes Fest, das schon
am 25. April stattfindet.
Und da gab es die zarten,
süßen Erbsen in den hei-
mischen venezianischen
Gemüsegärten noch nicht.
So mußten die Venezia-
ner die ansonsten verhaß-
ten, weil arg verfeindeten
Genuesen um Erbsenhil-
fe bitten. Die diese auch
gerne leisteten, schließ-
lich waren sie berühmte
Schlemmer und Fein-
schmecker und hatten
demzufolge großes Ver-
ständnis für die kulinarischen Nöte der Venezia-
ner.

Polenta

Polenta

Für 4 Portionen:
¾ l Fleischbrühe
150 g Maisgrieß (Polenta-
grieß)
eventuell Fett für die Form

Die Brühe aufkochen las-
sen. Den Grieß einstreuen
und gut unterrühren. Den
Topf schließen. Die Po-
lenta bei milder Hitze
1 Std. ziehen lassen, da-
bei ab und zu sorgfältig
durchrühren.
Die Masse entweder di-
rekt aus dem Topf auf ei-
ne Platte stürzen und servieren oder in eine ausgefettete Kastenform gießen
und zugedeckt 10 Min.
stehen lassen, dann erst
auf eine Platte stürzen
und vor dem Servieren in
Scheiben schneiden und
dann mit einem Wildra-
gout servieren.

Zubereiten: 70 Minuten
1 Port.: 4 g E, 17 g F, 30 g KH =
1237 kJ (296 kcal)

Wildragout

Ragù di selvaggina
Tessin

Für 4 Portionen:
1 Bund Suppengrün
1 Zwiebel
2 Knoblauchzehen
2–3 Lorbeerblätter
1 Rosmarinzweig
1 Flasche Rotwein
500 g Wildragout
250 g Wildknochen
50 g fetter Speck
50 g Schinken
1 Becher saure Sahne
evtl. dunkler Saucenbinder

Das Suppengrün putzen,
waschen und grob hak-
ken. Die Zwiebel pellen
und fein würfeln. Knob-
lauch pellen und mit Sup-
pengrün, Zwiebel, Lor-
beer, Rosmarin und Wein
in einem Topf einmal
aufkochen lassen. Den
Sud warm über Fleisch
und Knochen gießen. Zu-
gedeckt 1 Tag marinieren.
Dann durch ein Sieb gie-
ßen und die Marinade
auffangen.

Speck und Schinken fein
würfeln und im Topf aus-
braten, aus dem Fett he-
ben und beiseite legen.
Das abgetropfte Fleisch
und die Knochen im Fett
kräftig anbraten. Mit Ma-
rinade ablösen. Das
Fleisch zugedeckt bei milder Hitze 1 Std. schmo-
ren. Die Knochen heraus-
nehmen. Die Sauce noch
einmal abschmecken und
mit Sahne (eventuell auch
mit Saucenbinder) bin-
den. Vor dem Servieren
die Speck- und Schinken-
würfel auf das Ragout ge-
ben. Das Ragout zur Po-
lenta reichen.

Zubereiten: 1¾ Stunden
1 Port.: 33 g E, 20 g F, 38 g KH
= 2540 kJ (607 kcal)

Polenta-Variationen
Wenn von der Polenta
noch etwas übrigbleibt,
können Sie die Reste auf
folgende Weise wieder
aufwärmen:
● Sie braten die Polenta
in Scheiben in Butter mit
einigen Salbeiblättern von
jeder Seite kräftig an;
● Sie schichten die Scheiben mit geriebenem Käse
in eine flache, ausgefettete
Auflaufform, setzen
obendrauf noch ein paar
Butterflöckchen und bak-
ken das Ganze im Ofen
goldbraun. Dazu gibt's
dann außerdem noch
einen knackig frischen
Salat.

Der schnittfeste, salzige Maispudding aus Oberitalien ist geradezu prädestiniert als Beilage für Gerichte mit üppigen Saucen, zum Beispiel für ein Tessiner Wildragout

Polenta-Grundrezept

Lombardei

Für 4–6 Portionen:
300 g grober Maisgrieß
(Polentagrieß)
10 g Salz

1½ l Wasser mit Salz aufkochen. Unter Rühren mit einem Holzlöffel den Grieß langsam ins kochende Wasser rieseln lassen (Vorsicht: spritzt!).
Polenta auf mittlerer Hitze unter ständigem Rühren so lange kochen, bis sie sich von selbst vom Topfrand löst.

Zubereiten: 40–45 Minuten
1 Port. (6 Port.): 4 g E, 1 g F,
37 g KH = 775 kJ (184 kcal)

Wichtig: Zum Kochen keinen Aluminiumtopf nehmen, weil die Polenta grau werden könnte.

Polenta mit Butter und Salbei

(Polenta al burro e salvia)
Auf dem Teller links oben

Für 4–6 Portionen Polenta nach dem Grundrezept kochen und 2 cm dick auf eine gut eingefettete Platte streichen, abkühlen lassen und dann in Rauten schneiden. Auf einer Platte im Backofen wieder erhitzen (150 Grad, Gas 1). Inzwischen 20–25 frische Salbeiblätter in 100 g Butter bräunen, über die Polenta gießen und sofort servieren.

Polenta mit Gorgonzola

(Polenta al gorgonzola)
Auf dem Teller links unten

Für 4–6 Portionen Polenta nach dem Grundrezept kochen. 50 g Gorgonzola zerbröseln. 150 g Gorgonzola durch ein Sieb streichen, mit 3–4 EL Schlagsahne verrühren. Die Hälfte der heißen Polenta in eine Schüssel geben, in die Mitte eine Mulde eindrücken, verrührten Käse hineingeben und mit restlicher Polenta bedecken. Obendrauf den zerbröselten Gorgonzola streuen und servieren.

Polenta mit Parmesan

(Polenta al parmigiano)
Auf dem Teller rechts

Für 4–6 Portionen Polenta nach dem Grundrezept kochen und 2 cm dick auf eine eingefettete Platte streichen, abkühlen lassen und dann mit einem in kaltes Wasser getauchten Ausstecher ausstechen. Plätzchen in eine feuerfeste Form legen, mit 80 g frisch geriebenem Parmesan bestreuen und mit 50 g Butterflöckchen belegen. Unter dem Grill oder bei starker Hitze goldbraun backen.

Überbackene Polenta

Polenta al forno
Lombardei

Für 4–6 Portionen:
1 Zwiebel
50 g Butter
1 große Dose geschälte
Tomaten (850 g EW)
1 Lorbeerblatt
Salz, Pfeffer (Mühle)
300 g Maisgrieß (Polenta-
Grieß)
100 g frisch geriebener
Parmesan

Für die Tomatensauce Zwiebel pellen, fein würfeln und in 20 g Butter glasig dünsten. Tomaten (mit Flüssigkeit) und Lorbeer zugeben. Bei mittlerer Hitze offen in etwa 20 Min. dicklich einkochen, dabei immer wieder umrühren. Die Sauce zum Schluß herzhaft salzen und pfeffern.
Inzwischen Maisgrieß in 1½ l kochendes Salzwasser einrieseln lassen. Unter Rühren zum Kochen bringen und 15 Min. unter Rühren garen. Polentabrei fingerdick auf eine eingefettete Platte streichen und gut auskühlen lassen.
Eine feuerfeste Form (2 l) mit etwas Butter ausstreichen. Abwechselnd eine Schicht Polenta, Tomatensauce, Butterflöckchen und Parmesan einschichten. Mit Tomatensauce, Parmesan und Butterflöckchen abschließen. Die Polenta im vorgeheizten Ofen (200 Grad, Gas 3) etwa 30 Min. backen.

Zubereiten: 1 Stunde
1 Port. (6 Port.): 12 g E, 13 g F,
43 g KH = 1453 kJ (346 kcal)

Das paßt dazu:
Ein kräftig gewürzter Löwenzahnsalat zum Beispiel (oder ein anderer grüner Salat) und ein frischer Landwein.

Polenta, allerdings eine aus
Hirse, stärkte schon
Caesars Legionen. Mais
wurde für den sättigenden
Brei schnell populär,
nachdem Kolumbus ihn aus
Amerika mitgebracht
hatte. Hier eine saftige
Polenta aus dem Ofen und
mit Tomatensauce

SAUCEN
SALSA E SUGO

Eine der weltberühmten
kulinarischen Großtaten aus
dem Piemont ist der
Bollito misto, der gemischte
Fleischtopf, der mindestens drei
Sorten gekochtes Fleisch
beinhalten muß und meist mit
drei kalten Saucen aufge-
tischt wird: links eine Honig-
Nuß-Sauce, in der Mitte
die Grüne Sauce und rechts
die Pfeffersauce

Gemischter Fleischtopf

Bollito misto
Piemont
Zum Foto auf S. 104/105

Für 8 Portionen:
3 gestr. TL Salz
4 Lorbeerblätter
15 Pfefferkörner
1,25 kg Rinderbrust
1 Kalbszunge (600–700 g)
500 g Cotechino
(gewürzte Kochwurst
aus Schweinefleisch)
100 g Zwiebeln
1 Bund Suppengrün
1 Masthähnchen (1 kg,
küchenfertig)
1 kg Kartoffeln
750 g Möhren
1,5 kg Porree
2 Stangen
Staudensellerie
1 Glas italienische Senf-
früchte (425 g EW)

4 l Wasser mit Salz, Lorbeer und Pfefferkörnern in einem großen Topf zum Kochen bringen. Die Rinderbrust hineingeben und 15 Min. offen sieden lassen.
Kalbszunge, Cotechino, gepellte Zwiebeln und das geputzte und grob zerteilte Suppengrün zugeben und 1¼ Stunden sieden lassen. Fleisch dabei einmal wenden. Danach das Hähnchen zugeben und weitere 30–35 Min. sieden lassen. Zwischendurch immer wieder abschäumen.
Inzwischen die Kartoffeln schälen und mit Wasser bedeckt zur Seite stellen. Möhren, Porree und den Staudensellerie putzen und waschen. Große Möhren der Länge nach vierteln, kleine ganz lassen. Vom Porree und vom Staudensellerie die weißen und hellgrünen Blattanteile in fingerlange Stücke schneiden.
Backofen vorheizen (100 Grad, Gas 1). Fleisch aus der Brühe nehmen. Zunge kalt abschrecken, die weiße Haut abziehen. Fleisch im Ofen warm halten.

Brühe durch ein Sieb in einen breiten Topf umgießen und zum Kochen bringen. Möhren, Porree und Staudensellerie 6–8 Min. mitgaren. Gleichzeitig die Kartoffeln in Salzwasser garen.
Gemüse mit der Schaumkelle aus der Brühe heben und zugedeckt im Backofen warm stellen.
Jetzt Hähnchenkeulen und -brust austrennen. Keulen im Gelenk teilen. Brustfleisch vom Knochen lösen und in Scheiben schneiden. Zunge, Rindfleisch und Wurst auch in Scheiben schneiden.
Fleisch auf einer großen, vorgewärmten Platte anrichten, etwas Gemüse und die Senffrüchte als Dekoration mit dazulegen. Das restliche Gemüse und die Kartoffeln in eine große, vorgewärmte Suppenschüssel legen und mit heißer Brühe begießen. Alles sofort servieren und die Honig-Nuß-Sauce, die Grüne Sauce und die Pfeffersauce getrennt dazu reichen.

Zubereiten: 4 Stunden
1 Port.: 63 g E, 56 g F, 62 g KH
= 4411 kJ (1054 kcal)

Das paßt außerdem dazu:
Grobes, deftiges Bauernbrot und grobes Salz.

Das passende Getränk:
Ein edler Barolo, aber auch ein guter roter Landwein.

Der passende Tip:
Bei uns in Deutschland gibt es den Cotechino in italienischen Lebensmittelgeschäften häufig schon gekocht und eingeschweißt. In dieser Form wird er dann nicht von Anfang an mitgekocht, sondern nur kurz in der Fleischbrühe erhitzt.

Honig-Nuß-Sauce

Salsa al miele
Piemont
S. 104/105, links

Für 8 Portionen:
100 g Walnußkerne
2 EL Fleischbrühe
(Instant oder Brühe vom
gemischten Fleisch)
1½ EL scharfer Senf
150 g Honig

Nüsse im Mörser fein zerstoßen. Fleischbrühe und Senf unterrühren. Honig zugeben und unterrühren, bis die Sauce glatt ist.

Zubereiten: 10 Minuten
1 Port.: 2 g E, 8 g F, 16 g KH =
619 kJ (148 kcal)

Der passende Tip:
Diese Sauce, die so gut zum Bollito misto paßt, weil sich scharfer Senf und süßer Honig treffen, läßt sich im Kühlschrank 4–5 Tage aufbewahren.

Rote Sauce (Salsa rossa)
zum Bollito misto
Für 8 Portionen müssen Sie 7 mittelgroße Tomaten, 2 mittelgroße Zwiebeln, 2 Knoblauchzehen und 1 große Möhre putzen und kleinschneiden. Das alles wird mit einem kleinen Stück getrockneter Chilischote, 3 EL Olivenöl, 1–2 EL Rotweinessig, 1 EL Zucker und Salz in einem kleinen Topf 2 Stunden leise gekocht. Dabei müssen Sie immer wieder umrühren. Die Sauce wird anschließend durch ein Sieb gestrichen und mit 1–2 EL Olivenöl verrührt. Dann muß sie abkühlen, bevor Sie sie servieren können.
Wenn Sie etwas Olivenöl daraufgießen, hält sich die Salsa rossa im verschlossenen Glas im Kühlschrank ungefähr zwei bis drei Wochen.

Grüne Sauce

Salsa verde
Piemont
S. 104/105, Mitte

Für 8 Portionen:
300 g Petersilienblätter
4 Sardellenfilets
1 grüne Paprikaschote
½ gehackte Zwiebel
1 gehackte Knoblauchzehe
60 g Kapern
75 ccm Olivenöl
Saft von ½ Zitrone
Salz

Petersilie waschen und trockenschleudern. Sardellenfilets gut abspülen, um das Salz zu entfernen. Paprikaschote halbieren, entkernen, waschen und abtrocknen. Dann flachgedrückt unter dem Grill rösten, bis die Haut Blasen wirft. Haut mit einem feuchten Tuch abreiben und entfernen. Geröstete, gehäutete Schote kleinschneiden.
Alle vorbereiteten Zutaten mit Öl und Zitronensaft zu einer Paste verarbeiten. Hinterher eventuell mit Salz abschmecken.

Zubereiten: 25 Minuten
1 Port.: 3 g E, 8 g F, 5 g KH =
442 kJ (105 kcal)

Der passende Tip:
Die Sauce hält sich im verschlossenen Glas im Kühlschrank 4–5 Tage und schmeckt auch gut auf geröstetem Bauernbrot.

Pfeffersauce

Salsa peverada
Verona, Venetien
S. 104/105, rechts

Für 8 Portionen:
150 g Knochenmark
4 EL altbackenes, ohne
Kruste geriebenes
Weißbrot
ca. ½ l gute Fleischbrühe
(am besten vom Bollito
misto, sonst Instant)
sehr viel grob zerstoßener
schwarzer Pfeffer, Salz

Knochenmark in der Pfanne erhitzen. Geriebenes Brot untermischen und unter Wenden 1 Min. leicht anrösten. Mit der heißen Fleischbrühe ablöschen. Die Sauce herzhaft pfeffern und eventuell salzen.

Zubereiten: 15 Minuten
1 Port.: 1 g E, 18 g F, 3 g KH =
799 kJ (191 kcal)

Kleine Anmerkung:
Wir haben diese Sauce, die nicht aus dem Piemont stammt, trotzdem zum Bollito misto gestellt, weil sie so gut dazu schmeckt. In Venetien wird sie gern zu Wildgerichten serviert.

Knoblauchsauce

Agliata
Ligurien
S. 108/109, links

Für 8–10 Portionen:
2 Brötchen
2 EL Essig
3–4 Knoblauchzehen
4 Bund glatte Petersilie
4 Bund Basilikum
150–200 ccm Olivenöl
Salz
Pfeffer (Mühle)

Die Brötchen aushöhlen und die Krume mit Essig tränken und in den Mörser geben. Knoblauch pellen und in den Mörser durchpressen.
Petersilie und Basilikum waschen und trockenschleudern. Blätter abzupfen und fein zerschneiden, auch in den Mörser geben.
Alle Zutaten mit dem Stößel zu einem feinen Brei verarbeiten. Das Öl unterrühren. Die Sauce mit Salz und Pfeffer abschmecken.

Zubereiten: 20 Minuten
1 Port. (10 Port.): 1 g E, 12 g F,
4 g KH = 552 kJ (132 kcal)

Das paßt dazu:
Diese typisch ligurische Sauce, die entfernt an die provencalische Aioli erinnert, paßt hervorragend zu Kalbsleber, zu Lamm und auch (für uns sehr fremd) zu Stockfisch. Die Knoblauchsauce ist so gut, daß Sie immer ein bißchen Brot zum Aufstippen mit auf den Tisch stellen sollten.

Der passende Tip:
Wie alle kalten Saucen hält auch die Knoblauchsauce 1 Woche, wenn man sie, fest verschlossen, im Kühlschrank aufbewahrt.

Estragonsauce

Salsa al dragoncello
Toskana
S. 108/109, rechts hinten

Für 4–6 Portionen:
80 g Weißbrot
200 ccm Olivenöl
4 EL Estragonblätter
3–4 Knoblauchzehen
2 EL Zitronensaft
Salz
Pfeffer (Mühle)

Das Weißbrot ohne Kruste feinhacken, in eine Schüssel geben und mit Öl beträufeln. Die Estragonblättchen feinhacken und unter die Brotkrume mischen. Knoblauch pellen und dazupressen. Den Zitronensaft zugeben und alle Zutaten gut verrühren. Zum Schluß vorsichtig mit Salz und Pfeffer abschmecken.
Die Estragonsauce bis zum Essen kalt stellen und vor dem Servieren noch einmal gut durchrühren.

Zubereiten: 10 Minuten
1 Port. (6 Port.): 1 g E, 27 g F, 4 g
KH = 1130 kJ (270 kcal)

Das paßt dazu:
Diese sehr aromatische Sauce, deren Qualität von gutem Estragon abhängt (er muß unbedingt frisch sein!), wird in der Toskana vorwiegend zu gekochtem Fleisch gereicht. Deshalb können Sie sie ebenfalls für den Bollito misto, den gemischten Fleischtopf, nehmen. Sie paßt aber auch hervorragend zu gegrilltem Fleisch und zu gebratenem Fisch.

Der passende Tip:
Im Schraubglas im Kühlschrank hält die Estragonsauce 4–5 Tage.

Bagnet 'd tômatiche
Warme piemontesische Tomatensauce zu gekochtem Fleisch. Aus Tomaten, Sellerie, Möhren, Senf, Knoblauch, Öl, Essig und Salz. Soll sie süßsauer sein, würzt man zusätzlich mit Zucker.

Pikante grüne Sauce

Piccanta fredda (oder Bagnetto verde)
Piemont
S. 108/109, vorne rechts

Für 4 Portionen:
1 Brötchen
2 EL Weißweinessig
1 kleine Zwiebel
2 Knoblauchzehen
60 g Petersilie
2 Eigelb von
hartgekochten Eiern
200 ccm Olivenöl
Salz
Pfeffer (Mühle)

Das Innere des Brötchens fein zerkrümeln, mit Essig beträufeln und 10 Minuten darin einweichen. Zwiebel und Knoblauch pellen. Dann Zwiebel und Petersilienblättchen fein hacken.
Eigelb durch ein Sieb in eine Rührschüssel streichen. Zwiebel und Petersilie zugeben. Knoblauch dazupressen. Alle Zutaten gut verrühren. Dann das Öl unterrühren. Die Sauce muß sehr dickflüssig sein. Zum Schluß mit Salz und Pfeffer würzen.

Zubereiten: 15 Minuten
1 Port.: 3 g E, 43 g F, 5 g KH =
1813 kJ (433 kcal)

Das paßt dazu:
Diese Sauce ist die ältere Form der aus dem Piemont stammenden Grünen Sauce. Sie wird zum Bollito misto gereicht.

Der passende Tip:
Die pikante grüne Sauce hält sich im Kühlschrank, wenn sie gut verschlossen ist, bis zu einer Woche.

*Drei klassische kalte Würz-
saucen, die zu Fleisch,
aber auch zu Fisch passen:
links eine Knoblauch-
sauce aus Ligurien, rechts
hinten eine toskanische Estragonsauce und vorne rechts
die ältere Variante der
Grünen Sauce, eine pikante
grüne Sauce, die man im
Piemont als Piccanta fredda
oder Bagnetto verde
kennt. Die Rezepte stehen
auf Seite 107*

Lebersauce

Salsa di fegatini

Für 4 Portionen:
4 Schalotten (gehackt)
1 Knoblauchzehe (püriert)
2 EL Olivenöl
500 g Tomaten (gewürfelt)
1 TL Tomatenmark
Salz, Pfeffer (Mühle)
2 EL gemischte Kräuter
(Basilikum, Rosmarin,
Salbei)
200 g Hühnerleber
(gewürfelt)
1 EL Butter
100 ccm Marsala

2 EL Schalotten und den Knoblauch im Öl glasig dünsten. Tomaten und -mark darin unter Rühren 10 Minuten einkochen, salzen, pfeffern, Kräuter unterrühren. In einer anderen Pfanne Leber in Butter 1½ Min. anbraten und rausnehmen. Restliche Schalotten im Bratfett dünsten, mit Marsala ablöschen, die Tomatensauce und die Leber zugeben, anschließend herzhaft salzen und pfeffern.

Zubereiten: 30 Minuten
1 Port.: 13 g E, 11 g F, 7 g KH =
812 kJ (194 kcal)

Feinschmeckersauce

Salsa alla ghiotta

Für 4 Portionen:
200 g Hühnerleber (geputzt und feingehackt)
3 Salbeiblätter
1 EL Rosmarinnadeln
4 Wacholderbeeren
(alles gehackt)
50 g luftgetrockneter Schinken (Streifen)
2 Knoblauchzehen (püriert)
¼ l Rotwein
Salz, Pfeffer (Mühle)
1 EL Zitronensaft

Alle Zutaten im Wein ungefähr 10 Min. sanft kochen lassen. Zum Schluß mit Salz und Pfeffer und ziemlich herzhaft mit Zitronensaft abschmecken.

Zubereiten: 10 Minuten
1 Port.: 14 g E, 6 g F, 1 g KH =
683 kJ (163 kcal)

Pfeffersauce mit Hühnerleber

Salsa peverada con fegatini

Für 4 Portionen:
4 EL Olivenöl
2 Sardellenfilets (abgespült)
200 g Hühnerleber (gewürfelt)
1 Bd. Petersilie (gehackt)
100 g Salami (gehackt)
1 Knoblauchzehe (püriert)
abgeriebene Schale von 1 Zitrone
2 EL Zitronensaft
50 ccm Weißwein
Pfeffer

Das Öl erhitzen. Sardellen, Leber, Petersilie, Salami, Knoblauch darin einige Minuten dünsten. Zitronenschale unterrühren. Dann mit Zitronensaft und Wein ablöschen. Kräftig mit Pfeffer abschmecken. Vorm Servieren überstehendes Fett abschöpfen.

Zubereiten: 30 Minuten
1 Port.: 16 g E, 25 g F, 1 g KH =
1330 kJ (318 kcal)

Fleischersauce

Ragù del macellaio

Für 4 Portionen:
4 El Olivenöl
je 100 g Lamm-, Schweine-, Rind- und Kalbfleisch (gewürfelt)
1 Zwiebel (gewürfelt)
4 cl Rotwein
400 g Tomaten (gewürfelt)
Salz, Pfeffer (Mühle)

Öl in einer großen Pfanne erhitzen. Fleisch darin anbraten. Zwiebel zugeben. Alles bräunen. Rotwein zugießen, fast verdampfen lassen. Tomaten zugeben, salzen und pfeffern. Dann zugedeckt bei kleiner Hitze 1 Stunde schmoren.

Zubereiten: 1¼ Stunden
1 Port.: 20 g E, 23 g F, 4 g KH =
1340 kJ (320 kcal)

Latium: Lebersauce

Verona: Pfeffersauce

Umbrien: Feinschmeckersauce

Apulien: Fleischersauce

111

Tortellini mit Sahnesauce

Tortellini alla panna
Bologna,
Emilia-Romagna

Für 4–6 Portionen:
300 ccm Schlagsahne
2 EL Butter
4 Salbeiblätter
100 g frisch geriebener
Parmesankäse
Salz, Pfeffer (Mühle)
Muskatnuß
(frisch gerieben)
500 g Tortellini
1 EL Öl

Sahne, Butter und Salbei im Topf aufkochen. Käse zugeben. Mit Salz, Pfeffer und Muskat würzen. Sauce unter ständigem Rühren (Holzlöffel) bei milder Hitze sämig einkochen lassen.
Inzwischen die Nudeln nach Packungsanweisung mit Öl in Salzwasser garen, abgetropft in eine heiße Schüssel schütten.
Die Sauce ist fertig, wenn sie glänzt. Sie wird unmittelbar vor dem Servieren über die heißen Nudeln gegossen.

Zubereiten: 15 Minuten
1 Port. Sauce (6 Port.): 7 g E,
24 g F, 2 g KH = 1102 kJ
(263 kcal)

Sahnesauce mit Schinken und Erbsen

(Salsa alla papalina)

Statt Parmesan kommt ein Stück Gorgonzola in die Sahne. Und außerdem noch 150 g würfelig geschnittener gekochter Schinken und 150 g zarte Erbsen.

*„Als Universitätsstadt hat sich Bologna einen Namen ge-
macht. Das stimmt nicht! Die Tortellini haben Bolognas Ruhm
begründet" – schrieb ein Volksdichter im vorigen
Jahrhundert. Wir vermuten, es werden die gewesen sein, die
in einer cremigen Sahnesauce schwimmen durften*

Die wichtigsten und bekanntesten italienischen Saucen sind die, deren Basis die in der südlichen Sonne gereiften Tomaten sind. Keine italienische Hausfrau könnte ohne einen Vorrat an selbstgemachter Tomatensauce auskommen. Wir sagen Ihnen, wie ein richtiger „Sugo di pomodoro" und seine Verwandten zubereitet werden

Eingemachte Tomaten

Pomodori in bottiglia

Für 1½ Liter:
2 kg reife Flaschentomaten (oder Fleischtomaten)
⅛ l Olivenöl

Tomaten häuten (wie das gemacht wird, steht auf Seite 64). Die gehäuteten Tomaten in grobe Stücke schneiden und dann im eigenen Saft im offenen Topf 30 Min. garen (milde Hitze und ein möglichst breiter Topf) und anschließend durch ein Sieb streichen. Tomaten vollständig abkühlen lassen und dann erst in eine gut gereinigte Flasche mit Twist-off-Verschluß füllen. Die Flasche bis zum Rand mit Olivenöl füllen und sofort verschließen. Den Tomatensugo kühl und dunkel aufbewahren, dann hält er sich bis zu 8 Wochen. Er ist die wichtigste Grundlage für alle roten Saucen.

Zubereiten: 1 Stunde
Insgesamt 24 g E, 125 g F,
84 g KH = 6820 kJ (1630 kcal)

Die passende Variation:
Als Würze können Sie in diesen Sugo 4 Bund gehacktes Basilikum, eine kleine getrocknete Chilischote und eine ganze ungepellte Knoblauchknolle geben, die Sie aber rausnehmen müssen, bevor Sie die Sauce in die Flaschen gießen. Sie müssen die gekochten Tomaten auch nicht unbedingt durchs Sieb streichen, bevor sie abgefüllt werden.

Der passende Tip:
Diese schlichten Tomatensaucen sind die schönste Begleitung zu allen einfachen Nudelgerichten. Sie passen außerdem zu Fleischbällchen und zu hartgekochten Eiern, die als Vorspeise gereicht werden.

Neapolitanische Tomatensauce

Sugo di pomodoro alla napoletana
Kampanien
Im Foto auf Seite 116

Für 4 Portionen:
1 kg reife Fleisch- oder Flaschentomaten
3 Zwiebeln
12 Basilikumblätter
Salz
2–3 EL Olivenöl
Pfeffer (Mühle)

Tomaten waschen und in Stücke schneiden, dabei die weißen Stielansätze mit herausschneiden. Die Zwiebeln pellen und hakken. Tomaten, Zwiebeln und Basilikumblätter im Topf bei starker Hitze in 15 Min. offen einkochen lassen. Dabei gelegentlich umrühren. Jetzt das Öl unterrühren und herzhaft mit Salz und Pfeffer würzen.

Zubereiten: 30 Minuten
1 Port.: 3 g E, 6 g F, 9 g KH =
416 kJ (100 kcal)

Unser Tip:
Statt Olivenöl nehmen die Neapolitaner bei dieser Sauce auch schon mal einen Stich Butter, um sie zu verfeinern.

Das paßt dazu:
Am besten Spaghetti. Man kann sie aber auch gut über ein Omelett oder über Polenta geben.

Die passende Variation:
Pommarola vecchia
Für die älteste Version der neapolitanischen Tomatensauce werden grob geschnittene Tomaten in Öl und mit Knoblauch, Salz und Pfeffer gedünstet. Außerdem gibt man etwas Aubergine und etwas Kürbis dazu und würzt mit wilder Pfefferminze.

Rote Sauce

Bagnetto rosso
Piemont
Im Foto auf Seite 117

Für 4 Portionen:
1 kg reife Fleischtomaten
1 kleine getrocknete Chilischote
1 kleine Zwiebel
1 Bund Petersilie
1 Lorbeerblatt
1 EL Senfkörner
2 EL Zucker
Salz
1–2 EL Weinessig

Tomaten waschen, Stengelansätze keilförmig herausschneiden. Tomatenfleisch würfeln. Chilischote mit Samen in Stükke schneiden. Zwiebel pellen und fein hacken. Petersilie hacken. Tomaten, Chilischote, Petersilie, Zwiebel mit Lorbeer, Senfkörnern, Zukker und Salz im Topf aufkochen, bei kleiner Hitze und unter gelegentlichem Umrühren zu einem dikken Mus einkochen. Tomatenmus durch ein Sieb streichen und mit Essig deutlich süß-sauer abschmecken.

Zubereiten: 30 Minuten
1 Port.: 3 g E, 1 g F, 15 g KH =
318 kJ (76 kcal)

Das paßt dazu:
Neben der Grünen ist die Rote Sauce unverzichtbarer Bestandteil bei einem zünftigen Bollito misto-Essen im Piemont.

Unser Tip:
Natürlich ist es bei der Roten nicht anders wie bei der Grünen Sauce: es gibt unendlich viele Rezepte. Ein weiteres haben wir auf Seite 107 für Sie aufgeschrieben.

Tomatensauce

Sugo di pomodoro
Im Foto auf Seite 117

Für 4 Portionen:
500 g reife Fleischtomaten
Salz
1 kleine Zwiebel
1 Stange Staudensellerie
1 kleine Möhre
50 ccm Olivenöl
1 Knoblauchzehe
5 Basilikumblätter
Pfeffer, Zucker

Tomaten gründlich waschen, in Stücke schneiden und salzen, zum Abtropfen in ein Sieb geben. Zwiebel, Staudensellerie, Möhre putzen, würfeln. 40 ccm Öl im Topf erhitzen. Zwiebel, Sellerie und Möhre darin andünsten. Die Tomaten zugeben. Knoblauch pellen und hacken. Die Basilikumblätter kleinzupfen. Beides in die Sauce rühren. Sauce bei geringer Hitze kochen, bis der Tomatensaft fast eingekocht ist. Sauce jetzt durch ein Sieb streichen, dann erneut unter leichtem Kochen eindicken lassen, salzen und pfeffern. Falls die Sauce zu säuerlich ist, etwas Zucker zugeben. Restliches Öl unterrühren.

Zubereiten: 40 Minuten
1 Port.: 2 g E, 10 g F, 5 g KH =
500 kJ (119 kcal)

Tomaten: Pelati
Für die gute Tomatenküche werden immer aromatische, in der Sonne voll ausgereifte Früchte genommen. Gut sind Fleischtomaten aus dem Freiland, noch besser aber die nach nichts aussehenden länglichen Flaschentomaten aus dem Süden Italiens. Wenn es Tomaten nicht in der gewünschten Qualität frisch auf dem Markt gibt, machen Sie es am besten so wie die italienische Hausfrau: Nehmen Sie einfach die gepellten Flaschentomaten aus der Dose, die „Pelati", die immer ein wundervoll sonniges Aroma haben.

115

*Drei italienische Tomatensaucen:
links im Topf die Version aus
Neapel, in der Mitte die Rote Sauce
aus dem Piemont, die zum
Bollito misto gehört. Und rechts
die einfachste aller Tomatensaucen,
der klassische Sugo di pomodoro. Wie alle drei zubereitet werden, steht auf Seite 115*

117

Teufelssauce

Sugo alla diavola
Abruzzen, Molise

Für 4 Portionen:
500 g reife Fleischtomaten
1 kleine getrocknete
Chilischote
1 kleine Zwiebel
2 Knoblauchzehen
½ Bund glatte Petersilie
je 6–8 Minze- und
Sellerieblätter
2 EL Olivenöl
Salz

Tomaten häuten und kleinschneiden. Die Chilischote aufschlitzen und entkernen. Zwiebel und Knoblauch pellen und fein würfeln. Petersilienblätter hacken. Minze- und Sellerieblätter auch. Öl in einer Kasserolle erhitzen. Vorbereitete Zutaten darin andünsten und anschließend salzen. Die Hitze zurückschalten, die Sauce 20 Min. leicht durchschmoren lassen, dabei hin und wieder umrühren und die Tomaten zerdrücken. Die Pfefferschote vor dem Servieren herausnehmen.

Zubereiten: 30 Minuten
1 Port.: 2 g E, 5 g F, 5 g KH =
307 kJ (73 kcal)

Das paßt dazu:
Ein frischer Salat und Makkaroni oder andere Nudeln.

Die passende Geschichte:
Die langen schmalen Bandnudeln, die man in den Abruzzen ißt, nennt man heute noch beim ältesten Namen für Pasta überhaupt, nämlich „maccheroni". Die abruzzesischen Makkaroni haben nichts mit den anderen dicken Teigröhren zu tun, die man sonst unter diesem Namen kennt. Im Gegenteil: Die abruzzesischen Makkaroni werden mit einem Gerät in Streifen geschnitten, das wie eine Gitarre mit Drähten bespannt ist, weshalb die Nudeln auch „maccheroni alla chitarra" heißen.

Steaks mit Tomatensauce

Bistecca alla pizzaiola
Neapel, Kampanien

Für 2 Portionen:
500 g Tomaten (aus der
Dose)
2 Knoblauchzehen
1 Bund frisches Basilikum
1 EL Olivenöl
Salz
Pfeffer (Mühle)
½ TL Oreganoblättchen
4 Scheiben Rinderfilet
(300 g)
200 g Baguette

Tomaten im Sieb abtropfen lassen. Knoblauch pellen und in feine Scheiben schneiden. Basilikumblättchen abzupfen und grob zerstampfen. 1 TL Öl erhitzen. Tomaten zugeben, mit Knoblauch, Salz und Pfeffer, Oreganoblättchen und Basilikum würzen. Die Sauce so lange schmoren, bis die Flüssigkeit verdampft ist. Inzwischen das restliche Öl in einer Pfanne sehr heiß werden lassen. Die Steaks darin von beiden Seiten scharf anbraten, salzen und pfeffern. Die geschmorten Tomaten zugeben, sofort servieren und Baguette zum Aufstippen dazu reichen.

Zubereiten: 30 Minuten
1 Port.: 35 g E, 14 g F, 33 g KH
= 1768 kJ (422 kcal)

Das passende Getränk:
Ein gut gekühlter Roter von der Insel Ischia.

Geschmorte Steaks:
auch alla pizzaiola
Zuerst klopfen Sie die Steaks schön flach, salzen und pfeffern sie, geben die abgetropften Tomaten darauf, würzen wieder mit Salz und Pfeffer, geben Knoblauch und 1 EL Oregano dazu. Dann gießen Sie noch 1–2 EL Olivenöl und einen Schuß Weißwein an. So lassen Sie das Fleisch unter dem aufgelegten Deckel und bei milder Hitze eine runde Stunde schmoren.
Die Sauce paßt selbstverständlich auch zu allen anderen Nudelsorten.

Je tiefer es in den italienischen
Süden geht, um so schärfer wird gewürzt. Die
Speisen werden „heiß" gemacht durch die reichliche
Zugabe von „peperoncino secco". Das ist
die scharfe kleine, rote, getrocknete Chilischote

Spaghetti auf Bologneser Art

Spaghetti alla bolognese

Für 4 Portionen:
150 g durchwachsenes
Rindfleisch (Steak)
75 g geräucherter
Bauchspeck
2 Zwiebeln, 1 Möhre
3 Stangen Staudensellerie
75 g Butter, 3 Nelken
Salz, Pfeffer (Mühle)
1 EL Mehl (gehäuft)
200 ccm Brühe
200 ccm Weißwein
500 g Spaghetti
1 EL Öl
100 g Hühnerleber
geriebener Parmesan

Fleisch und Speck würfeln. Zwiebeln, Möhre und Staudensellerie putzen und klein würfeln. Alle vorbereiteten Zutaten mit Butter, Nelken, Salz und Pfeffer in eine Pfanne geben und in 10 Min. gut bräunen. Mehl überstäuben und anschwitzen. Mit Brühe und Wein ablöschen und 10 Min. leise kochen.

Inzwischen die Spaghetti in reichlich Salzwasser mit Öl bißfest garen.

Leber putzen und kleinschneiden, in der Sauce 3 Min. garen, noch einmal abschmecken.

Spaghetti abgießen, abgetropft in einer vorgewärmten Schüssel anrichten. Sauce getrennt servieren. Käse zum Würzen bereitstellen.

Zubereiten: 1 Stunde
1 Port.: 32 g E, 42 g F, 91 g KH
= 3916 kJ (937 kcal)

Die passende Variation:

Das echte Bologneser Ragù wird ohne Tomaten und auch ohne Tomatenmark gemacht. Statt der Hühnerleber können Sie alles in die Sauce legen, worauf Sie gerade Lust haben: Steinpilze, Trüffel und Petersilie, gehacktes Rindfleisch oder saftiges Hühnerfleisch. Und statt mit Brühe können Sie auch mit Sahne und Wein kochen.

Die Bologneser Fleischsauce ist die bei uns bekannteste Spaghettisauce. Nur wird sie im Original nicht so lieblos wie bei uns aus Hackfleisch und Tomatenmark zusammengekocht, sondern besteht im wesentlichen aus zartem Fleisch und jungem Gemüse

In der oberen Schale auf dieser
Seite und in der runden Schüssel eine
Nußsauce mit Balsamessig,
die gut zu großem Wild und kleinem
Wildgeflügel paßt. Darunter
eine sizilianische Pistaziensauce,
die zu Fisch gereicht wird.
Beides sind kalt angerührte Saucen

Die Grüne Mandelsauce in der oberen Schale stammt aus dem Trentino und wird dort gern zu geräucherter Forelle gegessen. In der unteren Schale eine sizilianische Marsalasauce mit Orangen

123

Nußsauce mit Balsamessig

Salsa di noci
e aceto balsamico
Toskana
Im Foto auf Seite 122

Für 4 Portionen:
500 g frische Walnüsse
(250 g ohne Schale)
½ Bund Petersilie
1 kleine Knoblauchzehe
100 ccm Olivenöl
4 EL Balsamessig
Salz, Pfeffer (Mühle)

Die Nüsse knacken, die Kerne herausnehmen, die feinen braunen Häutchen abschälen. Kerne grob hacken. Petersilienblättchen hacken und 4 EL davon abnehmen. Knoblauch pellen und grob hacken. Nüsse, Petersilie und Knoblauch im Mörser zu einer Paste verarbeiten, in eine Schüssel umfüllen. Das Öl mit dem Schneebesen erst tropfenweise, dann in dünnem Strahl unterarbeiten. Wenn die Sauce fest wird, den Essig löffelweise unterrühren, mit Salz und Pfeffer abschmecken.

Zubereiten: 45 Minuten
1 Port.: 9 g E, 59 g F, 8 g KH = 2600 kJ (621 kcal)

Das paßt dazu:
Das ist die moderne Version einer aus dem Altertum stammenden Sauce, die früher mit dem Saft unreifer Trauben statt mit Balsamessig zubereitet wurde. Daraus ergibt sich, daß diese ungewöhnliche Sauce nur ganz kurze Zeit im Jahr gemacht werden konnte, nämlich im frühen Herbst, wenn die Nüsse gerade reif, die Trauben aber noch unreif waren. Und das war auch die Zeit für die ersten herbstlichen Jagden. In der Toskana gibt man die Nußsauce mit Balsamessig noch heute zum Wildschweinbraten.

Pistaziensauce

Salsa al pistacchio
Sizilien
Im Foto auf Seite 122

Für 4 Portionen:
2 Sardellenfilets
50 g geschälte Pistazienkerne (gehackt)
30 g geschälte Walnußkerne (gehackt)
8 EL Olivenöl
6 EL Zitronensaft

Sardellenfilets gut abspülen, abtrocknen und grob zerdrücken. Pistazien, Walnüsse und Sardellen im Mörser zu einer Paste verarbeiten. Öl mit Zitronensaft verrühren, unter die Nußpaste mischen.

Zubereiten: 15 Minuten
1 Port.: 4 g E, 31 g F, 4 g KH = 1350 kJ (323 kcal)

Das paßt dazu:
Gegrilltes Fleisch und gekochter Fisch.

Pistazie: aus Sizilien
Man nennt sie auch Grüne Mandel oder Pimpernuß. Sie ist in Asien und im südlichen Mittelmeerraum zu Hause. Pistazien sind kleine, längliche Steinfrüchte mit dünnem trockenem Fruchtfleisch und weißlich-hellbrauner glatter Steinschale. Der Kern, auf den es ja ankommt, ist meistens hellgrün, enthält viel Öl und schmeckt süß und ein wenig nach Mandeln. Die bei uns am stärksten gehandelte Sorte kommt aus Sizilien, ist außen violett und innen grün, während Tunis-Pistazien außen rot und innen auch grün sind. Aleppo-Pistazien wiederum sind enorm groß und innen gelb. Pistazien müssen schnell verbraucht werden, weil sie, wegen ihres hohen Fettgehaltes, leicht ranzig werden können.

Grüne Mandelsauce

Salsa verde di mandorle
Im Foto auf Seite 123

Für 4 Portionen:
80 g abgezogene Mandeln
125 g frischer Spinat
3–4 Bund Basilikum
2 EL Zitronensaft
⅛ l Olivenöl, Salz
weißer Pfeffer (Mühle)

Mandeln durch die Mühle drehen. Gewaschenen Spinat tropfnaß bei milder Hitze zusammenfallen, abtropfen lassen. Abgekühlt ausdrücken, mit Basilikumblättern pürieren. Zitronensaft zugeben. Nach und nach das Öl unterarbeiten. Mandeln unterziehen, salzen und pfeffern. Eventuell mit 1–2 EL Wasser verdünnen.

Zubereiten: 30 Minuten
1 Port.: 5 g E, 36 g F, 3 g KH = 1531 kJ (366 kcal)

Marsalasauce mit Orangen

Salsa di Marsala
all'arancia
Sizilien
Im Foto auf Seite 123

Für 4 Portionen:
100 g Butter
1 TL Speisestärke
2 TL Zucker
1 kleine frische Chilischote
150 ccm Marsala
Schale und Saft von
1 unbehandelten Orange
Salz, Pfeffer (Mühle)

Butter im Saucentopf schmelzen, Speisestärke und Zucker einrühren. Chilischote entkernen, kleinschneiden, in die Butter rühren. Marsala und ⅛ l Wasser zugießen. Sauce unter Rühren etwas einkochen. Orangensaft und die -schale zugeben und mit Salz und Pfeffer abschmecken.

Zubereiten: 5 Minuten
1 Port.: 0 g E, 21 g F, 12 g KH = 1167 kJ (279 kcal)

Genueser Basilikumsauce

Pesto alla genovese
Ligurien

Für 4 Portionen:
2 EL Pinienkerne
3 Bund Basilikum
(möglichst großblättriges, weil das im Aroma intensiver ist)
2 Knoblauchzehen
¼ TL Hagelsalz
je 6 EL frisch geriebenen Parmesan- und Pecorinokäse
100 ccm Olivenöl (sehr gute Qualität)
Pfeffer (Mühle)

Pinienkerne in der Pfanne ohne Fett rösten, abkühlen lassen. Basilikumblätter abzupfen, waschen, in der Salatschleuder oder im Handtuch gut trocknen und grob hacken. Knoblauch pellen, auch grob hacken. Basilikum mit Knoblauch, Salz und Pinienkernen im Mörser zu einer Paste verarbeiten. Nach und nach den Käse unterarbeiten. Zum Schluß das Öl tropfenweise zugeben und mit Pfeffer würzen.

Zubereiten: 15 Minuten
1 Port.: 8 g E, 27 g F, 2 g KH = 1258 kJ (300 kcal)

Das paßt dazu:
In Ligurien, woher diese kalte grüne Basilikumsauce stammt, ißt man sie zu „trenette". So heißen die eckigen Spaghetti dieses Landstrichs.

Wichtig:
Der Pesto muß immer absolut frisch sein. Er darf erst hergestellt werden, wenn die Nudeln schon im Wasser sind. Er wird immer kalt serviert. Die Nudeln müssen dagegen so heiß wie möglich sein, damit der Pesto darauf zergehen kann. Wenn man mag, kann man ihn vor dem Essen mit etwas Nudelwasser verdünnen.

*Die grüne Basilikumsauce
aus Genua, der Pesto, ist die große
kulinarische Spezialität
Liguriens, wo er auf jeden Fall
und immer im Mörser zu-
bereitet wird. Bei uns gelingt er aber
auch im Mixer*

125

Tatarensauce

Salsa alla tartara

Für 6 Portionen:
1 hartgekochtes Eigelb
1 Eigelb
Salz
1 TL Senf
200 ccm Olivenöl
2 EL Zitronensaft
100 g Paprikaschote
1 kleine Zwiebel
1 Knoblauchzehe
1 Bund Petersilie
1 EL Kapern
Pfeffer (Mühle)

Zerdrücktes und rohes Ei-
gelb mit Salz und Senf
verrühren. Öl und Zitro-
nensaft abwechselnd in
dünnem Strahl unterrüh-
ren. Alle anderen Zuta-
ten hacken, untermischen,
salzen und pfeffern.

Zubereiten: 25 Minuten
1 Port.: 2 g E, 29 g F, 2 g KH =
1187 kJ (284 kcal)

Kapernsauce

Salsa ai capperi

Für 4 Portionen:
40 g Sardellenfilets
50 g Kapern
1 Zwiebel
100 g Butter
1 Spritzer Essig

Sardellen abspülen, mit
den Kapern kleinhacken.
Zwiebel pellen, würfeln,
in 1 EL Butter dünsten,
vom Herd nehmen. Ka-
pern und Sardellen unter-
rühren. Mit Essig würzen.
Butter teelöffelweise un-
terrühren.

Zubereiten: 15 Minuten
1 Port.: 3 g E, 22 g F, 1 g KH =
932 kJ (222 kcal)

Pikante Mayonnaise

Salsa piccante

Für 6 Portionen:
2 Eigelb, Salz, 1 TL Senf
200 ccm Olivenöl
2 EL Zitronensaft
1 TL Cayennepfeffer

Eigelb, Salz und Senf verrühren. Öl abwechselnd
mit Zitronensaft in dün-
nem Strahl unterarbeiten.
Pfeffern und salzen.
Zutaten müssen gleiche
Temperatur haben, damit
die Sauce nicht gerinnt.

Zubereiten: 10 Minuten
1 Port.: 1 g E, 29 g F, 0 g KH =
1174 kJ (274 kcal)

Chilisauce

Salsa al peperoncino

Für 4 Portionen:
200 g in Essig eingelegte
grüne Chilischoten
100 g ger. Parmesan
5 EL Olivenöl, Senf
2 EL Weißwein
evtl. einige Kapern

Abgetropfte Schoten ent-
kernen und fein hacken.
Mit Käse und Öl verrüh-
ren, mit Senf und Wein
abschmecken. Evtl. mit
Kapern garnieren.

Zubereiten: 10 Minuten
1 Port.: 10 g E, 19 g F, 2 g KH =
960 kJ (229 kcal)

Olivensauce

Salsa alle olive

Für 4 Portionen:
200 g schwarze Oliven
(ohne Stein)
1 kleine Zwiebel
(gewürfelt)
7 El Olivenöl
4 EL Tomatensauce
Salz, Pfeffer (Mühle)

Oliven fein hacken. Zwie-
bel in Öl bräunen. Oliven
zugeben, 1 Min. dünsten.
Tomatensauce unterrüh-
ren, 10 Min. sanft ko-
chen, salzen und pfeffern,
abkühlen lassen.

Zubereiten: 20 Minuten
1 Port.: 2 g E, 35 g F, 3 g KH =
1453 kJ (346 kcal)

Fünf kalte Saucen, die zu allem passen:
zu Fleisch, zu Fisch, zu Gemüse und
zu Salaten. Sie sind alle sehr
schnell zubereitet und halten sich drei
bis vier Tage im Kühlschrank.

Kapernsauce

Tatarensauce

Olivensauce

Chilisauce

Pikante
Mayonnaise

127

FLEISCH
CARNI

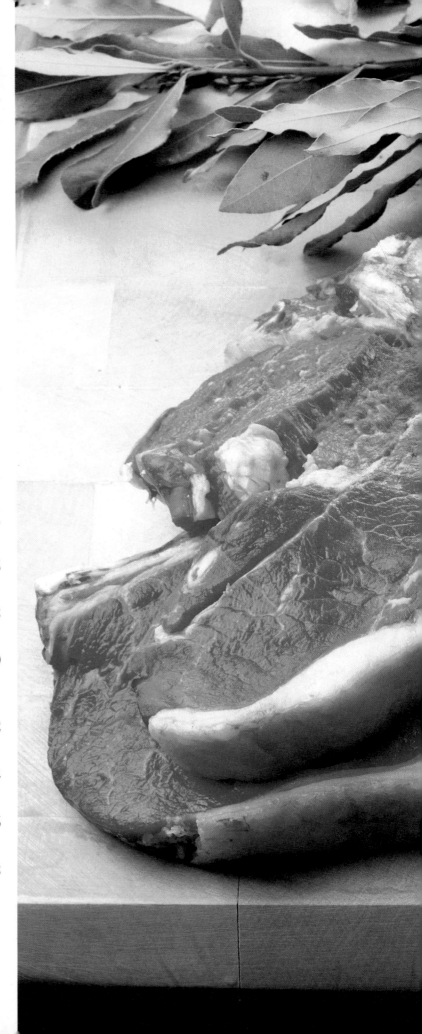

128

Rinderfilet aus dem Ofen

Arrosto di manzo

Für 8 Portionen:
1 Rinderfilet (1,8 kg)
Salz, Pfeffer (Mühle)
4 EL Öl
600 g Zucchini
2 Dosen Tomaten
(à 850 g EW)
500 g Champignons
4 Knoblauchzehen
Cayennepfeffer
4 Lorbeerblätter
1 Bund Thymian
1 Rosmarinzweig
200 g Crème fraîche

Filet mit Salz und Pfeffer einreiben. Öl in einer großen Pfanne stark erhitzen. Fleisch darin rundherum kurz anbraten und auf die Saftpfanne vom Backofen legen.

Zucchini waschen, putzen, in dicke Scheiben schneiden. Tomaten abtropfen lassen (den Saft anderweitig verwenden). Die Champignons waschen und putzen. Knoblauchzehen pellen und halbieren.

Zucchini, Tomaten, Pilze und Knoblauch um das Fleisch herum verteilen und herzhaft mit Salz und Cayennepfeffer würzen. Lorbeer, Thymian und Rosmarin auf das Gemüse geben. Crème fraîche darübergießen.

Fleisch im vorgeheizten Backofen (200 Grad, Gas 3, 2. Leiste v. u.) 30 Min. braten, nach den ersten 15 Minuten einmal wenden. Fleisch in Scheiben aufschneiden, wieder auf die Saftpfanne setzen und so servieren.

Zubereiten: 1 Stunde
1 Port.: 49 g E, 26 g F, 14 g KH
= 2023 kJ (484 kcal)

Das paßt als erster Gang:
Grüne Bandnudeln in einer Pistazienbutter: 100 g Butter in 5 EL Olivenöl aufschäumen, 100 g Parmesan und 50 g Pinienkerne (beides gemahlen) mit gehackter Petersilie unter die gekochten Bandnudeln ziehen.

Dieser schöne saftige Braten ist in einer knappen Stunde fertig. Er wird mit Gemüse und Kräutern umlegt und dann auf der Saftpfanne gebraten und serviert

Gefüllte Kalbsroulade

Falso magro alla veneta
Venetien

Für 8 Portionen:
1 kg Blattspinat, Salz
200 g Butter, Muskat
2 EL ital. Brandy
1,25 kg Kalbfleisch
125 g Parmaschinken
und 200 g Mozzarella
(Scheiben)
4 hartgekochte Eier
2 EL Olivenöl
1 Knoblauchzehe (gepellt)
1 getrocknete Chilischote
¼ l trockener Weißwein
1 kleiner Rosmarinzweig

Geputzten Spinat in Salzwasser blanchieren, abtropfen, gut ausdrücken und in 40 g Butter andünsten, mit Muskat und Brandy würzen.
Fleisch wie eine Ziehharmonika aufschneiden: Von der größten Seite her eine 1,5 cm dicke Scheibe bis 2 cm vor der Gegenkante ein-, aber nicht durchschneiden. Fleisch wenden. Entgegengesetzt zum ersten Schnitt einen zweiten legen, wieder eine 1,5 cm dicke Scheibe ein-, aber nicht durchschneiden. Fleischstück auseinanderziehen, zu einer großen Scheibe klopfen. Mit der Gabel mehrfach durch das Fleisch ziehen.
30 g Butter aufs Fleisch streichen. Erst mit Parmaschinken, dann mit Käsescheiben und zum Schluß mit Spinat belegen. Eier in einer Reihe daraufsetzen. 10 g Butter in Flöckchen dazwischensetzen. Fleisch der Länge nach zur Roulade aufrollen, zusammenbinden.
40 g Butter und Öl erhitzen. Knoblauch und Chilischote anbraten, rausnehmen. Fleisch darin anbraten. Weißwein und Rosmarin zugeben. Rouladen zugedeckt im vorgeheizten Ofen (200 Grad, Gas 3, 1. Leiste v. u.) 2 Std. garen, zwischendurch beschöpfen. Fleisch in Scheiben schneiden. Bratensaft einkochen, restliche Butter einschwenken.

Zubereiten: 3½ Stunden
1 Port.: 50 g E, 39 g F, 1 g KH =
2524 kJ (603 kcal)

Kalbshaxe nach Mailänder Art

Ossobuco alla milanese

Für 8 Portionen:
8 Kalbshaxenscheiben
(à 300 g und 2 cm dick)
3 EL Mehl
Cayennepfeffer
30 g Butterschmalz
50 ccm trockener
Weißwein
50 ccm Rinderbrühe
(oder Kalbsfond)
Salz, Pfeffer a. d. Mühle
5 Salbeiblätter
½ TL Rosmarinnadeln
½ Bund glatte Petersilie
½ Zitrone (unbehandelt)
1 Knoblauchzehe
1–2 EL Zitronensaft

Knochensplitter auf dem Fleisch mit Küchenpapier abputzen. Das Fleisch am Rand mehrmals einschneiden. Das Mehl mit Cayennepfeffer mischen. Das Fleisch darin wenden, überschüssiges Mehl abklopfen.
Butterschmalz in einem großen Schmortopf erhitzen. Das Fleisch in 2 Portionen anbraten, salzen und pfeffern. Das gesamte Fleisch in den Topf geben. Wein angießen, fast verdampfen lassen. Brühe zugießen. Haxen zugedeckt bei kleinster Hitze 1½ Std. schmoren, zwischendurch einmal wenden.
Inzwischen Kräuter waschen. Zitrone dünn abschälen. Knoblauch pellen und mit Kräutern und Zitronenschale fein hakken. Nach 1½ Std. die Hälfte davon über das Fleisch streuen und zugedeckt 30 Min. weiter schmoren. Vorm Servieren den Schmorsud mit Zitronensaft abschmekken und die restliche Kräutermischung zugeben. Reis oder Brot dazu servieren.

Zubereiten: 2½ Stunden
1 Port.: 41 g E, 7 g F, 5 g KH =
1111 kJ (266 kcal)

*Die Kalbshaxe nach Mailänder
Art (Ossobuco alla milanese)
gehört zu den bei uns bekanntesten
italienischen Fleischgerichten*

Sekundensteaks

Straccetto alla Mario
Mario's Hostaria, Rom

Für 4 Portionen:
400 g Rinderfilet
250 g Rauke (Ruchetta)
250 g Radicchio
Salz, Pfeffer (Mühle)
1 EL frische Rosmarin-
nadeln
4 EL Zitronensaft
8 EL Olivenöl

Filet in Alufolie wickeln, 2 Stunden ins Gefrierfach legen. Salate putzen, waschen, trocknen und in Streifen schneiden. Die kleinen Raukeblättchen ganz lassen.
Aus Salz, Pfeffer, sehr fein gehackten Rosmarinnadeln, Zitronensaft und Olivenöl eine Salatsauce rühren.
Vier feuerfeste Teller im vorgeheizten Backofen (250 Grad, Gas 5–6) in 15 Minuten sehr stark erhitzen.
Inzwischen das Filet in hauchdünne Scheiben aufschneiden. Salat in der Sauce schwenken.

Die heißen Teller vorsichtig nacheinander aus dem Ofen nehmen und auf eine Stoffunterlage stellen, damit sie nicht platzen. Erst das Fleisch daraufgelegen und sofort mit Salat bedecken. So schnell wie möglich servieren.

Zubereiten: 35 Minuten
1 Port.: 21 g E, 24 g F, 2 g KH =
1386 kJ (331 kcal)

Wichtig: Weil die heißen Teller einen Temperaturschock aushalten müssen, wenn das kalte Fleisch daraufgelegt wird, sollten Sie nur wirklich feuerfeste Teller nehmen, z. B. das feuerfeste Hartporzellan von Pillivuyt.

Der passende Ersatz:
Wenn Sie keine Rauke bekommen, sollten Sie am besten auf Löwenzahnsalat ausweichen.

Barolo-Schmorbraten

Brasato al Barolo
Piemont

Für 6 Portionen:
100 g Möhren
100 g Staudensellerie
100 g Zwiebeln
2 Knoblauchzehen
1,25 kg Rumpsteak
2 Lorbeerblätter
1 EL schwarze Pfeffer-
körner
2 Thymianzweige
1 Flasche Barolo
50 g durchw. Speck
50 g getrocknete Tomaten
in Olivenöl
(Pomodori secci)
2 Sardellenfilets
30 g Butter
2 EL Olivenöl
Salz
schwarzer Pfeffer (Mühle)

Möhren und Staudensellerie putzen und waschen. Zwiebeln und Knoblauch pellen. Alles fein würfeln. Fleisch in einen entsprechend großen Bräter legen. Das Gemüse um das Fleisch verteilen. Lorbeer, Pfefferkörner und Thymian zugeben. Rotwein darübergießen. Fleisch zu-

gedeckt 24 Std. marinieren. Dabei ab und zu wenden, gut zudecken.
Fleisch aus der Marinade nehmen und trockentupfen. Marinade durch ein Sieb gießen und beiseite stellen. Speck, Tomaten und Sardellenfilets fein hacken. Backofen auf 175 Grad (Gas 2) vorheizen. Butter und Öl in einem Schmortopf erhitzen. Das Fleisch rundherum darin anbraten und herausnehmen. Speck im Fett ausbraten, abgetropftes Gemüse aus der Marinade, Tomaten und Sardellen zugeben und andünsten.
Fleisch in den Topf legen. Marinade zugießen und einmal aufkochen. Topf zudecken und im Backofen auf die 2. Leiste von unten setzen. Das Fleisch 2–2½ Std. schmoren. Danach herausnehmen und im ausgeschalteten Ofen warm halten.
Ein Drittel des Gemüses aus dem Fond heben. Das restliche Gemüse mit dem Schneidstab vom Handrührer pürieren und den Fond dadurch binden. Sauce salzen und pfeffern und das beiseite gelegte Gemüse darin erhitzen.
Das Fleisch aufschneiden, und beim Anrichten mit etwas Sauce und Gemüse übergießen.

Zubereiten: 3 Stunden
1 Port.: 44 g E, 38 g F, 2 g KH =
2734 kJ (654 kcal)

Das paßt dazu:
Breite Bandnudeln (Papardelle), die Sie nach dem Grundrezept für Nudelteig ohne Ei auf Seite 34 selbst machen können. Sie können aber auch Polenta servieren.

Das passende Getränk:
Natürlich ein Barolo.

Die passende Variation:
Die Sauce kann mit dem gesamten Gemüse und einem zusätzlichen Eßlöffel Kartoffelstärke gebunden werden.

*Je länger und sanfter
dieser große Braten aus
dem Piemont schmort, um
so besser wird er*

Florentiner Steak

Bistecca alla fiorentina
Toskana

Für 4 Portionen:
2 T-Bone-Steaks (jedes
etwa 500 g)
4 EL Öl
Salz, Pfeffer (Mühle)
1–2 Zitronen
4 EL Olivenöl (kaltge-
preßt)

Fleisch mit Küchenkrepp abtupfen und dünn mit Öl einreiben.
Grillpfanne stark erhitzen. Steaks von jeder Seite etwa 1 Min. anbraten. Danach von jeder Seite noch einmal 3 Min. braten, aus der Pfanne nehmen und zugedeckt noch 5 Minuten ruhenlassen. Fleisch von den Knochen lösen und schräg in fingerdicke Scheiben schneiden. Fleisch erst auf dem Teller salzen und pfeffern. Mit Zitronenscheiben oder -vierteln und Olivenöl servieren.

Zubereiten: 15 Minuten
1 Port.: 46 g E, 43 g F, 0 g KH =
2542 kJ (608 kcal)

Die Originalfassung
Das Fleisch für die Bistecca alla fiorentina durfte ursprünglich nur von den gut gemästeten Ochsen stammen, die drei Jahre auf den saftigen Weiden des Chianatals (Valdichiana) gegrast hatten. Solche Ochsen sind rar geworden.
Sie müssen darauf achten, daß der Metzger Ihnen Fleisch verkauft, das wirklich sehr gut abgehangen ist.
In der Toskana wird die Bistecca alla fiorentina ungeölt auf Holzkohle gegrillt, und zwar nur eine Minute auf jeder Seite. Dann läßt man sie noch zwei Minuten ruhen, ehe man sie auf dem Teller salzt und pfeffert und mit ein paar Tropfen Olivenöl begießt. Zusätzliche Würze sind Zitronensaft und der ausgetretene Fleischsaft.

Settimio's Rouladen

Involtini alla Settimio
Trattoria Settimio, Rom

Für 4 Portionen:
12 kleine Kalbsschnitzel
(jedes etwa 50 g)
Salz, Pfeffer (Mühle)
1 Stange Staudensellerie
1 EL Petersilienblätter
½ Zwiebel (gepellt)
1 Knoblauchzehe (gepellt)
125 g Speckstreifen
4 EL Olivenöl
300 g Tomatenpüree
3 EL Rotwein

Kalbsschnitzel nebeneinander ausbreiten, salzen und pfeffern.
Geputzten Staudensellerie, Petersilie, Zwiebel und Knoblauch fein hacken und mischen. Je 1 TL von dieser Mischung auf jedes Schnitzel setzen und mit Speck belegen. Schnitzel zu Rouladen aufrollen und mit Holzstäbchen feststecken.
Öl in einer großen Pfanne erhitzen. Rouladen darin rundherum etwa 10 Min. braten, aus der Pfanne nehmen, warm halten.
Bratensaft mit Tomatenpüree und Rotwein ablöschen. Sauce in 15 Min. etwas einkochen lassen, salzen und pfeffern. Die Rouladen darin erwärmen. Als Gemüse paßt Mangold.

Zubereiten: 45 Minuten
1 Port.: 36 g E, 33 g F, 4 g KH =
2063 kJ (494 kcal)

Das paßt dazu:
In Settimio's Trattoria werden die Involtini mit Polpette, mit Hackfleischklößen, serviert. Rezepte dafür finden Sie auf Seite 26. Kleiner Tip noch: Sie können die Sauce zusätzlich mit Kapern würzen. Und ganz römisch wird's, wenn Sie in die Rouladen-Füllung etwas frische Minze einarbeiten.

Toskanische Männersache: das
Steak auf Florentiner Art,
die Bistecca alla fiorentina,
ein saftiges Trumm von
zartem Ochsenfleisch,
gewürzt mit kalt-
gepreßtem Olivenöl
und begleitet von
einem kraft-
vollen Roten

137

Kalbsschnitzel mit Zitronensauce

Scaloppine al limone

Für 4 Portionen:
4 große, sehr dünn ge-
schnittene Kalbsschnitzel
(à 150 g)
4 EL Olivenöl
3 EL Zitronensaft
20 g Butterschmalz
Salz, Pfeffer (Mühle)
50 ccm trockener Wermut
Zucker
1 große Zitrone

Schnitzel nebeneinander-legen, mit Klarsichtfolie abdecken und jetzt so lange klopfen, bis sie schön dünn sind. Die Folie abziehen.

Olivenöl und Zitronensaft verrühren, über die Schnitzel gießen. Schnitzel wieder mit Folie zudecken und 30 Min. marinieren, dabei einmal wenden. Schnitzel abtropfen lassen, Marinade auffangen. Schnitzel mit Küchenkrepp gründlich abtrocknen.

Butterschmalz in einer großen Pfanne erhitzen. Schnitzel darin schnell von beiden Seiten braun braten, aus der Pfanne nehmen, salzen und pfeffern, warm stellen.

Bratfett aus der Pfanne abgießen. Marinade in die Pfanne gießen, Wermut zugeben. Flüssigkeit offen sämig einkochen lassen, mit Salz, Pfeffer und 1 Prise Zucker abschmecken.

Die Zitrone in Scheiben schneiden und halbieren. Schnitzel auf einer vorgewärmten Platte mit Zitronenscheiben anrichten und mit der Sauce begießen. Zum Aufstippen Brot bereitstellen.

Zubereiten: 15 Minuten
1 Port.: 31 g E, 17 g F, 2 g KH =
1344 kJ (322 kcal)

Das paßt dazu:
Spinat nach der Kochanweisung von Seite 258: Spinaci all'agro.

Kalbsschnitzel mit Marsalasauce

Scaloppine al Marsala

Für 4 Portionen:
20 g magerer Speck
40 g Butter
1 Knoblauchzehe
16 kleine, sehr dünne
Kalbsschnitzel (à 30 g)
Salz, Pfeffer (Mühle)
1 TL Mehl
50 ccm Kalbsfond
$\frac{1}{8}$ l Marsala

Speck sehr fein würfeln, mit 20 g Butter (Rest kalt stellen) in einer großen Pfanne erhitzen. Knoblauchzehe pellen, dazupressen und kurz dünsten. Schnitzel in 4 Portionen im Fett schnell von beiden Seiten goldbraun braten, aus der Pfanne nehmen, salzen und pfeffern. Schnitzel warm stellen.

Bratensatz in der Pfanne mit Mehl bestäuben, durchschwitzen und mit Brühe ablöschen. Marsala zugießen und unter Rühren stark einkochen. Restliche eiskalte Butter in kleinen Flöckchen unterrühren. Schnitzel in der Sauce erwärmen, auf einer vorgewärmten Platte anrichten.

Zubereiten: 15 Minuten
1 Port.: 26 g E, 14 g F, 6 g KH =
1231 kJ (295 kcal)

Marsala: Der Süße aus dem tiefen Süden
In Sizilien reifen die Trauben bereits unter afrikanischem Licht, und das wandelt sich später im Wein zu unbändiger Kraft. Es sind Vollblutweine, allesamt. Und der stärkste unter ihnen ist der Marsala, der an der sizilianischen Westküste in der Provinz Trapani wächst: klar goldgelb (oro), bernsteingelb (ambra) oder rubinrot (rubino) und mit einem Duft nach Orangenblüten, nach Ginster und Mandeln.

Das Repertoire einer italienischen Hausfrau für schnelle kleine Schnitzelchen aus der Pfanne scheint unerschöpflich. Hier die berühmtesten: Kalbsschnitzelchen in Zitronensauce und solche, die mit Marsala, dem feurigen Südwein Siziliens, zubereitet werden

Kalbsbraten

Arrosto di vitello

Für 4–6 Portionen:
1 kg Kalbsschulter
Salz
4 EL Olivenöl
30 g Butter
je 2 Salbei- und Rosmarin-
zweige
eventuell Kalbsfond oder
sehr gute Brühe

Braten rundherum leicht
salzen. Öl und Butter in
einem schweren Bräter
(mit Deckel) erhitzen.
Fleisch hineinlegen. Kurz
den Deckel auflegen. Das
Fleisch kurz andämp-
fen, damit sich die Poren
schließen. Den Deckel
abnehmen, wenn das Fett
sehr heiß ist. Fleisch jetzt
rundherum goldbraun an-
braten. Hitze auf kleinste
Stufe zurückschalten. Salbei und Rosmarin auf das
Fleisch legen. Deckel auflegen. Braten 2 Stunden
schmoren, zwischendurch
wenden.
Wenn der Deckel richtig
fest schließt, ist während
des Schmorens genügend
Flüssigkeit im Topf. Wenn
nicht, muß etwas Fond
angegossen werden.

Nach 2 Std. mit der Gabel
ins Fleisch stechen. Wenn
es noch nicht zart und
mürbe ist, 30 Min. weiter-
schmoren.
Fleisch in Scheiben auf-
schneiden, auf einer vor-
gewärmten Platte anrich-
ten und mit etwas Braten-
sauce begießen. Restliche
Sauce getrennt servieren.

Zubereiten: 2½ Stunden
1 Port. (6 Port.): 26 g E, 15 g F,
0 g KH = 1053 kJ (252 kcal)

Wichtig:
Die Kräuter müssen wäh-
rend des Schmorens im-
mer auf dem Fleisch lie-
gen, weil sie sonst ver-
brennen.

Das paßt dazu:
Zu diesem klassischen ge-
schmorten Kalbsbraten
wird immer etwas Salat
serviert, zum Beispiel in
kleine Stücke geschnitte-
ner Staudensellerie in einem Bett aus Radicchio-
blättern, angemacht mit
einer Essig-Öl-Sauce.

Das passende Getränk:
Ein Chianti classico ist eine schöne Begleitung.

Rindermedaillons mit Käse und Schinken

Medaglioni con
formaggio e prosciutto

Für 4 Portionen:
20 g Butter sowie Butter
zum Braten, 2 EL Öl
4 Scheiben Rinderfilet
(à 150 g, 2½ cm dick)
4 cl Marsala
Salz, Pfeffer (Mühle)
1 Scheibe Greyerzer Käse
(40 g, in 4 Stücken)
4 Scheiben Parmaschinken
(etwa 40 g)
100 g Béchamelsauce
4 fingerdicke kleine Weiß-
brotscheiben (je etwa 10 g)
20 g Pistazienkerne

Butter und Öl in einer
Pfanne erhitzen. Steaks
darin von jeder Seite
1 Min. braten. Fett abgießen. Marsala in die Pfan-
ne gießen. Steaks von je-
der Seite 3 Min. im Mar-
salasud schmoren, bis er
verdampft ist.
Steaks salzen und pfef-
fern und in eine flache,
feuerfeste Form setzen.
Je ein Stück Käse und ei-
ne Schinkenscheibe dar-
auflegen. Obendrauf je

1 EL kalte Béchamelsauce
(s. unten) geben.
Die Steaks im vorgeheiz-
ten Backofen (200 Grad,
Gas 3, 2. Leiste v. u.) 5–10
Min. backen.
Inzwischen die Brotschei-
ben in einer gebutterten
Pfanne goldbraun rösten
und anschließend auf ei-
ner Platte anrichten. Die
Filets daraufsetzen, mit
gehackten Pistazien be-
streuen und servieren.

Zubereiten: etwa 20 Minuten
1 Port.: 35 g E, 29 g F, 7 g KH =
1938 kJ (463 kcal)

Tournedos alla Rossini

Gleich neben der Musik
galt Gioacchino Rossinis
größtes Interesse der
Kochkunst. Dem Kom-
ponisten des „Barbiers
von Sevilla" gelangen in
der Küche großartige
Dinge, unter anderem
eben auch die weltbe-
rühmten Tournedos.
Dafür braucht man zarte
Rinderfilets, vom unteren
Ende des Filets geschnit-
ten, in Scheiben von
4–5 cm Dicke. Sie werden
mit Speckstreifen umwik-
kelt und zusammenge-
bunden und so von bei-
den Seiten 4 Min. gebra-
ten. Man richtet die Filets
auf Weißbrotscheiben an,
damit der Fleischsaft
nicht wegläuft und gar-
niert jedes Tournedo mit
einer dünnen Scheibe
Gänseleber und einer
Scheibe schwarzer Trüffel.
Der Bratfond in der Pfan-
ne wird mit etwas Madei-
ra losgekocht und als
kleine Sauce über das
Fleisch gegossen.

Béchamelsauce

Für 200 g Sauce 2 EL
Butter aufschäumen, 1 EL
Mehl darin anschwitzen.
Nach und nach 150 ccm
Milch zugießen, unter
Rühren aufkochen, bei
milder Hitze 10 Min. ko-
chen, mit Salz, Pfeffer
und Muskat würzen, mit
1 Eigelb legieren.

Die Rindermedaillons
mit Schinken und Käse sind
die Arme-Leute-Ausführung der
feinen Tournedos alla Rossini, die
immer mit Gänseleber und schwarzen
Trüffeln angerichtet werden

Kalbsragout

Spezzatino di vitello

Für 4 Portionen:
5 g getrocknete Steinpilze
750 g durchwachsenes
Kalbfleisch
4 EL Öl
100 g Zwiebeln
2 Knoblauchzehen
3 Lorbeerblätter
Salz
1 Dose geschälte Tomaten
(425 g EW)
Zucker
⅛ l trockener Weißwein
je 1 Bund Petersilie und
Thymian

Pilze in ¼ l warmem Wasser einweichen. Das Kalbfleisch grob würfeln, im Öl anbraten. Pilze (ohne Wasser), grob gewürfelte Zwiebeln, feingehackten Knoblauch und Lorbeer zugeben, unter Rühren andünsten, salzen. Hälfte des Pilzwassers zugießen, aufkochen. Auf mittlerer Hitze 15 Min. leise offen kochen. Abgegossene Tomaten zugeben, grob zermusen, mit 1 Prise Zucker würzen. Fleisch zugedeckt 45 Min. schmoren. Nach Bedarf restliches Pilzwasser und Wein zugießen. Eventuell in den letzten 15 Min. den Deckel abnehmen, damit die Sauce dicklich-cremig einkochen kann. Kurz vorm Servieren gehackte Petersilien- und Thymianblättchen unterziehen. Etwas Weißbrot dazu reichen.

Zubereiten: 1½ Stunden
1 Port.: 41 g E, 15 g F, 9 g KH =
1617 kJ (386 kcal)

Das paßt dazu:
Vorher ein sanftes Nudelgericht und hinterher ein schöner bunter Salat.

Die passende Geschichte:
Eigentlich müßte dieses Ragout richtig „Spezzatino di vitello alla cacciatora" heißen, was soviel meint wie „nach Jägerart". Der wird nämlich meistens zitiert, wenn Pilze mit im Spiel sind.

Mailänder Kotelett

Cotoletta alla milanese

Für 4 Portionen:
4 Kalbskoteletts (à 200 g)
Salz
2 Eier
150 g altes Weißbrot
50 g Butterschmalz
1 Zitrone

Koteletts salzen. Eier verquirlen. Brot ohne Kruste im Mixer grob hacken. Koteletts nacheinander in Ei und Weißbrot wenden, Brösel mit der flachen Hand andrücken.
Die Koteletts im heißen Butterschmalz von jeder Seite 5 Min. goldbraun braten. Mit Zitronenstükken servieren. Grünen Salat dazu reichen.

Zubereiten: 30 Minuten
1 Port.: 39 g E, 20 g F, 19 g KH
= 1841 kJ (440 kcal)

Das paßt dazu:
Ein gemischter Salat, eine Insalata mista. Das Rezept finden Sie auf Seite 248.

Das passende Getränk:
Ein frischer, kühler Landwein aus der Lombardei.

Mitbringsel aus
Feindesland:
Feldmarschall Radetzky
brachte das knusprig-
goldene Kotelett
vom Feldzug heim nach
Wien, wo man es zum Wiene
Schnitzel umerzog

Lamm im Estragonsud

Agnello al dragoncello

Für 6–8 Portionen:
1 Lammkeule (2,5 kg, vom
Fleischer ausgebeint)
Salz, Pfeffer (Mühle)
200 g Möhren
200 g Porree
2 Bund Estragon
2 EL Korianderkörner
1 EL weiße Pfefferkörner
2 EL Weißweinessig
1 Zitrone (unbehandelt)

Keule innen salzen, pfeffern und mit Küchengarn sehr fest zusammenbinden. Möhren und Porree putzen, waschen und grob zerteilen. 3½ l Wasser aufkochen. Möhren, Porree, Estragon, Koriander, die Pfefferkörner, Essig und die Keule hineingeben, 3 Std. bei milder Hitze leise kochen. Im Sud kalt werden lassen, dann die Keule rausnehmen, den Sud entfetten und anschließend durch ein Mulltuch in einen Topf gießen.

Garn entfernen. Fett- und Hautschicht an der Keule abschneiden. Das Fleisch in 1 cm dicke Scheiben schneiden, auf einer flachen Platte anrichten. Mit wenig Lammsud begießen, mit Alufolie zudekken, im Ofen bei 100 Grad (Gas 1) erwärmen. Die Zitrone in Scheiben schneiden, vor dem Servieren aufs Fleisch legen. Zur Lammkeule eine rohe Tomatensauce (Rezept S. 56), eine grüne Mandelsauce (Rezept S. 124) und eine Pfeffersauce (Rezept S. 107) servieren. Außerdem Landbrot oder Röstkartoffeln und einen Salat dazu reichen.

Zubereiten: 3½ Stunden
1 Port. (8 Port.): 46 g E, 44 g F,
0 g KH = 2583 kJ (617 kcal)

Gebackenes Milchlamm

Abbacchio al forno
Abruzzen
Ristorante La Casetta,
Rom

Für 6–8 Portionen:
2,5 kg Lammkeule (möglichst von einem Milchlamm)
Salz, Pfeffer (Mühle)
5 EL Olivenöl
¼ l Rotwein
1,5 kg kleine Kartoffeln
150 g Zwiebeln
4 Knoblauchzehen
2 Rosmarinzweige

Zuerst das grobe Fett an der Keule abschneiden. Fleisch salzen und pfeffern. Öl im Bräter erhitzen, Keule darin anbraten, mit Wein ablöschen. Keule im vorgeheizten Backofen (150 Grad, Gas 1) 3 Std. braten. Inzwischen die Kartoffeln schälen, waschen und vierteln. Dann Zwiebeln und Knoblauch pellen und fein würfeln.

Nach 2 Std. Garzeit die Kartoffeln, Zwiebeln und den Knoblauch um die Keule herumlegen, salzen und mit den Rosmarinzweigen belegen.
Die fertig gebratene Keule im Bräter servieren.

Zubereiten: 3½ Stunden
1 Port. (8 Port.): 50 g E, 50 g F,
25 g KH = 3380 kJ (807 kcal)

Die passende Geschichte:
In Rom sagt man: „Glücklich der Mann, der eine Abruzzesin zur Frau hat." Die Abruzzesinnen sind für ihre Kochkünste berühmt, die sie, und das freut jeden Mann, bei äußerster Sparsamkeit ausüben.

*Abruzzesisches
Ostergericht: Milchlamm
aus dem Ofen, gleich
mit Kartoffeln gegart und mit
frischem Rosmarin gewürzt*

145

Lammkeule nach Jägerart

Cosciotto d'agnello alla cacciatora
Ristorante Checchino dal 1887, Rom

Für 8 Portionen:
3 kg Lammkeule
¼ l trockener Weißwein
50 ccm Weißweinessig
2 EL frische Rosmarin-nadeln
4 Sardellenfilets
4 EL Olivenöl
2 frische Chilischoten
2 Knoblauchzehen
Salz
3 Lorbeerblätter

Fett und Häute an der Keule abschneiden. Wein und Essig mit Rosmarin mischen. Sardellenfilets abspülen, fein hacken und mit 1 EL Öl im Mör-ser zerreiben, dann in die Weinmischung rühren. Chilischoten unter Was-ser entkernen, in feine Streifen schneiden. Knob-lauch pellen und pürie-ren. Beides in die Wein-mischung rühren. Keule in einen Gefrierbeutel (6 l) legen. Marinade zu-gießen, dabei feste Be-standteile auf dem Fleisch verteilen. Beutel um die Stelze fest verschnüren, damit nichts herauslaufen kann. Keule kühl stellen und 12 Stunden (über Nacht) marinieren.
Keule aus dem Beutel nehmen, rundherum sal-zen, in den Bräter legen, Marinade und Lorbeer zugeben. Restliches Öl über die Keule gießen. Dabei feste Bestandteile vom Fleisch spülen. Keu-le im vorgeheizten Ofen (200 Grad, Gas 3, 2. Lei-ste v. u.) insgesamt 2¼ bis 2½ Std. braten. Keule aus dem Bräter nehmen und warm stellen. Röststoffe mit einem Pinsel von den Bräterwänden lösen, ⅛ l heißes Wasser zugießen, einmal aufkochen.
Lammkeule mit Braten-saft, gratinierten Fenchel-scheiben und Landbrot servieren.

Zubereiten: 3¼ Stunden
1 Port.: 71 g E, 18 g F, 0 g KH = 2012 kJ (482 kcal)

Lammkoteletts mit Kräuteröl

Cotolette d'agnello all'olio di erbe aromatiche
Ristorante Roma, Hamburg

Für 4 Portionen:
Kräuteröl:
1 TL frische Rosmarin-nadeln
4 Salbeiblätter
1 Bund glatte Petersilie
2 Minzblätter
1 Knoblauchzehe
1 frische Chilischote
⅛ l kaltgepreßtes Olivenöl
Fleisch:
12 Stielkoteletts vom Lamm (jedes etwa 140 g, vom Fleischer geschnitten und geputzt)
etwas Öl zum Einpinseln
Salz
Pfeffer (Mühle)

Für die Sauce alle Kräu-ter gut waschen, trocken-schleudern und fein hak-ken. Knoblauch pellen, die Chilischote entkernen. Beides fein hacken und dann unter die Kräuter mischen. Zum Schluß das Olivenöl unterrühren.
Lammkoteletts noch ein-mal nachputzen und mit Öl einreiben.
Grillpfanne trocken erhit-zen. Koteletts schnell dar-in von jeder Seite 2 Min. braten, hinterher salzen und pfeffern und mit dem Kräuteröl servieren.

Zubereiten: 40 Minuten
1 Port.: 63 g E, 87 g F, 1 g KH = 4599 kJ (1098 kcal)

Der passende Tip:
Wenn etwas Kräuteröl übriggeblieben ist, kön-nen Sie es in einem gut verschließbaren Glas im Kühlschrank drei bis vier Tage aufbewahren. Es schmeckt übrigens auch gut auf frisch geröstetem Brot.

*Das Olivenöl muß aus der ersten
Pressung stammen (also ein kaltgepreßtes
„jungfräuliches" sein), damit sich
sein intensives Aroma mit dem der ersten
frischen Kräuter mischen kann.
Es wird kalt zu heißem Fleisch serviert
und schmeckt phantastisch*

Schinken in Honigkruste

Prosciutto all'Apicio

Für 20 Portionen:
1 l trockener Weißwein
1 kg getrocknete Feigen
10 Gewürznelken
10 schwarze Pfefferkörner
5 Lorbeerblätter
4½–5 kg gepökelter
Schinken (mit eingeritzter
Schwarte)
3 EL Rotisseursenf
100 g Heidehonig
½ TL gemahlene Nelken
1 Bund Frühlingszwiebeln
¼ l Rotwein
10 frische blaue Feigen

Weißwein mit 1 l Wasser, Feigen, Nelken, Pfefferkörnern und Lorbeer aufkochen. Schinken hineingeben, aufkochen. Hitze zurückschalten. Schinken im geschlossenen Topf 2 Stunden sieden lassen. Ab und zu wenden, Sud abschäumen.

Inzwischen Senf, Honig und Nelkenpulver zu einer Paste verrühren. Ofen auf 225 Grad (Gas 4) vorheizen.

Schinken aus dem Sud nehmen, abtrocknen, mit der Schwartenseite nach oben auf die Saftpfanne legen. Im Ofen braten, bis eine braune Kruste entsteht. Mit Honigpaste bestreichen, auf der mittleren Einschubleiste weitere 10–12 Min. backen. Zwischendurch mit heruntergelaufener Paste bestreichen. Braten auf einer vorgewärmten Platte zugedeckt warm stellen.

Frühlingszwiebeln putzen, waschen, längs halbieren. Bratensatz auf der Saftpfanne mit Rotwein ablöschen, Frühlingszwiebeln hineinlegen. Sud etwas einkochen, über den Schinken gießen. Mit den Frühlingszwiebeln und Feigen garnieren.

Zubereiten: 3¼ Stunden
1 Port.: 39 g E, 75 g F, 15 g KH
= 4159 kJ (994 kcal)

Der passende Tip:
Außer den beiden Saucen, deren Ursprung auch in der altrömischen Küche (vor der Zeitenwende) liegt, wird noch Fladenbrot gereicht.

Süßsaure Dattelsauce
(Datterie in agrodolce)

Für 20 Port. 150 g Datteln entsteinen (5 Früchte zurücklegen), die anderen mit dem Schneidstab zerkleinern, dabei nach und nach ⅛ l Olivenöl zugeben, bis ein dicker Brei entsteht. 1 gehackte Zwiebel, 1 TL zerstoßenen Kümmel, 6 zerdrückte Sardellenfilets, 1 EL Heidehonig, 3 EL Dijonsenf, je 1 Messerspitze Zimt und Nelkenpulver, 1 TL getrockneten Thymian, 2 EL Weißweinessig und ⅛ l trockenen Weißwein unter den Dattelbrei rühren. Mit 1–2 EL Frühlingszwiebeln und den restlichen Datteln in Würfeln garnieren.

Nuß-Oliven-Sauce
(Salsa di noci e olive)

Für 20 Portionen 200 g Haselnußkerne rösten, in einem Sieb die braunen Häutchen abreiben. Bis auf 10 alle Nüsse durch die Mandelmühle drehen. 4 EL Weißweinessig, ¼ l trockenen Weißwein und 2 EL Heidehonig aufkochen und abkühlen lassen. 400 g grüne Oliven (ohne Stein, 10 beiseite legen) mit dem Schneidstab zerkleinern. Eine Knoblauchzehe dazupürieren. Nüsse, Honigmischung und Olivenpüree verrühren, mit ½ TL Zimtpulver und weißem Pfeffer würzen. ⅛ l kaltgepreßtes Olivenöl mit den Handrührerquirlen langsam unterarbeiten. Mit Oliven und Haselnüssen garnieren.

Hauptgang eines altrömischen Gelages könnte durchaus ein Schinken in Honigkruste gewesen sein. So jeden- falls hat es Apicius, berühmter Koch und Kochbuchschreiber dieser Zeit, überliefert

149

Kalbsschnitzel mit Schinken und Salbei

Saltimbocca alla romana

Für 4 Portionen:
8 sehr dünn geschnittene
Kalbsschnitzel (jedes 80 g,
vom Fleischer mit der
Maschine geschnitten)
Pfeffer (Mühle)
50 g Parmaschinken in
kleinen dünnen Scheibchen
1 Bund Salbei
40 g Butter
50 ccm Marsala (oder
Weißwein)
Salz

Jedes Schnitzel in etwa
3 Stücke schneiden, leicht
mit Pfeffer würzen, mit
je einem Schinkenscheib-
chen und einem Salbei-
blatt belegen und mit Holzspießchen feststecken.
Butter in einer großen
Pfanne aufschäumen las-
sen. Fleischscheiben dar-
in von jeder Seite etwa
1 Min. braten, herausneh-
men und warm halten.
Fett aus der Pfanne ab-
gießen. Den Bratensatz
mit Marsala ablöschen
und etwas einkochen.
Sauce mit Salz abschmek-
ken. Das Fleisch auf einer
vorgewärmten Platte an-
richten und mit der Sauce
begießen.

Zubereiten: 20 Minuten
1 Port.: 36 g E, 15 g F, 2 g KH =
1329 kJ (318 kcal)

Das paßt dazu:
Weißbrot oder ein körnig
gekochter Reis. Vorher
evtl. Fettuccine all'Alfredo (Rezept S. 34) und da-
zu ein gemischter Salat
(Rezept S. 248).

Fleischspieße aus Spoleto

Spiedini misti spoletini

Für 6 Portionen:
250 g Putenbrustfilet
400 g Lammrücken (ohne
Knochen)
300 g Schweinefilet
350 g Kalbsleber
8 dünne Scheiben magerer
Speck (80 g)
1 Bund Salbei
12 Grillspieße (Holz)
Pfeffer (Mühle)
4 EL Öl

Fleisch, Leber und Speck
in 1 cm dicke und 4 cm
lange Streifen schneiden.
Alles abwechselnd mit
den Salbeiblättern auf die
Grillspieße stecken und
eng zusammenschieben.
Mit der Pfeffermühle dar-
übermahlen und mit Öl
einpinseln.
Spieße in der stark erhitzten Grillpfanne (oder
über dem gut durchge-
glühten Holzkohlengrill)
unter Wenden etwa
5 Min. braten und sehr
heiß servieren.

Zubereiten: 1 Stunde
1 Spieß: 44 g E, 35 g F, 2 g KH
= 2199 kJ (526 kcal)

Das paßt dazu:
Vorher umbrische Crosti-
ni (S. 14), Bandnudeln
mit Trüffeln (S. 48) und
dazu aufrechte Artischok-
ken (S. 250).

Das passende Getränk:
Ein kräftiger umbrischer
Weißer aus Bettona oder
aus Orvieto.

Bei Fleisch in kleinen Abmessungen
sind die Italiener große Meister. Was
nicht weiter verwundert, wenn man
sich klarmacht, daß vor dem
Hauptgang meistens ein paar Nudeln
und davor vielleicht noch andere
Vorspeisen gegessen werden

Spanferkelkeule mit Fenchel

Porchetta al finocchio
Umbrien

Für 6–8 Portionen:
1 Spanferkelkeule (2 kg,
oder Schweineschulter
oder -keule)
1 Knoblauchzehe
1 EL Fenchelsaat
Salz, Pfeffer (Mühle)
2 Rosmarinzweige
1 kg Kartoffeln

Bratenschwarte kreuzwei-
se tief einritzen. Knob-
lauch pellen, in dünne
Stifte schneiden, den Braten damit spicken und
dann rundherum mit Fen-
chelsaat bestreuen. Mit
Salz und Pfeffer würzen.
Braten mit der Schwar-
tenseite nach unten in einen entsprechend großen
Bräter legen, 1 l Wasser
angießen und die Ros-
marinzweige dazulegen.

Braten auf der 2. Leiste
von unten im vorgeheiz-
ten Backofen (200 Grad,
Gas 3) einsetzen und
1 Std. braten. Keule um-
drehen. Braten weitere
1½–1¾ Std. braten. Zwi-
schendurch die Röststoffe
mit einem Pinsel von den
Bräterwänden lösen.
Inzwischen die Kartoffeln
gründlich unter fließen-
dem Wasser abbürsten
und längs vierteln. Die
Kartoffeln in der letzten
¾ Std. in den Bratensaft
legen und mitgaren.

Zubereiten: 2¾ Stunden
1 Port. (8 Port.): 41 g E, 51 g F,
23 g KH = 3204 kJ (765 kcal)

Das paßt dazu:
Grüner Salat, Weißwein
und Landbrot, damit von
der Sauce nichts verlorengeht.

Schweinefilets aus Perugia

Scaloppine alla perugina

Für 4 Portionen:
8 Scheiben Schweinefilet
(700 g)
Salz, Pfeffer (Mühle)
1 Knoblauchzehe (püriert)
10 Salbeiblätter (gehackt)
50 g Schinken (gewürfelt)
150 g Hühnerleber
(auch gewürfelt)
3 Sardellenfilets (gehackt)
60 g kleine Kapern
1 unbehandelte Zitrone
(1 TL fein abgeriebene
Schale, Saft von einer
Hälfte, andere Hälfte in
Scheiben)
4 EL Olivenöl
4 EL trockener Weißwein
1 Bund glatte Petersilie
(gehackt)

Schweinefilets salzen und
pfeffern. Knoblauch, Sal-
bei, Schinken, Leber, Sardellen und Kapern in die
Pfanne geben. Zitronen-
saft, abgeriebene Schale
und Öl zugeben und un-
ter Rühren andünsten.
Schweinefilets hineinset-
zen und bei mittlerer Hitze von jeder Seite 6–7
Min. schmoren. Wein in
die Pfanne gießen, kurz
aufkochen. Filets mit Zi-
tronenscheiben und Pe-
tersilie in der Pfanne servieren.

Zubereiten: 1 Stunde
1 Port.: 70 g E, 18 g F, 8 g KH =
2380 kJ (520 kcal)

Das paßt dazu:
Ein kräftiger Weißer aus
der Gegend von Perugia
und derbes Landbrot.

Wo der wilde Fenchel wächst
Fenchel ist im ganzen Mittelmeerraum zu Hause, wird
aber vor allem in Italien als kulinarische Viel-
zweckwaffe eingesetzt. Beim Fenchel unterscheiden wir
das Fenchelgemüse (die knollenförmig verdickten
Stengelansätze) und die zum Würzen bestimmten Blü-
ten, das zarte Blattgrün und die Fenchelsaat,
ohne die die berühmteste aller umbrischen Spezialitäten,
die Porchetta, das zarte Spanferkel, nicht denkbar ist.

Die umbrischen Schweine sind in Italien wegen ihrer Qualität hoch gerühmt. Kein Wunder, daß man hier dann auch die ausgefallensten Zubereitungsarten findet. Aus Perugia kommt ein raffiniertes Rezept fürs feine Filet

Geschmorter Ochsenschwanz

Coda alla vaccinara
*Ristorante Checchino
dal 1887, Rom*

Für 6–8 Portionen:
2 kg Ochsenschwanz
(vom Fleischer in Stücke
geschnitten)
200 g durchw. Speck
125 g Zwiebeln
2 Knoblauchzehen
5 EL Olivenöl
5 Gewürznelken
Salz, Pfeffer (Mühle)
¼ l trockener Weißwein
300 g Fleischtomaten
600 g Staudensellerie
50 g Butter
100 g bittere Schokolade
50 g Pinienkerne

Fleisch mit Küchenkrepp abreiben, um Knochensplitter zu entfernen. Den Speck würfeln, Zwiebeln und Knoblauch auch. Öl im Schmortopf erhitzen. Speck darin ausbraten. Ochsenschwanz rundherum anbraten. Zwiebeln, Knoblauch und Gewürznelken zugeben, salzen und pfeffern, mit Weißwein ablöschen. Zugedeckt 15 Min. schmoren.

Inzwischen Tomaten häuten (S. 64) und grob würfeln, beim Ochsenschwanz 1 Stunde mitschmoren. Das Fleisch anschließend knapp mit kochendem Wasser bedecken.
Topf in den vorgeheizten Backofen (150 Grad, Gas 1, 1. Leiste v. u.) einsetzen. Ochsenschwanz 4 Std. langsam schmoren.
Eine halbe Stunde vor dem Ende der Schmorzeit den Staudensellerie putzen, in Stücke schneiden, tropfnaß und zugedeckt bei milder Hitze 15 Min. in der Butter dünsten. ¼ l Ochsenschwanzsud zugießen. Zerkleinerte Schokolade darin schmelzen lassen. Pinienkerne unterrühren.
Die Sauce zum Ochsenschwanz gießen, durchrühren und 5–7 Min. bei schwacher Hitze durchziehen lassen. Mit italienischem Brot servieren.

Zubereiten: knapp 6 Stunden
1 Port. (8 Port.): 34 g E, 42 g F,
11 g KH = 2547 kJ (609 kcal)

Das paßt dazu:
Vorher Fettuccine mit Butter und Käse (S. 34), als Gemüsebeilage ein römischer Wildsalat (S. 44) und hinterher eine saftige Birne mit einem Stück altem Schafskäse (Pecorino romano, mit Pfefferkörnern). Wenn es ein ganz großes römisches Essen werden soll, dann gibt es vor der Pasta noch Artischocken auf römische Art (S. 250).

Die passende Geschichte:
Vaccinari hießen früher in Rom die Männer, die die Rinder abhäuteten. Die Coda alla vaccinara ist also ein typisches Schlachthofessen. Das Rezept hat sich über die vielen Jahre nicht verändert. Die Portion Schokolade, die nicht unbedingt so kräftig bemessen sein muß wie in unserem Rezept, machte, nachdem die Kakaobohne aus Amerika nach Italien gebracht worden war, aus dem Arme-Leute-Essen vom römischen Schlachthof eine kostbare exotische Angelegenheit, die sich so nur noch Adel und Klerus leisten konnten.

Getrüffeltes Kalbsbries

Animelle de vitello
trifolato

Für 4 Portionen:
600–700 g Kalbsbries
je 200 g Möhren, Porree
und Sellerie, Salz
1 schwarze Trüffel (50 g)
50 g Mehl
weißer Pfeffer (Mühle)
60 g Butter, Zucker
100 g Crème fraîche
⅛ l Schlagsahne
2 cl italienischer Brandy

Bries 30 Minuten wässern. Inzwischen Gemüse putzen, waschen und in dünne Stäbchen schneiden, zugedeckt beiseite stellen. Bries mehrfach in kaltem Salzwasser waschen, bis das Wasser klar bleibt. Äußere Haut so weit wie möglich entfernen. Bries in 4 Portionen aufteilen.
Trüffel halbieren und jede Hälfte in 10 Scheiben schneiden, in die natürlichen Falten zwischen den Briesröschen schieben.
Mehl, Salz, Pfeffer mischen, die Briesstücke darin wenden.
40 g Butter in einer Pfanne schmelzen. Bries darin erst auf der getrüffelten, dann auf der anderen Seite je 2 Min. braten. Pfanne in den vorgeheizten Ofen (200 Grad, Gas 3, 2. Leiste v. u.) setzen. Bries 10–12 Min. braten.
Inzwischen Gemüse mit 4 EL Wasser, Salz, 1 Prise Zucker und dem Rest Butter 5 Min. garen.
Bries aus der Pfanne nehmen und warm stellen. Bratenfond mit Crème fraîche und Sahne bei starker Hitze cremig einkochen. Mit Salz, Pfeffer und Brandy würzen. Bries schräg in Scheiben schneiden, mit Sauce und Gemüse anrichten.

Zubereiten: 1½ Stunden
1 Port.: 33 g E, 38 g F, 18 g KH
= 2614 kJ (624 kcal)

*Ein getrüffeltes Kalbsbries
in einer cremigen Sauce, die mit
Brandy sanft gewürzt und mit bunten
Gemüsestäbchen angereichert
ist, gehört zu den feinen Gerichten
der neuen italienischen Küche*

Leber mit Salbei

Fegato alla salvia

Für 4 Portionen:
500 g Zwiebeln
100 g Butter
3 Stiele frischer Salbei
800 g Kalbsleber (in
dünnen Scheiben)
Salz, Pfeffer (Mühle)
3–4 EL Zitronensaft
gut ⅛ l trockener
Weißwein

Die Zwiebeln schälen und hacken, in einer Pfanne in 50 g Butter unter gelegentlichem Rühren gar dünsten.
Salbei in feine Streifen schneiden. Leber abtupfen, in feine Streifen schneiden, salzen und pfeffern.
Leber in der restlichen Butter in einer zweiten Pfanne bräunen, dabei ständig wenden. Es dauert etwa 5 Min., bis die

Leber gar ist. Sofort aus der Pfanne nehmen, mit Zitronensaft beträufeln.
100 ccm Wein in die Pfanne gießen, Zwiebeln, Salbei und Leber hineingeben und erhitzen, aber nicht weiter garen. Alles gut mischen und den restlichen Wein unterrühren. Sofort und am besten in der Pfanne servieren.

Zubereiten: 45 Minuten
1 Port.: 40 g E, 29 g F, 20 g KH
= 2312 kJ (552 kcal)

Leber nach venezianischer Art
(Fegato alla veneziana)

Die Leber in dieser berühmten venezianischen Spezialität wird in Öl und Butter, mit sehr vielen feingewiegten Zwiebeln und sehr viel gehackter Petersilie gebraten.

Gedünstete Kalbsnieren

Rognone di vitello in umido

Für 4 Portionen:
2 Kalbsnieren (600 g)
Salz, Mehl zum Wenden
20 g Butter
50 ccm Weißwein
50 ccm Kalbsfond (oder Brühe)
1 Bund glatte Petersilie
2 Knoblauchzehen
Pfeffer (Mühle)
1 EL Zitronensaft

Nieren putzen, Fett und Sehnen entfernen. Nieren in ½ cm dicke Scheiben schneiden, mit 1 TL Salz bestreuen, einreiben und 20 Min. stehenlassen. Anschließend unter kaltem Wasser gründlich abspülen, abtrocknen und in Mehl wenden.
Butter in einer großen Pfanne erhitzen. Nieren darin bei mittlerer Hitze und unter gelegentlichem

Rühren braun braten. Wein zugießen und cremig einkochen lassen. Den Fond zugießen und 3 Min. leise kochen lassen. Petersilie und gepellte Knoblauchzehen zusammen fein hacken und unter die Nieren rühren. Bei kleinster Hitze weitere 5 Minuten garen. Zum Schluß mit Pfeffer und Zitronensaft pikant abschmecken.
Sofort servieren. Polenta oder Brot dazu reichen.

Zubereiten: 40 Minuten
1 Port.: 45 g E, 21 g F, 7 g KH =
1778 kJ (425 kcal)

*Innereien gelten in Italien
als Delikatesse, der man sich mit
ausgesprochener Leidenschaft
widmet. Das Tolle dabei: Die Rezepte
sind alle – so wie dieses hier
für die Kalbsnieren – ganz einfach*

Kalbsbries mit Mangold

Animelle alle bietole

Für 4 Portionen:
400 g Kalbsbries
Salz
6 EL Essig
400 g Mangoldblätter
1 TL Mehl
30 g Butter
1 EL Olivenöl
1 Knoblauchzehe
5 Salbeiblätter
Pfeffer (Mühle)
Zitronensaft

Kalbsbries 20 Min. wässern, in leicht kochendem Salzwasser mit Essig 20 Min. garen. Inzwischen Mangold waschen, putzen, in feine Streifen schneiden. Bries aus dem Wasser nehmen, abkühlen lassen, dann Häutchen und Adern entfernen. Bries in Röschen zerpflücken und mit Mehl bestäuben.

Butter und Öl nicht zu stark erhitzen. Knoblauch in dünne Scheiben schneiden, mit dem Salbei kurz anbraten. Bries ebenfalls rundherum leicht anbraten.

Mangoldblätter auf das Bries legen und zugedeckt in 3–5 Min. zusammenfallen lassen. Alles mischen, mit Salz, Pfeffer und Zitronensaft würzen. Mit Brot servieren.

Zubereiten: 50 Minuten
1 Port.: 21 g E, 13 g F, 6 g KH = 960 kJ (230 kcal)

Kutteln nach Benediktiner-Art

Trippa all'olivetana
Toskana

Für 6 Portionen:
Salz, 5 Zwiebeln
1 Möhre, 50 g Sellerie
3 Lorbeerblätter
1 TL Pfefferkörner
500 g Kutteln (vom Fleischer geputzt und gebrüht)
300 g Auberginen
1 große Dose geschälte Tomaten (850 g EW)
4 Eier
50 g magerer Speck
2 Knoblauchzehen
8–10 EL Olivenöl
Pfeffer (Mühle)
1 Bund glatte Petersilie
100 g frisch geriebener Pecorino

Wasser mit Salz, 1 gepellten Zwiebel, gewürfelter Möhre, gewürfeltem Sellerie, Lorbeer und Pfefferkörnern aufkochen. Die Kutteln darin 1½ Std. kochen, rausnehmen, abkühlen lassen und in feine Streifen schneiden.

Inzwischen die Auberginen in ½ cm dicke Scheiben schneiden, salzen und 1 Std. ziehen lassen.

Tomaten abtropfen lassen und grob zerschneiden. Eier hartkochen, pellen und in Scheiben schneiden. Speck fein würfeln. Restliche Zwiebeln und Knoblauch pellen und fein würfeln.

Speck, Zwiebeln und den Knoblauch in 2 EL Öl anbraten. Kutteln zugeben, 5 Min. mitbraten, salzen und pfeffern. Tomaten zugeben. Kutteln zugedeckt 45 Min. sanft schmoren.

Inzwischen Petersilie hakken. Auberginen abspülen, trocknen und in 4 EL Öl von jeder Seite schnell braun braten.

Kutteln noch einmal mit Salz und Pfeffer würzen, Petersilie unterrühren. Eine feuerfeste Form mit etwas Öl ausfetten. Abwechselnd Auberginen, Kutteln, geriebenen Käse und Eischeiben einschichten. Oben mit Käse bestreuen.

Kutteln im vorgeheizten Ofen (225 Grad, Gas 4, 2. Leiste v. u.) 20 Min. backen, dann in der Form servieren.

Zubereiten: 3 Stunden
1 Port.: 35 g E, 27 g F, 6 g KH = 1651 kJ (394 kcal)

Die passende Geschichte:
Im 14. Jahrhundert haben Benediktiner-Mönche auf dem Monte Oliveto in der Toskana eine Abtei gegründet. Ihre Art der Kuttelzubereitung war schnell berühmt, weshalb man sie kurzerhand nach dem Berg Oliveto benannte.

Fast jede italienische Provinz hat
ihr Spezialrezept für Kutteln, die als eine
besondere Delikatesse gelten und
ein typisches Sonnabend-Gericht sind.
Hier ein toskanisches Mönchs-
Rezept: Trippa all'olivetana

159

GEFLÜGEL
POLLAME

Truthahn mit Kastanien und Pflaumen

Tacchino con castagne
e prugne
Friaul, Jul. Venetien

Für 6–8 Portionen:
400 g Kurpflaumen
ohne Stein, 4 cl Grappa
1 Dose Eßkastanien
(400 g EW)
4 Stangen Staudensellerie
1 Puter (3 kg, küchenfertig)
Salz, Pfeffer (Mühle)
400 g fetter Speck in
dünnen Scheiben
1 kg kleine Kartoffeln
1 Rosmarinzweig

Pflaumen über Nacht in Grappa einweichen. Eßkastanien abtropfen lassen. Sellerie putzen und fein würfeln. Puter sorgfältig waschen und trocknen, innen und außen salzen und pfeffern.

Die Hälfte Pflaumen vierteln und mit Sellerie und Kastanien mischen, salzen und pfeffern, als Füllung in den Puter geben. Öffnung mit Holzspießchen und Küchengarn verschließen. Brust und Keulen mit 250 g Speckscheiben belegen und mit Küchengarn festbinden. Keulen und Flügel mit Küchengarn am Körper festbinden.

Bräter mit Wasser ausspülen, restliche Speckscheiben hineinlegen. Puter mit der Brust nach oben hineinsetzen. Bräter auf die unterste Leiste vom vorgeheizten Backofen (175 Grad, Gas 2) setzen. Puter langsam 4 Std. braten. Zwischendurch mit Bratensaft beschöpfen. Eventuell etwas heißes Wasser zugießen. Geviertelte Kartoffeln, restliche Backpflaumen und den Rosmarinzweig für die letzten 40 Min. mit in den Bräter geben.

Zubereiten: 4½ Stunden
1 Port. (8 Port.): 60 g E, 33 g F,
58 g KH = 4212 kJ (1005 kcal)

In Triest wird der Truthahn im wesentlichen mit Pflaumen gefüllt, die eine Nacht in würzigem Grappa geschwommen sind. Das gibt dem milden Fleisch ein schönes Aroma und macht es bekömmlicher. Besonders praktisch: Die Kartoffeln werden – wie oft in Italien – gleich im Bräter mitgegart

Tomatenhuhn

Pollo spezzato e pomodori
Kampanien

Für 4 Portionen:
1,5 kg mittelgroße
Fleischtomaten
1 Poularde (1,5 kg,
küchenfertig vorbereitet)
150 g Schalotten oder
kleine Zwiebeln
2 Knoblauchzehen
4 EL Öl
4 Lorbeerblätter
2 kleine Rosmarinzweige
Salz
schwarzer Pfeffer (Mühle)
50 g schwarze Oliven

Tomaten brühen, häuten, halbieren und entkernen. Poulardenkeulen im Gelenk abtrennen. Poulardenkörper der Länge nach halbieren. Schalotten pellen und der Länge nach halbieren (Zwiebeln vierteln). Knoblauch pellen und pürieren.
Öl im Schmortopf erhitzen. Poulardenteile mit Schalotten und Knoblauch darin kräftig anbraten. Lorbeer, Rosmarin und Tomatenhälften zugeben, salzen und pfeffern und die Oliven darauf verteilen.
Topf in den vorgeheizten Backofen setzen (225 Grad, Gas 4, 2. Leiste v. u.). Poularde zugedeckt 30 Min. garen. Deckel abnehmen. Poularde bei 250 Grad (Gas 5–6) weitere 10 bis 15 Min. garen, bis das Fleisch gebräunt ist. Tomatenhuhn heiß im Topf servieren.

Zubereiten: 1½ Stunden
1 Port.: 61 g E, 30 g F, 15 g KH
= 2526 kJ (603 kcal)

Das paßt dazu:
Frisches, salzloses Landbrot, damit man die Sauce aufstippen kann.

Weißwein-Hähnchen
(Pollo al vino bianco)

Dieses saftige Hähnchen ist stiefelweit das bekannteste. Für 6 Portionen brauchen Sie zwei küchenfertige Hähnchen (jedes etwa 1 kg): jedes gewaschen, getrocknet und in 8–10 Teile zerlegt.
Im Schmortopf werden 4 EL Olivenöl erhitzt und die Hähnchenteile darin portionsweise angebraten. Dann geben Sie alle Teile zurück in den Topf, gießen 50 ccm trockenen Weißwein an und geben 1 zerpflückten Rosmarinzweig und 1 kleine Dose geschälte, grob gehackte Tomaten (ohne Saft) in den Topf. Jetzt lassen Sie das Fleisch offen insgesamt 65–75 Min. garen. In dieser Zeit gießen Sie nach und nach 100 bis 150 ccm Wein zu. Die Sauce darf nicht zu flüssig werden.

Huhn auf römische Art
(Pollo alla romana)

Wird in Stücke geschnitten, in Schmalz angebraten, wobei man gleich Schinkenwürfelchen, Knoblauch und Majoran mit zugibt. Nachdem mit wenig trockenem Weißwein abgelöscht ist, kommen noch grob gehackte Tomaten dazu, und ganz am Schluß geröstete Paprikaschoten in Streifen. Geschärft wird mit wenig getrockneter Chilischote.

Huhn auf sizilianische Art
(Pollo alla siciliana)

Wird in Stücke geschnitten, mit Rosmarin und Knoblauch in Öl angebraten, gesalzen und gepfeffert und mit Weißwein, grünen Oliven und kleingeschnittenen sauren Gürkchen geschmort.

*Aus Kampanien kommen
die würzigsten Tomaten Italiens.
Kein Wunder, daß es deshalb
rund um den Vesuv auch die schönsten
Rezepte für die Goldenen Äpfel
(die pomodori) gibt. Wie zum
Beispiel dieses hier, wo sich noch
saftiges Hühnchen und kräftige schwarze Oliven dazugesellen*

165

Hühnerkroketten

Crocchette di pollo
Emilia-Romagna

**Für 4 Portionen
(20 Kroketten):**
300 g Hähnchenbrustfilet
100 g gekochter Schinken
10 g getr. Steinpilze
250 g dicke Béchamel-
sauce (S. 140)
50 g frisch geriebener
Parmesankäse
Salz, Pfeffer (Mühle)
frisch geriebene
Muskatnuß
80 g Semmelbrösel
2 Eier
Sonnenblumenöl zum
Ausbacken

Fleisch fein hacken oder
durch den Wolf drehen.
Schinken auch fein hak-
ken und unter das Fleisch
mischen. Steinpilze fein
hacken oder im Mixer
pürieren. Alles mit Béchamelsauce mischen und
den Käse unterziehen, mit

Salz, Pfeffer und Muskat
kräftig würzen.
Aus dem Fleischteig dau-
mendicke und -lange Kro-
ketten formen. Kroket-
ten erst in den Semmel-
bröseln, dann im ver-
quirlten Ei und danach
wieder in Semmelbröseln
wenden. Anschließend por-
tionsweise im heißen Öl
(180 Grad) in 3–4 Min.
goldbraun ausbacken. Vor
dem Servieren abtropfen
lassen.

Zubereiten: 1 Stunde
1 Krokette: 7 g E, 7 g F, 3 g KH
= 434 kJ (104 kcal)

Das paßt dazu:
Wenn die Kroketten als
Hauptgang serviert wer-
den, paßt ein grüner oder
ein bunter Salat. Sie sind
aber auch eine schöne
Vorspeise.

Trientiner Gänsekeulen

Cosciotti d'oca alla
trentina
Trentino

Für 4 Portionen:
4 Gänsekeulen (ca. 2 kg)
1 Möhre
1 Stange Staudensellerie
100 g Zwiebeln
5 Pimentkörner
3 Gewürznelken
1 Chilischote
1 TL schwarze Pfeffer-
körner
¼ l Rotweinessig
⅛ l Marsala

Außerdem:
Salz, Pfeffer (Mühle)
250 g Schalotten
250 g Zwetschgen
350 g säuerliche Äpfel
2 EL brauner Zucker

Sichtbares Fett von den
Keulen abschneiden, in
den Kühlschrank legen.
Keulen auf der Hautseite
mit einem spitzen Messer
mehrfach einstechen.

Möhre und Staudensel-
lerie würfeln. Zwiebeln
vierteln. Pimentkörner,
Nelken, Chili und Pfef-
ferkörner im Mörser zer-
stoßen. Essig, Marsala
und ½ l Wasser mischen.
Keulen in einer Schüssel
mit Gemüse, Gewürzen
und Marinade übergie-
ßen, zugedeckt 12 Std.
marinieren, einmal wen-
den.
Keulen aus der Marinade
nehmen, abtrocknen, sal-
zen und pfeffern. Gänse-
fett würfeln, im Bräter
auslassen. Grieben raus-
nehmen. Keulen zuerst
auf der Hautseite, dann
ringsherum anbraten. Fett
abgießen und beiseite
stellen.
Marinade durch ein Sieb
gießen und auffangen.
Gewürze und Gemüse aus
dem Sieb und die Hälfte
Marinade zu den Keulen
geben, die auf der Haut-
seite liegen. Bräter ohne
Deckel in den vorgeheiz-
ten Ofen (200 Grad,
Gas 3, 2. Leiste v. u.) setzen. Keulen 45 Min. ga-
ren, wenden, 30 Min. wei-
tergaren. Zwischendurch
mit Bratfond beschöpfen.
Schalotten in Wasser 5
Min. vorgaren. Zwetsch-
gen entsteinen und vier-
teln. Äpfel schälen, ent-
kernen und dann in Spal-
ten schneiden.
Keulen aus dem Bräter
nehmen. Röststoffe lösen.
Bratfond entfetten.
Keulen mit Schalotten
und Obst 25–30 Min. im
Ofen (200 Grad, Gas 3)
weitergaren.
Inzwischen Zucker kara-
melisieren, 2 EL Gänse-
fett zugeben, mit ⅛ l Beize
und entfettetem Fond auf-
gießen. Sauce etwas ein-
kochen, salzen und über
die Keulen gießen.

Zubereiten: 2½ Stunden
1 Port.: 50 g E, 94 g F, 41 g KH
= 5188 kJ (1240 kcal)

Das paßt dazu:
Polenta, Landbrot und
der Radicchiosalat von
Seite 250.

Die Gans ist ein Vogel, den man selten in Italiens Töpfen findet, wohl weil ihr Fleisch zu fett ist. Um es bekömmlicher zu machen, gibt man im Trentino, der klassischen Obstbau-Provinz, Äpfel und Zwetschgen mit in den Topf

Geräucherte Putenbrust mit Mozzarella

Petto di tacchino affumicato alla napoletana

Für 4 Portionen:
400 g geräucherte Putenbrust
400 g reife Tomaten
300 g Mozzarella
1 Bund glatte Petersilie
40 g Butter
Salz, Pfeffer (Mühle)
4 EL frisch geriebener Parmesankäse

Das Putenfleisch in dünne Scheiben schneiden. Die Tomaten waschen, die Stielansätze keilförmig herausschneiden. Die Tomaten und den Mozzarella in Scheiben schneiden. Die Petersilie hacken.
Eine ofenfeste Form mit 10 g Butter einfetten. Die Fleischscheiben auf den Boden legen. Darüber Tomaten- und Mozzarellascheiben abwechselnd dachziegelartig einschichten. Mit Salz und Pfeffer würzen. Den Parmesan und die Petersilie daraufstreuen. Zum Schluß die restliche Butter in Flöckchen darauf verteilen.
Die Form in den vorgeheizten Backofen geben (225–250 Grad, Gas 4–5, 2. Leiste v. o.). Das Gericht 15–20 Min. garen, bis der Käse anfängt zu zerlaufen.

Zubereiten: 45 Minuten
1 Port.: 48 g E, 27 g F, 3 g KH = 1884 kJ (464 kcal)

Der passende Tip:
Dieses Gericht kann natürlich auch mit ungeräucherter Putenbrust zubereitet werden. Dann braten Sie das Fleisch sanft in Butter goldbraun, bevor Sie es in Scheiben aufschneiden.
Das Gericht ist übrigens auch eine schöne warme Vorspeise

Ente in pikanter Sauce

Anitra in salsa piccante

Für 4 Portionen:
1 Ente (2 kg, küchenfertig)
Salz, Pfeffer (Mühle)
1 Zitrone (unbehandelt)
200 g durchwachsener Speck
1 EL Rosmarinnadeln
8 Salbeiblätter
20 g Butter
325 ccm trockener Weißwein
30 g Kapern
3 Sardellenfilets
1 Knoblauchzehe
50 ccm Rotweinessig
2 EL gehackte Petersilie

Ente waschen, trocknen, innen und außen salzen und pfeffern. Zitrone waschen, halbieren, eine Hälfte in die Ente stopfen, die andere in Scheiben schneiden.

Speck fein würfeln. Rosmarin und Salbei fein hacken. Butter im Bräter zerlassen. 50 g Speck darin glasig dünsten. Rosmarin, Salbei und Zitronenscheiben unterrühren. Ente mit der Brust nach oben hineinsetzen. Deckel auflegen. Ente im vorgeheizten Ofen (200 Grad, Gas 3, 2. Leiste v. u.) 40 Min. braten. Fett abschöpfen. 125 ccm Wein angießen.
Ente offen 1 Std. weiterbraten. Dabei immer wieder mit Bratfond beschöpfen und nach und nach 125 ccm Wein angießen.
Inzwischen Kapern und Sardellenfilets abspülen und fein hacken, gepellten Knoblauch auch. Mit dem restlichen Speck braun braten und mit Rotweinessig ablöschen.
Ente aus dem Bräter nehmen und auf einer Platte im ausgeschalteten Ofen warm stellen. Die Röststoffe an der Bräterwand mit einem Pinsel lösen, Fond entfetten und durch ein Sieb zu der Speckmischung gießen. Restlichen

Wein zugeben, etwas einkochen lassen. Zum Schluß die Petersilie unterziehen. Die Sauce über die Ente gießen und 30 Min. einziehen lassen. Ente erst dann servieren.

Zubereiten: 2 Stunden
Ruhezeit: 30 Minuten
1 Port.: 74 g E, 81 g F, 6 g KH = 4838 kJ (1156 kcal)

Das paßt dazu:
Polenta oder Landbrot und ein kräftiger Salat.

Das passende Getränk:
Ein gut durchgekühlter trockener Weißwein.

Der passende Tip:
Nach den ersten 40 Min. Bratzeit sollten Sie die Ente vorsichtig seitlich der Brust und an den Keulen einstechen, damit das Fett heraustropfen und der Sauce Kraft geben kann.

*Kampanische
Sonnenküche: saftiger Mozzarella
und kraftvoll-würzige Tomaten auf geräucherter
Putenbrust – im Ofen gebacken*

169

Marengo-Hähnchen

Pollo alla Marengo
Piemont

Für 4 Portionen:
1 Poularde (1,3 kg,
küchenfertig vorbereitet)
Salz
Pfeffer (Mühle)
700 g reife Tomaten
1 Knoblauchzehe
150 g kleine Champignons
40 g Butterschmalz
100 ccm trockener
Weißwein
100 ccm Hühnerbrühe
(Instant)
20 g kalte Butter
Zucker
etwas Zitronensaft
etwas gehackte Petersilie

Hähnchen waschen, trocknen und in viele kleine Stücke zerteilen. Fleisch salzen und pfeffern.
Tomaten brühen, häuten, halbieren, entkernen und grob zerschneiden. Knoblauch pellen und im Salz mit dem Messerrücken zerdrücken. Champignons putzen, wenn nötig, waschen.
Butterschmalz in einer großen, breiten Pfanne (oder im Schmortopf) sehr heiß werden lassen. Hähnchenteile darin rundherum kräftig braun braten und herausnehmen.

Tomaten und Knoblauch ins Fett geben, gut verrühren und 5 Min. andünsten. Wein zugießen und etwas einkochen lassen. Hühnerbrühe zugießen, die Flüssigkeit auf zwei Drittel einkochen. Hähnchenteile ohne das Brustfleisch in die Sauce legen und zugedeckt 20 Minuten garen. Brustfleisch und Pilze zugeben und noch weitere 15 Minuten garen.
Die fertigen Hähnchenteile und die Pilze aus der Sauce nehmen, auf einer vorgewärmten Platte warm stellen.
Nach und nach die kalte Butter in Flöckchen in die Sauce einrühren. Zum Schluß mit Salz, Pfeffer, 1 Prise Zucker und Zitronensaft abschmecken und die Petersilie unterziehen. Die Sauce vor dem Servieren über Hähnchenfleisch und Pilze gießen.

Zubereiten: 1 Stunde
1 Port.: 52 g E, 28 g F, 8 g KH =
2249 kJ (538 kcal)

Das paßt dazu:
In Butter geröstetes Weißbrot, diagonal in Dreiecke aufgeschnitten.

Napoleon ist an allem schuld
*An diesem schönen Hähnchen auch – sagt man. Zumindest erinnert der Name des Gerichtes an die berühmte Schlacht in Piemont, in der im Jahre 1800 der berühmte französische Feldherr die Österreicher auf italienischem Boden vernichtend schlug. Hungrig und durstig suchte Napoleon daraufhin den einzigen Gasthof im Ort auf, wo sich die Wirtin gerade ein saftiges Hähnchen briet. Napoleon aber verabscheute alles Gebratene. Worauf die arme Frau flugs Brühe in die Pfanne goß und etwas Gemüse dazu gab.
Aus dem ursprünglich einfachen Verlegenheitsgericht ist dann im Laufe der Jahre und unter Zugabe auch edelster Zutaten (Trüffel und Krebse!) ein überaus anspruchsvolles kulinarisches Rezept geworden.*

Olivenhähnchen

Pollo con olive
Toskana

Für 4 Portionen:
1 Masthähnchen (1,3 kg)
Salz, Pfeffer (Mühle)
10–12 kleine Salbei-
blättchen
1 Bund Thymian
1 Knoblauchknolle
250 g kleine Zwiebeln
500 g kleine Kartoffeln
4 EL Olivenöl
2 EL Zitronensaft
1/8 l trockener Weißwein
250 g violette Oliven
(oder grüne und schwarze
gemischt)

Hähnchen waschen und trocknen, innen und außen mit Salz und Pfeffer einreiben. Die Hälfte der Salbeiblätter und den Thymian im Bund in das Hähnchen legen. Die Öffnungen mit Küchengarn zubinden. Den Knoblauch und die Zwiebeln pellen. Kartoffeln unter fließendem Wasser gründlich abbürsten und mit Salz bestreuen.
Das Hähnchen in einen schweren Schmortopf legen. Knoblauch, Kartoffeln und Zwiebeln um das Hähnchen legen. Öl mit Zitronensaft mischen und über das Hähnchen gießen. Wein über das Gemüse gießen. Alles etwas pfeffern. Dann die Oliven und die restlichen Salbeiblätter zugeben. Topf zudecken.
Hähnchen im vorgeheizten Backofen (200 Grad, Gas 3, unterste Leiste) 50 Min. garen, dann aus dem Topf nehmen und unter dem Grill bräunen. Hähnchen vor dem Servieren wieder in den Topf geben.

Zubereiten: 1½ Stunden
1 Port.: 52 g E, 39 g F, 30 g KH
= 3146 kJ (752 kcal)

Die grünviolett schimmernden
Oliven, die zartbitter und
fruchtig auf den Höhenlagen des
Chianti-classico-Gebietes
oder etwas fetter in der Gegend
um Lucca wachsen, gelten
auch außerhalb der Toskana als
die besten der Welt. Die
Oliven, die sich nicht gleich bei der
ersten Pressung ins milchig-
grüne Öl (olio extra vergine) ver-
wandeln, wandern oft auch
in den Topf

171

Huhn in Wermut-Sahne

Pollo alla panna

Für 4 Portionen:
1 Poularde (2 kg)
Salz, Pfeffer (Mühle)
1 EL Paprikapulver
1 Knoblauchzehe (püriert)
1 Bund Thymian
30 g Butter
200 ccm trockener Wermut (Vermouth)
1 Fleischtomate (350 g)
150 ccm Schlagsahne

Poularde waschen und trocknen. Zuerst die Keulen sauber vom Rumpf schneiden. Dann mit einem scharfen Messer die Brust bis auf den Knochen durchschneiden. Brustknochen mit der Schere so vom Rücken schneiden, daß die Flügel dranbleiben.

Fleisch salzen, pfeffern, mit Paprika und Knoblauch einreiben. Thymianblättchen von den Stielen zupfen, Stiele zusammenbinden.

Butter im Bräter zerlassen. Fleisch darin anbraten. Thymianblättchen und -stiele zugeben (ein paar Blättchen zur Seite legen). Wermut angießen. Bräter auf den Boden im vorgeheizten Backofen (225 Grad, Gas 4) setzen. Poularde 10 Min. schmoren.

Inzwischen Tomate häuten, würfeln, zur Poularde geben. 30 Min. schmoren, ab und zu mit Bratfond beschöpfen.

Temperatur auf 250 Grad (Gas 5–6) hochschalten. Bräter auf die 2. Leiste v. o. stellen. Sahne zugießen. Poularde weitere 10 Min. bräunen.

Poularde im Bräter servieren. Vorher restliche Thymianblättchen unterrühren.

Zubereiten: 1 Stunde
1 Port.: 85 g E, 40 g F, 4 g KH = 3268 kJ (782 kcal)

Das schnellste Huhn der Welt. So könnte dieser sanfte Sahne-Vogel auch heißen. In einer Stunde ist er fertig, hat überhaupt keine Arbeit gemacht – und bringt Ihnen bei Tisch jede Menge überschwengliche Komplimente

Plattes Huhn

Pollastrello al mattone
Toskana, Latium

Für 2–3 Portionen:
1 junges fleischiges
Hähnchen (800–1000 g)
Salz, Cayennepfeffer
1 kleiner Rosmarinzweig
4 EL Olivenöl
Saft von 1 Zitrone
100 ccm trockener
Weißwein, 20 g Butter
Außerdem:
Alufolie, Ziegelstein

Den Rückenknochen des Hähnchens mit der Geflügelschere der Länge nach durchtrennen. Das Hähnchen plattdrücken, waschen, trocknen und innen und außen mit Salz und Cayennepfeffer einreiben. Mit einem spitzen Messer ein paar Einschnitte in Keulen und seitlich der Brust machen. Einschnitte mit Rosmarinnadeln spicken.
Den Ofen auf 200 Grad (Gas 3) vorheizen. Bräter mit Öl einpinseln. Stein mit Alufolie beziehen. Hähnchen mit dem Rücken nach unten in den Bräter setzen und mit dem Stein beschweren. Im Ofen auf der 2. Leiste v. u. etwa 60 Min. braten. Inzwischen Zitronensaft mit dem restlichen Öl verquirlen, nach der Hälfte der Garzeit das Hähnchen damit einpinseln. Hähnchen aus dem Bräter nehmen, warm stellen. Fett abgießen, den Bratensatz mit Wein lösen. Die Sauce kurz durchkochen, kalte Butter in kleinen Flöckchen einschwenken. Die Sauce noch einmal abschmecken und dann über das Hähnchen gießen.

Zubereiten: 1¼ Stunden
1 Port. (2 Port.): 60 g E, 45 g F,
4 g KH = 3040 kJ (727 kcal)

Das paßt dazu:
Safranerbsen, Mangold auf römische oder Artischocken auf jüdische Art (alles auf Seite 250).

Entenragout in Rosmarinsauce

Anitra in sàlmi al rosmarino

Für 4 Portionen:
1 kleine Ente (1,5 kg)
Salz, Pfeffer (Mühle)
200 g Crème fraîche
½ EL Rosmarinnadeln
150 g Zwiebeln
500 g Champignons
40 g Butter

Ente waschen, trocknen, innen und außen salzen und pfeffern, mit der Brust nach oben auf die Saftpfanne legen. Innereien und Hals um die Ente verteilen, im vorgeheizten Ofen (250 Grad, Gas 5–6, 2. Leiste v. u.) 25 Min. braten, herausnehmen, abkühlen lassen und die Haut abziehen. Fleisch von Brust und Keulen lösen, zugedeckt beiseite stellen.
Alle Knochen zerhacken und auf der Saftpfanne in 25 Min. braun rösten (250 Grad, Gas 5–6, oberste Leiste). Fett auf der Saftpfanne abgießen. Knochen in einen Topf geben. Bratfond aus der Saftpfanne mit 1 l Wasser loskochen, dabei die Röststoffe lösen.
Fond zu den Knochen gießen und im offenen Topf 45 Min. kochen. Dann durch ein Sieb gießen und den Fond auffangen. Fond auf ¼ l einkochen, Crème fraîche zugeben und unter Rühren cremig einkochen. Rosmarinnadeln hacken und zugeben. Sauce mit Salz und Pfeffer würzen. Inzwischen die Zwiebeln pellen und in feine Längsstreifen schneiden. Die Champignons putzen, wenn nötig, waschen. Zwiebeln in Butter andünsten, zugedeckt 10 Min. weich dünsten. Pilze zugeben und kräftig braun braten. Brustfleisch in Scheiben schneiden, mit dem Keulenfleisch zu den Zwiebeln geben und mit Sauce übergießen. Das Ragout kurz erwärmen und abschmecken. Kleine Bratkartoffeln mit auf den Teller geben.

Zubereiten: 2½ Stunden
1 Port.: 60 g E, 75 g F, 5 g KH =
4123 kJ (985 kcal)

Mittelmeerkraut:
Rosmarin
Wie Thymian und Salbei gehört auch der Rosmarin zu den Mittelmeerkräutern, die bei uns auf Geheiß Karls des Großen heimisch gemacht wurden. Mit seinem harzigen, bitterwürzigen Aroma paßt er gut zu jedem kräftigen Fleisch, das gebraten oder geschmort wird, und zu gedünstetem Fisch. Bei Gemüse verträgt er sich mit Tomaten, Zucchini, Auberginen und Waldpilzen. Er harmoniert mit Thymian, Petersilie und Knoblauch und muß immer vorsichtig dosiert werden.

Warum das Huhn nun platt sein muß, ist nie zweifelsfrei geklärt worden. Fest steht, daß das derart gebratene Pollastrello sich in der Toskana und in Rom gleichermaßen großer Beliebtheit erfreut. In Rom hat man es früher übrigens mit einem schweren Eisen plattgebügelt

WILD
SELVAGGINA

Rebhuhn auf sardische Art

Pernice alla sarda

Für 4 Portionen:
2 Rebhühner
(à 400 g, küchenfertig)
1 Zwiebel
2 Stangen Staudensellerie
2 Möhren
Salz

Essigsauce:
4 EL Balsamessig
6 EL Zitronensaft
Salz, Pfeffer (Mühle)
15 EL kaltgepreßtes
Olivenöl
1 Bund glatte Petersilie
4 EL Kapern

Außerdem:
1 Kopf Römersalat

Rebhühner noch einmal nachputzen und gründlich waschen. Zwiebel pellen, Sellerie und Möhren putzen und waschen. Gemüse und Zwiebel grob zerkleinern und in 1½ l Salzwasser zum Kochen bringen. Die Rebhühner hineingeben und zugedeckt bei milder Hitze in 1–1¼ Stunden darin gar ziehen lassen.

Inzwischen die Sauce zubereiten: Essig, Zitronensaft, Salz und Pfeffer miteinander verrühren. Das Öl drunterschlagen. Petersilienblättchen und Kapern fein hacken und in die Sauce rühren.

Die heißen Rebhühner halbieren, in einer Schüssel mit der Sauce begießen und abkühlen lassen. Den Salat putzen, waschen und gut trockenschleudern. Blätter auf einer Platte anrichten, die Rebhühner abgetropft daraufsetzen. Die restliche Sauce aus der Schüssel getrennt dazu reichen.

Zubereiten: 1¼ Stunden
Auskühlen: 30 Minuten
1 Port.: 22 g E, 46 g F, 2 g KH =
2411 kJ (576 kcal)

Koriander-Kaninchen

Coniglio al coriandolo

Für 4 Portionen:
4 Kaninchenkeulen
(1,25 kg)
Salz, Pfeffer (Mühle)
4 EL Öl
1 TL gestoßene
Korianderkörner
8 kleine Zwiebeln
2 Knoblauchzehen
½ Dose geschälte Tomaten
(425 g EW)
Zucker, Cayennepfeffer
2 EL Korianderblätter

Die Kaninchenkeulen waschen, trocknen, mit Salz und Pfeffer einreiben. Das Öl in einem schweren Schmortopf erhitzen, Koriander zugeben. Keulen darin von beiden Seiten goldbraun anbraten. Zwiebeln und Knoblauch pellen. Den Knoblauch in Scheiben schneiden. Zwiebeln und Knoblauch in den Topf geben und kurz anbraten. Dann sofort die abgetropften und zerdrückten Tomaten zugeben. Mit etwas Zucker und 1–2 Prisen Cayennepfeffer würzen. Zugedeckt bei milder Hitze insgesamt 40 Min. schmoren. Dabei die Keulen ab und zu wenden. Falls zuviel Flüssigkeit entsteht, 5 Min. vor Ende der Garzeit den Deckel abnehmen, die Sauce darf nicht dünnflüssig sein. Korianderblätter erst kurz vor dem Servieren unterheben.

Zubereiten: 1½ Stunden
1 Port.: 52 g E, 28 g F, 5 g KH =
2224 kJ (531 kcal)

Das paßt dazu:
Baguette, Landbrot, aber auch Reis oder Polenta und ein frischer, grüner Salat.

Das passende Getränk:
Ein leichter Rotwein, der ruhig etwas gekühlt sein kann.

Koriander war in den Zeiten der Cäsaren-Küche ein beliebtes Gewürz, geriet dann aber – leider – in Vergessenheit, bis ihn die seefahrenden Entdecker aus Mittelamerika wieder mit nach Italien brachten. Er paßt ausgesprochen gut zu weißem Kaninchenfleisch

179

Schwarzer Hase

Lepre nera
Apulien

Für 4 Portionen:
*1 Hase (1,75 kg, küchen-
fertig, mit Leber und Nieren, oder 1 Kaninchen)
200 g Zwiebeln
2 getrocknete Chilischoten
1 EL Rosmarinnadeln
15 schwarze Pfefferkörner
5 Lorbeerblätter
¼ l trockener Rotwein
⅛ l Rotweinessig
100 g Schweineschmalz
Salz
1 unbehandelte Orange
50 g durchwachsener
Speck
5 EL Olivenöl
50 g Pinienkerne
2 Knoblauchzehen
50 g Sultaninen
30 g edelbittere
Schokolade
20 g Butter
Pfeffer (Mühle)*

Hasen vom Händler in
Vorder- und Hinterläufe
und 4 Rückenteile zerle-
gen lassen, waschen und
trocknen. Innereien abge-
deckt kühl stellen.

Zwiebeln pellen und in
Scheiben schneiden. Chi-
lischoten zerdrücken. Beides mit Rosmarin, Pfef-
ferkörnern und Lorbeer
auf das Fleisch streuen.
Fleisch in einer Schüssel
mit Wein und Essig be-
gießen. Hasen über Nacht
kühl gestellt marinieren.
Einmal wenden.
Teile aus der Marinade
nehmen und abtrocknen.
Schmalz im Bräter stark
erhitzen. Fleisch darin
rundherum anbraten, sal-
zen und die Marinade
zugießen. Hasen im vor-
geheizten Backofen (225
Grad, Gas 4, unterste Leiste) 45 Minuten schmo-
ren.
Inzwischen die Orange
abreiben und auspressen.
Speck fein würfeln. Öl
in der Pfanne erhitzen.
Speck und Pinienkerne
darin bräunen. Gepellten
Knoblauch dazupressen.
Orangenschale und -saft

und die Sultaninen zuge-
ben, kurz durchkochen,
vom Herd nehmen.
Schokolade fein würfeln,
in die Sauce rühren, kurz
durchkochen.
Fleisch ohne Deckel wei-
tere 10 Min. garen. Ha-
senteile mit wenigen
Zwiebeln und Lorbeer-
blättern auf einer vorge-
wärmten Platte anrichten,
zudecken, warm stellen.
Schmorfond durch ein
Sieb in die Schokoladen-
sauce gießen, durchko-
chen. Etwas Sauce über
das Fleisch gießen, den
Rest getrennt reichen.
Leber und Nieren im letz-
ten Moment in Butter
kurz braten, salzen, pfeffern und mit dem Fleisch
zusammen servieren.

*Zubereiten: 1½ Stunden
Marinieren: über Nacht
1 Port.: 45 g E, 48 g F, 15 g KH
= 2946 kJ (704 kcal)*

Die passende Geschichte:
Apulien war lange von
Sarazenen besetzt, die
ganz wild waren auf Süß-
saures, das erst mit Honig
und später mit Schokola-
de gewürzt wurde.

Gefülltes Kaninchen

Coniglio farcito
Marken

Für 4 Portionen:
*1 Kaninchen (küchen-
fertig, 1,5 kg mit Herz
und Leber)
Salz, Pfeffer (Mühle)
200 g magerer Speck
1 Bund glatte Petersilie
2 Knoblauchzehen
2 Eier
50 g frisch geriebener
Parmesankäse
130 g Weißbrotkrume
5 El Olivenöl und etwas
Öl für den Bräter
Muskatnuß
abgeriebene Schale von
1 unbehandelten Zitrone
200 g fetter Speck in
dünnen Scheiben
150 ccm trockener
Weißwein, Zucker*

Das Kaninchen waschen,
trocknen, innen und au-
ßen salzen und pfeffern.
Speck, Herz und Leber
sehr fein würfeln oder
hacken. Petersilie und gepellten Knoblauch fein
hacken. Alles in einer
Schüssel mit Eiern, Käse,
Brotkrume und Olivenöl
verkneten, mit Muskat,
Zitronenschale, Salz und
Pfeffer würzen. Füllung
in das Kaninchen stop-
fen. Öffnungen mit Kü-
chengarn zunähen.
Einen Bräter leicht mit Öl
auspinseln. Das Kanin-
chen mit Speckscheiben
umwickeln, in den Bräter
setzen und den Deckel
auflegen. Im vorgeheizten
Ofen (200 Grad, Gas 3,
2. Leiste v. u.) 45 Min.
zugedeckt garen. Deckel
abnehmen, weitere 20 Min.
offen backen. Kaninchen
rausnehmen, tranchieren
und dabei die Fäden ent-
fernen. Den Bratfond mit
Wein ablöschen und et-
was einkochen lassen.
Sauce mit Salz, Pfeffer
und 1 Prise Zucker ab-
schmecken, getrennt zum
Kaninchen reichen.

*Zubereiten: 1¾ Stunden
1 Port.: 72 g E, 94 g F, 18 g KH
= 5449 kJ (1302 kcal)*

In den
Marken wird zum
gefüllten Kaninchen eine
„mestecanza" gegessen, ein Salat,
der aus Feldsalat, Endivien,
Zichorie, Kresse und Pimpernelle
zusammengesetzt sein kann und mit bestem
Olivenöl und Zitronensaft angemacht wird

Perlhuhn aus der Tüte

Faraona al cartoccio
Toskana, Umbrien

Für 4 Portionen:
1 Perlhuhn (1,3 kg, küchenfertig, mit Innereien)
Salz, Pfeffer (Mühle)
100 g Hähnchenleber
2 Knoblauchzehen
1 kleiner Rosmarinzweig
3 Salbeiblätter
2 Wacholderbeeren
2 EL Öl und
Öl fürs Papier
1 cl Grappa
2 Scheiben fetter Speck
(zusammen etwa 30 g)
je 1 großer Bogen
Pergament- und braunes
Packpapier

Das Perlhuhn noch einmal nachputzen, Federkiele mit der Pinzette herausziehen. Huhn gründlich waschen und trocknen, innen und außen salzen und pfeffern. Innereien und Leber putzen und sehr fein schneiden oder hacken.
Den gepellten Knoblauch, Rosmarinnadeln, Salbei und Wacholder auch fein hacken. Fleisch und Gewürze im Öl etwa 2 Min. andünsten und mit Grappa ablöschen und in das

Perlhuhn füllen. Öffnungen mit Holzspießchen verschließen. Perlhuhnbrust mit Speckscheiben belegen.
Pergamentbogen mit Öl einpinseln. Perlhuhn darin einwickeln. Packpapier anfeuchten, um das Pergamentpapier wickeln.
Das Päckchen mit der Brust nach unten auf den Rost vom vorgeheizten Ofen (200 Grad, Gas 3, 2. Leiste v. u.) setzen. Perlhuhn 1¾–2 Std. backen. Päckchen erst unmittelbar bei Tisch öffnen.

Zubereiten: 2½ Stunden
1 Port.: 55 g E, 26 g F, 0 g KH = 2091 kJ (500 kcal)

Wichtig: In Italien wird gerne „al cartoccio", d. h. im Pergamentpapier, gegart, weil das eine sanfte Methode ist, die zugleich Bräunung erlaubt, weil Feuchtigkeit entweichen kann. Was beim Braten in Alufolie ja nicht der Fall ist. Wenn Sie kein Pergamentpapier bekommen, tut es auch ein Bogen Backtrennpapier.

Geschmortes Kaninchen

Coniglio in umido
Piemont

Für 6 Portionen:
300 g Möhren
300 g Sellerie
850 g kleine Kartoffeln
250 g Zwiebeln
3–5 Knoblauchzehen
500 g Flaschentomaten
1 unbehandelte Zitrone
1 Bund Thymian
1 kleiner Rosmarinzweig
1–2 Bund Basilikum
6 Kaninchenkeulen
(à 320 g, vom Händler in
jeweils 3 Teile geteilt)
Salz, schwarzer Pfeffer
etwas Mehl
2 EL Butter
5 EL Olivenöl
30 g Tomatenmark
Cayennepfeffer
Zucker
¼ l Kalbsbrühe
⅛ l Weißwein

Gemüse waschen und putzen. Möhren und Sellerie in grobe Stücke, Kartoffeln in Viertel schneiden. Zwiebeln und Knoblauch pellen und vierteln. Tomaten ohne Stielansatz vierteln. Zitrone dünn abschälen. Thymian, Rosmarin und Basilikum von

den Stielen zupfen (etwas von allem beiseite legen). Kaninchenteile waschen, trocknen, salzen und pfeffern, dann in Mehl wenden.
Butter und 3 EL Öl in einer großen Pfanne erhitzen. Fleisch darin nacheinander goldbraun anbraten und herausnehmen.
Restliches Öl ins Bratfett geben. Möhren, Sellerie, Kartoffeln, Zwiebeln, Knoblauch, Thymian und Rosmarin darin andünsten. Zum Schluß Tomaten, Tomatenmark und Basilikum zugeben, mit Cayennepfeffer, Salz und 1 Prise Zucker würzen.
Gemüse und Fleisch in einen großen Bräter umschichten, Brühe und Wein zugießen, zudecken und im vorgeheizten Ofen (225 Grad, Gas 4, 2. Leiste v. u.) 60 Min. schmoren. Danach den Deckel abnehmen und weitere 15 Min. garen. Vor dem Servieren mit den restlichen Kräutern bestreuen.

Zubereiten: 2¼ Stunden
1 Port.: 53 g E, 32 g F, 28 g KH = 2738 kJ (654 kcal)

Das paßt dazu:
Vorher Cannelloni (S. 56), dazu einfaches Landbrot, damit man die Sauce aufstippen kann.

Das passende Getränk:
Ein kräftiger rubinroter Rotwein aus Alba (ein Dolcetto d'Alba), der weich und trocken ist und einen Mandelton hat.

„Der Knoblauch ist des Bauern Apotheker." Sagt man im Piemont, wo ein Grundelement der Küche (neben Käse und Milch, Reis und Trüffeln) die Butter ist, die in wahrhaft gigantischen Mengen verbraucht wird. Viel Fett macht hohen Blutdruck, der aber durch eine tägliche hohe Dosis Knoblauch wirksam gesenkt wird – was die Piemonteser, wie gesagt, seit langem wissen

183

Wildschwein-kotelett auf sardische Art

Bistecchine di cinghiale alla sarda

Für 4 Portionen:
60 g Backpflaumen
(ohne Stein)
60 g Rosinen
4 Wildschweinkoteletts
(à 300 g, aus dem Rücken)
Salz, Pfeffer (Mühle)
50 g magerer Speck
3 EL Öl
30–40 g bittere
Schokolade
25 g Zucker
4 Lorbeerblätter
50 ccm Rotweinessig
50 ccm Rotwein
Zimtpulver

Backpflaumen und Rosinen in warmem Wasser einweichen. Fleisch abspülen, trocknen, von beiden Seiten salzen und pfeffern. Speck fein würfeln, im Öl auslassen. Koteletts im Fett von jeder Seite 7–10 Min. braten. Inzwischen die Schokolade reiben, mit Zucker, Lorbeer, Essig und Rotwein unter Rühren erhitzen. Abgetropfte Pflaumen und Rosinen zugeben, mit 1 Prise Zimt würzen und 3 Min. leise kochen lassen. Sauce zum Schluß mit Salz und Pfeffer abschmecken. Koteletts mit der Sauce auf einer vorgewärmten Platte anrichten.

Zubereiten: 35 Minuten
1 Port.: 48 g E, 49 g F, 29 g KH
= 3350 kJ (800 kcal)

Das paßt dazu:
Polenta, Reis oder sardisches Fladenbrot, das so dünn ist wie Notenpapier und deshalb im Volksmund „Carta di musica" heißt.

Wachteln im Hemd

Quaglie in camicia
Rom, Latium

Für 20 Stück:
20 küchenfertige Wachteln
Salz
schwarzer Pfeffer (Mühle)
20 Salbeiblätter
20 Lorbeerblätter
20 Scheiben durch-
wachsener Speck
(dünn geschnitten)
Öl zum Braten

Federreste mit der Pinzette aus den Wachteln herauszupfen. Wachteln unter fließendem Wasser ausspülen. Innen und außen mit Küchenkrepp trocknen. Wachteln von innen salzen und pfeffern. Je ein Salbei- und ein Lorbeerblatt auf die Brustseite der Wachteln legen und mit je einer Speckscheibe fest umwikkeln. Speckenden und die Wachtelbeine mit je einem Zahnstocher zusammenstecken.

Backofen vorheizen (250 Grad, Gas 5–6). Saftpfanne mit Wasser ausspülen. Wachteln mit der Brust nach oben hineinsetzen und auf der mittleren Leiste 15 Min. in Öl braten. Anschließend bei eingeschaltetem Grill 2–3 Min. nachbräunen, eventuell auf Grillspieße stecken und servieren.

Zubereiten: 1 Stunde
1 Stück: 35 g E, 15 g F, 1 g KH
= 1232 kJ (294 kcal)

Die passende Geschichte zum sardischen Wildschwein:
Die Sarden sind, auch wenn man sich das als Mitteleuropäer kaum vorstellen kann, noch leidenschaftlichere Jäger als die Italiener. Die sardischen Wälder sind leer geschossen. Nur die Wildschweine haben's überlebt. Vielleicht weil sie, schwarz wie die Nacht, weitaus kleiner und sehr viel bösartiger sind als ihre Artgenossen vom Festland.
Früher wurden sie auf heißer Asche „a carrixiu", d. h. im Grab (in der Grube) zubereitet, mit Myrtenzweigen, Rosmarin und Thymian belegt und mit einer dünnen Erdschicht bedeckt. Darüber wurde dann ein großes Feuer angezündet (die Sarden sind ebenso große Zündler wie Jäger), unter dessen Hitze das Wildschwein dann briet.
„A carrixiu" war auch die passende Garmethode für die überaus beliebte Zubereitung, bei der Tiere mit Tieren gefüllt wurden, z. B.: ein junger Stier mit einer Ziege, in der ein Spanferkel steckte, das mit einem Hasen angereichert wurde, in dem ein Rebhuhn ruhte. Dafür mußte das Fest dann schon sehr bedeutend und die Grube riesig sein.

Wildschwein mit Fruchtsauce: Archaisch und unverfälscht ist die sardische Küche über viele Jahrhunderte geblieben. Der orientalische Einfluß von Phöniziern und Mauren ist nicht zu übersehen

185

Marinierter Fasan

Fagiano in salmì

Für 4 Portionen:
2 Fasane
(à 850 g, küchenfertig)
3 Stangen Staudensellerie
2 Möhren
10 schwarze Pfefferkörner
4 Wacholderbeeren
2 Lorbeerblätter
¼ l Weißwein
Salz
2 EL Mehl
6 EL Öl
100 ccm Wildfond (ersatz-
weise Instant-Brühe)
Pfeffer (Mühle)

Die Fasane in Stücke schneiden, sorgfältig waschen und trocknen. Sellerie und Möhren putzen, waschen und kleinhakken. Ein Drittel davon abnehmen und zugedeckt beiseite stellen.

Fleisch in einen großen Gefrierbeutel geben. Das restliche Gemüse in den Beutel geben, Pfefferkörner und Wacholderbeeren etwas zerdrücken, mit dem Lorbeer in den Beutel geben und den Wein zugießen. Den Beutel fest verschließen. Die Fasanenstücke im Beutel kühl gestellt mindestens 8 Std. marinieren (am besten über Nacht). Den Beutel dabei mehrmals wenden.

Fasanenstücke aus dem Beutel nehmen und gut abtrocknen, salzen und in Mehl wenden.

Das Öl in einem breiten, schweren Bräter erhitzen. Die Fasanenstücke darin portionsweise kräftig anbraten. Das gesamte Fleisch in den Bräter geben. Die Hälfte der Marinade, das gesamte Gemüse aus der Marinade und den Wildfond zum Fleisch geben.

Den Bräter zudecken und in den vorgeheizten Backofen (250 Grad, Gas 5–6, 2. Leiste v. u.) setzen. Fleisch so 10 Min. schmoren, dann die Hitze herunterschalten (150 Grad, Gas 1), das Fleisch weitere 2 Std. schmoren.

Fleisch und Lorbeer aus dem Bräter nehmen. Sauce mit dem Schneidstab vom Handrührer pürieren, mit Salz und Pfeffer abschmecken. Das beiseite gestellte Gemüse 5 Min. in der Sauce garen. Dann die Fasanenstücke wieder in die Sauce geben und darin erhitzen.

Fasanenstücke auf vorgewärmten Tellern anrichten und vor dem Servieren mit der Sauce übergießen.

Zubereiten: 2¾ Stunden
Marinieren: 8 Stunden (oder über Nacht)
1 Port.: 65 g E, 59 g F, 9 g KH =
3778 kJ (902 kcal)

Das paßt dazu:
Polenta oder einfaches Landbrot. Als Gemüse kurz in Butter geschwenkte Pilze (Steinpilze oder große Champignons), unter die gehackte Petersilie oder kleingezupftes Basilikum gezogen wird.

Das passende Getränk:
Ein sehr guter Rotwein aus dem Piemont, aus der Toskana oder aus Umbrien.

Was heißt: in salmì?
Das hat nichts mit Salmiak oder Salmiakpastillen zu tun (wie bei uns), sondern heißt nur, daß das betreffende Gericht als Ragout oder als „Pfeffer" (Hase, Schwein, Ente usw.) zubereitet ist. Fleisch „in salmì" kann, muß aber nicht mariniert sein.

Es gibt Gegenden in Italien, wo die Fasane, dumm wie sie sind, herumlaufen, als gäbe es keine italienischen Jäger. In Umbrien ist das so und auch in der Toskana. Und daher stammen dann auch die schönsten Rezepte

Kaninchen in Öl und Rotwein

Coniglio alla ligure

Für 4–6 Portionen:
1 Hauskaninchen
(2 kg, küchenfertig)
Salz, Pfeffer (Mühle)
6 EL Olivenöl
4–6 EL mittelscharfer
Senf
3 Schalotten
3 Knoblauchzehen
1 Fl. kräftiger Rotwein
8–10 Salbeiblätter

Kaninchen in 6–8 Teile zerlegen, salzen und pfeffern. Bauchlappen mit Zahnstochern zusammenstecken.
Öl erhitzen. Fleisch darin rundherum scharf anbraten, herausnehmen und mit Senf bestreichen.
Schalotten und Knoblauch pellen und würfeln, im Bratfett anbraten, Kaninchenteile wieder zugeben. ¼ l Rotwein zugießen. Fleisch zugedeckt etwa 30 Min. schmoren. Wenn der Wein verkocht ist, restlichen Wein zugießen. Wieder 30 Min. schmoren. Dann die grobgehackten Salbeiblättchen unterziehen, die Sauce etwas einkochen lassen und danach noch einmal abschmecken.

Zubereiten: 1¼ Stunden
1 Port. (6 Port.): 55 g E, 30 g F,
4 g KH = 2727 kJ (652 kcal)

Das paßt dazu:
Landbrot oder knuspriges Baguette und ein frischer Salat.

Das passende Getränk:
Ein roter Landwein, wie er nördlich von Ventimiglia produziert wird, zum Beispiel ein Rossese di Dolceaqua.

Ein deftiger ligurischer Topf,
wie er so auch aus der benachbarten
Provence stammen könnte: in bestem Olivenöl
angebratenes und dann in kräftigem Rotwein geschmortes Kaninchen,
das herzhaft mit Salbei gewürzt ist

Wildschwein auf toskanische Art

Cinghiale in dolce e forte

Für 4 Portionen:
1 kg Wildschweinkeule
(ohne Knochen)
1 Zwiebel
1 Knoblauchzehe
1 Möhre
2 Stangen Staudensellerie
1 Bund glatte Petersilie
1 kleiner Rosmarinzweig
3 EL Öl, 1 EL Mehl
Salz, Pfeffer (Mühle)
2 Lorbeerblätter
Muskatnuß
(frisch gerieben)
100 ccm Rotwein
⅛ l Fleischbrühe
1 TL Kakaopulver
1 TL Zucker
1 EL Zitronat (gewürfelt)
1 EL Rosinen (in
1 cl Grappa eingeweicht)
2 EL Pinienkerne
3 EL Balsamessig

Fleisch nicht zu klein würfeln. Die Zwiebel und den Knoblauch pellen und würfeln. Möhre und Sellerie putzen und würfeln. Petersilie und Rosmarin hacken.
Öl in einem Bräter erhitzen, Fleisch hineingeben, mit Mehl bestäuben, kräftig anbraten. Vorbereitete Gemüse und Kräuter zugeben und kurz andünsten, salzen, pfeffern, Lorbeer und 1 Prise Muskat zugeben. Wein angießen. Zugedeckt bei kleinster Hitze 30 Min. schmoren. Heiße Brühe zugießen, weitere 30 Min. schmoren. Fleisch herausnehmen und warm stellen. Schmorsud mit dem Schneidstab pürieren, Fleisch wieder hineingeben.
In einem kleinen Topf Kakao, Zucker, Zitronat, Rosinen und Pinienkerne rösten und mit Essig ablöschen und unter das Fleisch rühren.
Vor dem Servieren noch einmal gut erhitzen.

Zubereiten: 1½ Stunden
1 Port.: 54 g E, 18 g F, 9 g KH =
1909 kJ (455 kcal)

Das paßt dazu:
Weißes Landbrot oder Polenta und ein frischer Salat.

Tauben auf Lebersauce

Piccioni alla leccarda
Foligno, Umbrien

Für 4 Portionen:
4 Tauben (à 400 g, küchen-
fertig, mit Innereien)
Salz, Pfeffer (Mühle)
1 EL Rosmarinnadeln
16 Salbeiblätter
4 Knoblauchzehen
(gepellt)
4 Scheiben Parmaschinken

Lebersauce:
200 g Hühnerleber
(und die Taubeninnereien)
50 g durchwachsener
Speck
50 g Parmaschinken
1 kleine Zitrone
1 TL Wacholderbeeren
1 Lorbeerblatt
1 EL Kapern
4 Sardellenfilets
1 TL schwarze Pfeffer-
körner
⅛ l Rotwein
4 EL Olivenöl
30 g Butter

Tauben waschen, trocknen, innen und außen salzen und pfeffern. Rosmarin, 8 Salbeiblätter und Knoblauch fein hacken. Tauben damit innen einreiben. Je 2 Salbeiblättchen auf jede Taube legen, mit je einer Schinkenscheibe umwickeln und mit Küchengarn festbinden. Tauben im vorgeheizten Backofen (175 Grad, Gas 2, 2. Leiste v. u.) auf den Bratrost legen. Fettpfanne direkt darunter einschieben und ½ Tasse heißes Wasser einfüllen. Tauben 30 Min. braten, häufig wenden.
Für die Sauce Leber und Innereien putzen und grob würfeln. Speck und Schinken auch. Zitrone schälen, Fruchtfleisch würfeln. Wacholderbeeren hacken.
Vorbereitete Saucenzutaten mit Lorbeer, Kapern, Sardellen und Pfefferkörnern in die Fettpfanne geben. Wein und Öl angießen. Tauben und Sauce weitere 30 Min. garen.
Tauben längs halbieren, warm stellen.
Inhalt der Fettpfanne ohne Lorbeer sehr fein hakken und im Topf mit Butter verrühren. Sauce noch einmal erhitzen. Beim Servieren die Taubenhälften auf die Sauce setzen.

Zubereiten: 1¾ Stunden
1 Port.: 78 g E, 52 g F, 1 g KH =
3587 kJ (858 kcal)

Umbrische Polenta
(Polenta alla umbra)
Für 6 Portionen 1½ l Wasser mit 2 TL Salz aufkochen. Unter ständigem Rühren 300 g groben Maisgrieß einrieseln lassen. Bei mittlerer Hitze unter Rühren in 45–50 Min. ausquellen lassen. Nach 15 Min. 5 EL Olivenöl und 100 g geriebenen Parmesan unterrühren und pfeffern.
Polenta in einer geölten Kastenform kalt werden lassen, stürzen und in Scheiben schneiden. Eventuell noch mit etwas Olivenöl beträufeln.

Italienische
Feinschmecker
pilgern nach Umbrien –
auch wegen der
Tauben, die klassisch mit
einer Lebersauce serviert werden

Wachteln auf Winzerart

Quaglie al vignaiolo
Friaul, Veneto

Für 4 Portionen:
8 Wachteln (küchenfertig)
Salz, Pfeffer (Mühle)
1 TL zerriebene Majoran-
blättchen
500 g Weintrauben
2 EL Butterschmalz
100 ccm Traubensaft

Wachteln waschen, trocknen, mit Salz, Pfeffer und Majoran innen und außen einreiben. Weintrauben entkernen.
Butterschmalz im Bräter erhitzen. Wachteln 5 Min. kräftig anbraten. Traubensaft und Trauben zugeben. Deckel auflegen. Wachteln im vorgeheizten Backofen (200 Grad, Gas 3, 2. Leiste v. u.) 10 Min. zugedeckt und 10 Min. offen garen, aus dem Bräter nehmen und in einer stark erhitzten Schüssel warm stellen. Sauce etwas einkochen, dann die Wachteln damit begießen und sofort servieren.

Zubereiten: 1 Stunde
1 Port.: 38 g E, 20 g F, 24 g KH
= 1877 kJ (449 kcal)

Die Wachtel im Wingert
Früher, als die Wachteln noch nicht (quasi industriell) gezüchtet wurden, sondern eher faul und deshalb fett im Unterholz und auf mannshohen Wiesen ihre Körnchen suchten, waren sie im Veneto vor Tau und Tag auch in den Grasnarben unter dem schützenden Weinlaub nach heruntergefallenen süßen Trauben unterwegs. Da hatte dann der Winzer keine große Mühe, sich die eine oder andere einzufangen und ein kleines schnelles Mahl daraus zu braten – am Rebstockspieß und mit einer Füllung aus saftigen Trauben.

Wachteln auf Winzerart werden
reich bestückt mit süßen Weintrauben
und dann im Saft von weißen Trauben sanft
geschmort. Zusätzliche Würze bringt
ein wenig Majoran, mit dem die Wachteln

Fasan mit Steinpilzen

Fagiano con funghi porcini

Für 2 Portionen:
30 g getrocknete Steinpilze
1 Fasan
(900 g, küchenfertig)
Salz, Pfeffer (Mühle)
1 Zwiebel
2 Stangen Staudensellerie
6 Salbeiblätter
etwas frischer Thymian
30 g Butterschmalz
2 cl Weinbrand
100 ccm Wildfond
(oder Instant-Brühe)
60 g Butter

Die Pilze in 125 ccm heißem Wasser einweichen. Den Fasan in 8 Stücke teilen, sorgfältig waschen, trocknen, salzen und pfeffern. Die Zwiebel pellen. Sellerie putzen, Kräuter waschen und trockenschütteln. Alles hacken. Butterschmalz in einem schweren Bräter erhitzen, Fasanenstücke darin rundherum braun braten. Mit Weinbrand ablöschen. Zwei Drittel des kleingehackten Gemüses und der

Kräuter zum Fleisch geben. Den Wildfond zugießen. Den Topf zudecken. Fleisch bei milder Hitze 30 Min. schmoren. Die Fleischteile auf die andere Seite drehen. Pilze und Einweichflüssigkeit (durchs Teesieb) zugeben. Bräter wieder zudecken. Fleisch bei milder Hitze weitere 30 Min. schmoren.
Fleisch aus dem Bräter nehmen und warm stellen. Den Schmorfond bei starker Hitze schnell etwas einkochen lassen, 50 g Butter in Flöckchen unterrühren. Die Sauce zum Schluß mit Salz und Pfeffer abschmecken. Die Fasanenstücke hineingeben und wieder erhitzen. Inzwischen das zurückbehaltene Gemüse in der restlichen Butter kurz andünsten, salzen und pfeffern, beim Anrichten auf das Fleisch streuen.

Zubereiten: 1½ Stunden
1 Port.: 71 g E, 90 g F, 9 g KH =
5081 kJ (1213 kcal)

Paprika-Kaninchen

Coniglio in peperonata
Basilikata

Für 2 Portionen:
1 Kaninchen
(2 kg, küchenfertig)
¼ l Weinessig
750 g rote und grüne
Paprikaschoten
1–2 frische Chilischoten
2 Knoblauchzehen
4 Sardellenfilets
60 g Butter
4 EL Olivenöl
4 EL Rotweinessig
50 g Kalbsnierenfett
2 TL getrocknete
Rosmarinnadeln
2 Lorbeerblätter
Salz
¼ l Fleischbrühe

Kaninchen häuten, Hinter- und Vorderläufe abtrennen. Hinterläufe in den Gelenken durchtrennen. Rücken quer in 4 Stücke teilen. Alle Teile in einer Schüssel mit ¼ l Wasser und dem Weinessig übergießen, zugedeckt über Nacht stehenlassen. Am nächsten Tag Paprika- und Chilischoten putzen, waschen, in feine

Streifen schneiden. Knoblauch pellen. Sardellenfilets sehr fein hacken.
30 g Butter und Öl erhitzen. Sardellen und pürierten Knoblauch darin kurz anschwitzen. Gemüsestreifen zugeben und zugedeckt bei mittlerer Hitze 20–25 Min. schmoren. Dabei nach und nach den Rotweinessig zugießen. Kaninchenteile aus der Beize nehmen und trocknen. Die restliche Butter und das Nierenfett im Schmortopf erhitzen. Kaninchenteile darin rundherum leicht anbraten. Zerdrückte Rosmarinnadeln und Lorbeer zugeben. Fleisch salzen und zugedeckt bei mittlerer Hitze 20–30 Min. schmoren. Nach und nach die Fleischbrühe angießen. Dann die Gemüsestreifen zugeben und weitere 15–20 Min. schmoren. Zum Servieren alles auf einer stark vorgewärmten Platte anrichten.

Zubereiten: 1¾ Stunden
Beizen: über Nacht
1 Port.: 87 g E, 68 g F, 9 g KH =
4630 kJ (1106 kcal)

Das passende Getränk:
Ein trockener, frischer Aglianico del Vulture, ein Wein also aus der Basilikata, wie er auf den vulkanischen Hügeln nördlich von Potenza wächst.

Die Basilikata ...
... ist eine der wenigen italienischen Provinzen, die nur einen schmalen Küstenstreifen besitzt, und darum ist wohl auch die heimische Küche eher den Genüssen zugewandt, die das Festland bietet, also dem Obst und dem Gemüse, unter dem Paprika- und Chilischoten in allen Farben und Formen dominieren.

So wie hier saftiges Kaninchenfleisch in buntem Paprikagemüse ruht, wird es im Mezzogiorno, dem italienischen Süden, serviert

195

Tauben „Cavour"

Piccioni alla Cavour

Für 4 Portionen:
4 Tauben
(à 350 g, küchenfertig)
Salz, Pfeffer (Mühle)
50 g fetter Speck
20 g Butter, 4 cl Marsala
50 ccm Geflügelfond
50 ccm Schlagsahne
1 weiße Trüffel

Tauben waschen, trocknen, salzen und pfeffern. Flügel zusammenbinden. Speck fein würfeln, auslassen. Würfel aus der Pfanne nehmen. Butter im Fett erhitzen. Tauben darin braun braten. Fett abgießen, Marsala zugeben und fast verkochen lassen. Geflügelfond zugießen. Tauben zugedeckt 50 Min. schmoren, herausnehmen und warm stellen. Schmorfond einkochen. Sahne zugießen, auch etwas einkochen. Sauce abschmecken. Tauben halbieren, mit Sauce anrichten. Bei Tisch die Trüffel darüberhobeln.

Zubereiten: 1¼ Stunden
1 Port.: 54 g E, 34 g F, 2 g KH = 2418 kJ (578 kcal)

Rehrücken mit Feigen

Sella di capriolo con fichi

Für 4 Portionen:
500 g Rehrückenfilet
Salz, Pfeffer (Mühle)
2 EL Öl
500 g frische Feigen
30 g Butter, 2 TL Zucker
2 EL Cognac
Pimentpulver
Cayennepfeffer
2 TL abgeriebene
Limettenschale
2 TL Limettensaft

Das Rehrückenfilet rundherum mit Salz und Pfeffer einreiben.
Öl in einer Pfanne erhitzen. Das Filet darin rundherum in 15 Min. braten, aus der Pfanne nehmen, fest in Alufolie einwickeln und so lange ruhenlassen, bis die Feigen fertig sind.
Die Feigen waschen und vierteln. Das Fett aus der Bratpfanne so weit wie möglich abschütten. Die Butter in die Pfanne geben und darin schmelzen lassen. Die restlichen Zutaten dazugeben und erhitzen. Die Feigenviertel im Sud unter vorsichtigem Wenden erhitzen.

Das Rehfilet aufschneiden und auf einer vorgewärmten Platte anrichten. Den ausgetretenen Fleischsaft aus der Folie vorsichtig in die Sauce rühren. Die Sauce neben das Fleisch gießen und servieren.

Zubereiten: 30 Minuten
1 Port.: 21 g E, 14 g F, 27 g KH = 1558 kJ (379 kcal)

Das paßt dazu:

Wenn Sie das zarte, mit süßen Feigen bereicherte Rehrückenfilet innerhalb eines Menüs servieren wollen, könnten Sie als Vorspeise Steinpilze in Basilikum-Öl oder Tomaten mit Mozzarella (beide Rezepte auf S. 18) anbieten. Als Pasta wären die sanften Butternudeln all'Alfredo (S. 34) geeignet und zum Nachtisch könnte es einen Eiskaffee mit Walnußeis (S. 294) geben, wenn Sie nicht ein Menü reichen wollen, bei dem in jedem Gang frische Feigen eine Rolle spielen, so wie auf dem großen Foto.

Feigen mit Schafskäse und Parmaschinken

(Fichi, pecorino e prosciutto)
Für 4 Portionen 6 blaue Feigen waschen, 4 in Scheiben schneiden, mit 3 TL Limettensaft beträufeln und kalt stellen. Restliche Feigen pürieren, 3 TL Limettensaft, 2 EL Portwein, 2 EL Weißwein, 1–2 TL Zucker, 1 Stück geriebenen Ingwer und 1 Stück Limettenschale untermischen. Püree abschmecken und auf vier Teller geben. Jeweils eine geschnittene Feige daraufsetzen. 100 g milden, gewürfelten Schafskäse und 75 g Parmaschinken mit anrichten. Zum Schluß mit der Pfeffermühle darübermahlen.

Portweinfeigen mit Walnußeis

(Fichi al porto e gelato di noce)
Für 4–8 Portionen 8 Feigen vorsichtig häuten. 60 g Zucker karamelisieren, mit 8 EL Orangensaft ablöschen. ½ l roten Portwein zugießen und aufkochen, damit der Karamel sich auflöst. Feigen in den Sud geben und zugedeckt bei milder Hitze 10 Min. ziehen lassen. Feigen vorsichtig herausnehmen. Sud zu Sirup einkochen.
Feigen auf Desserttellern anrichten, Kugeln von 500 g Walnußeis danebensetzen. Portweinsirup darübergießen. Zum Schluß 4 TL Crème fraîche auf dem Eis verteilen.

Ein dreigängiges Menü, in dem süße Feigen und ein zartes Filet vom Rehrücken die Hauptrollen spielen. Als Vorspeise frische Feigen, milder junger Schafskäse und Parmaschinken. Dann der Rehrücken mit Feigensauce und zum Schluß Portweinfeigen mit Walnußeis

197

FISCH UND KRUSTEN-TIERE

PESCE E CROSTACEI

Gegrillte Meeresfrüchte

Frutti di mare alla griglia

Für 8 Portionen:

Scharfe Kräutersauce:
*2 Knoblauchzehen
(püriert)
1–2 Bund Petersilie
(gehackt)
1 kleine getrocknete
Chilischote (gehackt)
4 EL Zitronensaft
Salz, Pfeffer (Mühle)
⅛ l sehr gutes, kalt-
gepreßtes Olivenöl*

Meeresfrüchte:
*250 g Miesmuscheln
4 Scampi (Kaisergranat)
8 Gamberetti (Shrimps,
Sägegarnelen)
400 g Lachsfilet
600 g Thunfischfilet
4 Seezungenfilets
600 g Steinbuttfilet*

Außerdem:
*frische Salatblätter
4–6 Zitronen in halbierten
Achteln*

Muscheln in Weißwein

Cozze alla marinara

*Für 4 Portionen:
1 Bund Suppengrün
2 Zwiebeln
1 kleine Fenchelknolle
mit Grün
1 Lorbeerblatt
schwarze Pfefferkörner
¼ l trockener Weißwein
3 kg Miesmuscheln*

Suppengrün putzen, waschen und grob würfeln. Zwiebeln pellen und grob würfeln. Fenchel putzen, waschen und in Streifen schneiden. Fenchelgrün abzupfen.
Alle vorbereiteten Zutaten, Lorbeer und Pfefferkörner mit dem Wein 5–10 Min. kochen.
Geputzte Muscheln (S. 216) hineingeben. Deckel auflegen. Muscheln 5 bis 10 Min. kochen, Topf dabei ein paarmal kräftig rütteln.

Muscheln mit dem Sud in eine vorgewärmte Schüssel umschütten und mit Landbrot und Zitronenvierteln servieren.

*Zubereiten: 1 Stunde
1 Port.: 16 g E, 2 g F, 10 g KH =
670 kJ (160 kcal)*

Der passende Tip:
Die Platte mit den gegrillten Meeresfrüchten kann noch mit Tintenfisch angereichert werden, wenn der frisch beim Fischhändler zu haben ist. Die Arme werden gesäubert und dann in 45 Min. in Essig- oder Zitronenwasser gegart, bevor man sie unter den Grill gibt (auch für 5 Minuten).

*Thunfischfang:
Spannendes Abenteuer
Das traurigste am
Thunfisch ist, daß sein
Fleisch weltweit
überwiegend zur Konserve
degradiert wird. Das hat
dieser edle Fisch nun
wirklich nicht verdient.
Sein festes Fleisch ist sehr
aromatisch, erinnert im
Geschmack ein wenig an
Rindfleisch und weist so
gut wie keine Gräten auf.
Mit frischem Thunfisch
ködert man Fischgegner!
Der Thunfisch lebt als
räuberischer Einzelgänger
und ist ein ausdauernder
Wanderer. Bis heute ist
die Jagd nach ihm ein
spannendes Abenteuer
geblieben. Bei uns ist
vorwiegend der rote
Thunfisch im Handel, der
vor Hawaii gefangen und
dort von japanischen
Spezialisten zugeschnitten
wird. Sehr gefragt und
immer stärker im Angebot
ist jetzt auch der kleinere
Thunfisch mit dem
schönen weißen Fleisch.*

Für die Sauce alle angegebenen Zutaten mit dem Olivenöl verrühren.
Die Muscheln nachputzen und gründlich waschen, abtropfen lassen. Scampi und Gamberetti waschen und trocknen. Andere Fische in Portionsstücke schneiden, salzen und pfeffern.
Zuerst die Scampi und Gamberetti aufs Backblech legen. Die Muscheln dazusetzen. Im Backofen auf der obersten Leiste unter dem Grill 5 Min. grillen, dabei einmal umdrehen. Scampi und Gamberetti vom Blech nehmen, Fischstükke draufgeben, unter dem Grill 5 Min. grillen, dabei einmal wenden.
Eine große Platte mit Salatblättern auslegen. Alle gegrillten Meeresfrüchte darauf anrichten und die Zitronen dazulegen. Alles mit ein wenig Sauce beträufeln, die restliche Sauce getrennt reichen.

*Zubereiten: 40 Minuten
1 Port.: 52 g E, 33 g F, 1 g KH =
2272 kJ (543 kcal)*

Gegrillte Meeresfrüchte auf italienisch: Frutti di mare alla griglia. All die wunderbaren Dinge, die Italiens Meere noch immer in Hülle und Fülle bieten, sind hier auf einer Platte angerichtet

Thunfisch mit Lorbeer

Tonno all'alloro
Chioggia/Venetien

Für 4 Portionen:
2 EL Zitronensaft
Salz, Pfeffer (Mühle)
4 EL Olivenöl
4 frische Thunfisch-
koteletts
(4 cm dick, 220–250 g
pro Scheibe)
20 Lorbeerblätter
2 EL Öl, 20 g Butter
1–2 Zitronen

Zitronensaft mit Salz und Pfeffer verrühren, das Olivenöl unterrühren. Die Thunfischkoteletts damit von allen Seiten einpinseln. Lorbeerblätter etwas einreißen, damit die ätherischen Öle besser austreten können. Jedes Kotelett dick mit Lorbeerblättern belegen, aufeinanderschichten und fest in Klarsichtfolie einwickeln.

Thunfisch 2–4 Std. marinieren.
Öl und Butter in einer genügend großen Pfanne erhitzen. Koteletts darin ohne Blätter von jeder Seite 5–6 Min. braten, anschließend salzen.
Thunfisch auf einer vorgewärmten Platte anrichten und mit Zitronenscheiben und Lorbeerblättern garnieren.
Den Bratensatz in der Pfanne mit der Marinade aus der Folie lösen und über den Fisch träufeln.

Zubereiten: 30 Minuten
Marinieren: 2–4 Stunden
1 Port.: 43 g E, 50 g F, 0 g KH =
2775 kJ (663 kcal)

Die passende Variation:
Wenn Sie keinen frischen Thunfisch bekommen und auch frischer Schwertfisch nicht zu haben ist, können Sie jedes andere Fischkotelett auf diese Weise zubereiten.

Bandnudeln mit Lachs und Kaviar

Fettuccine
al salmone e caviale

Für 4 Portionen:
100 g Schalotten
1 TL Korianderkörner
100 g Porree
4 Petersilienstiele
1 Bund Dill, Salz
½ geschälte Zitrone in
dünnen Scheiben
400 g frischer Lachs
(in 2 Scheiben)
1 EL Öl
300 g grüne Bandnudeln
150 g gekühlte Butter
¼ l Schlagsahne
100 g Forellenkaviar
2 cl trockener Wermut

Schalotten pellen, sehr fein würfeln. Koriander grob zerstoßen. Porree putzen, waschen, mit Petersilie grob zerkleinern. ½ l Wasser mit den vorbereiteten Zutaten, Dill, Salz und Zitronenscheiben 5–6 Min. kochen.

Lachs hineingeben und 8 Min. sieden lassen.
2 l gesalzenes Wasser mit Öl aufkochen. Nudeln darin nach Anweisung knapp gar kochen. Lachs mit der Schaumkelle aus dem Sud heben, abgetropft fest in Alufolie wickeln. Den Sud durch ein Sieb gießen. Schalotten in 30 g Butter andünsten. Sud und Sahne zugießen, 5–6 Min. einkochen lassen. Lachs ohne Haut und Gräten grob zerpflücken. Kaviar abspülen, im Sieb abtropfen lassen.
Restliche kalte Butter in kleinen Flöckchen unter die Sauce rühren und mit Wermut abschmecken. Abgetropfte Nudeln anrichten. Lachs, Sauce und Kaviar darauf verteilen und gleich servieren.

Zubereiten: 1 Stunde
1 Port.: 37 g E, 67 g F, 59 g KH
= 4699 kJ (1123 kcal)

Edle Nudel-
zubereitungen sind in
Italien sehr in
Mode gekommen – hier
grüne Bandnudeln mit
Lachs, Kaviar und
einer kleinen Sahnesauce

Gegrillte Riesengarnelen

Gamberoni alla griglia

Für 2 Portionen:
5 rohe Riesengarnelen
(jede etwa 100 g)
Fett für den Bratrost
2 EL Zitronensaft
Salz, Pfeffer (Mühle)
1 gehackte Knoblauchzehe
2 EL gehackte Petersilie
6 EL Olivenöl

Die Riesengarnelen mit einem scharfen, schweren Messer der Länge nach halbieren, die Därme entfernen. Die Hälften kurz waschen und gründlich trocknen. Den Rost einfetten, die Garnelenhälften mit der Schnittfläche nach unten darauf setzen. Rost auf die oberste Leiste vom Backofen unter den eingeschalteten Grill setzen. Die Riesengarnelen von jeder Seite 2 Min. grillen.

Inzwischen Zitronensaft mit Salz, Pfeffer, Knoblauch, Petersilie, Öl verrühren. Die Riesengarnelen auf einer Platte anrichten, mit der Sauce übergießen und dann sofort sehr heiß servieren.

Zubereiten: 25 Minuten
1 Port.: 20 g E, 32 g F, 2 g KH =
1625 kJ (389 kcal)

Wichtig: Sie können die Riesengarnelen ebenso gut in der eingefetteten Pfanne oder über durchgeglühter Holzkohle grillen. Die Garzeit ist etwa die gleiche.

Die passende Variation: Wenn Sie mögen, können Sie sich die kleine Sauce mit etwas frischer und in feine Streifen geschnittener Chilischote schärfen.

*Zart und süß ist das
Fleisch der Gamberoni, wenn
sie gerade eben aus dem
Meer gekommen sind. Gegrillt
gehören sie zu den schönsten Errungen-
schaften der italienischen Küche*

Fischsuppe mit Süßwasserfischen

Il tegamaccio
Lago di Trasimeno,
Umbrien

Für 6 Portionen:
1,5 kg Süßwasserfische
(z. B. Hecht, Schleie,
Flußbarsch, Weißfische,
Aal, aber auf keinen Fall
Karpfen)
50 g Zwiebeln
4 Knoblauchzehen
1 Stange Staudensellerie
½ Bund glatte Petersilie
1 Dose geschälte Tomaten
(480 g EW)
300 g Mangold
(oder Spinat)
4 EL Olivenöl
⅛ l Weißwein
1 Lorbeerblatt
Salz, Pfeffer (Mühle)

Goldbrasse mit Petersilie

Orata al prezzemolo

Für 8 Portionen:
4 kleine Knoblauchzehen
2 Bund glatte Petersilie
5 EL Zitronensaft
Salz
8 EL Olivenöl
6 EL ital. Brandy
(oder Cognac)
2 Goldbrassen (jede
1,25 kg, vom Fischhändler
küchenfertig vorbereitet
und auch geschuppt)
Öl für die Form
Butter zum Einfetten
Scheiben von 1–2 Zitronen

Knoblauch pellen. Petersilie grob hacken (einige Blätter beiseite legen). Beides mit 3 EL Zitronensaft, Salz, 6 EL Öl und Brandy im Mixer pürieren.
Fisch gründlich waschen und trocknen. Die Haut auf jeder Seite 3–4mal tief einschneiden. Fische innen und außen mit der Petersiliensauce einstreichen. Darauf achten, daß die Einschnitte gut mit Petersiliensauce gefüllt sind.

Eine ofenfeste Form mit Öl auspinseln. Ein Stück Alufolie auf einer Seite mit Butter bestreichen. Fische nebeneinander in die Form legen, restliche Sauce dazugießen. Fisch mit Folie abdecken, im vorgeheizten Ofen (200 Grad, Gas 3, 2. Leiste v. u.) 30–35 Min. garen. Nach 15 Min. die Folie abnehmen.
Den Fisch mit Sauce auf einer vorgewärmten Platte anrichten. Zitronenscheiben dazulegen. Den Fisch mit dem restlichen Öl und Zitronensaft beträufeln, mit Petersilie bestreuen und gleich mit gedünsteten Zucchini servieren.

Zubereiten: 1½ Stunden
1 Port.: 29 g E, 22 g F, 1 g KH =
1491 kJ (356 kcal)

Die passende Variation:
Dieses Gericht, das von dem berühmten italienischen Dirigenten Guiseppe Sinopoli stammt, kann gut auch mit italienischen Meeresfischen zubereitet werden, zum Beispiel mit **Seebarsch** (branzino), **Zackenbarsch** (cernia), **Seeteufel** (rospo di mare), **Kabeljau** (merluzzo), **Meeräsche** (muggine), **Petersfisch** (San Pietro), **Meerbarbe** (triglie) oder **Zahnbrasse** (dentice).

Gedünstete Zucchini
(Zucchini in umido)
Und zwar 500 g für 8 Portionen. Sie werden geputzt, gewaschen, der Länge nach halbiert und 2–3 Min. in Salzwasser blanchiert. Dann läßt man 50 g Butter in einer Pfanne schmelzen, stäubt 1 TL Mehl ein, brät die abgetropften Zucchini darin ganz kurz und unter vorsichtigem Wenden, würzt mit etwas Zitronensaft, Salz und Pfeffer und streut vorm Servieren noch etwas gehackte Petersilie darüber.

Fische säubern, waschen, trocknen und in Stücke teilen. Zwiebeln und Knoblauch pellen und fein würfeln. Sellerie putzen, klein würfeln. Petersilie fein hacken. Tomaten abtropfen lassen und grob würfeln, Saft auffangen. Mangold putzen, waschen und in Streifen schneiden.
Öl im großen Topf erhitzen. Gemüse und Petersilie darin andünsten. Tomaten zugeben und 10 Minuten mitdünsten lassen. Mit Wein und Tomatensaft ablöschen. Lorbeer zugeben. Herzhaft salzen und pfeffern.
Die Fischstücke in den Sud geben und bei milder Hitze 30 Min. sieden lassen. Im Topf servieren.

Zubereiten: 1¼ Stunden
1 Port.: 24 g E, 8 g F, 6 g KH =
898 kJ (215 kcal)

Das paßt dazu:
Geröstetes Brot, das erst satt mit einem sehr guten Olivenöl beträufelt und dann kräftig gesalzen und gepfeffert wird.

Umbrien ist eine der wenigen italienischen Provinzen, die keinen Zugang zum Meer hat. Dafür gibt es besonders viele Flüsse und Seen, die voller schöner Fische stecken. Hier sind einige von ihnen in einer Fischsuppe versammelt, die als „Tegamaccio" (als „Tiegelchen") serviert wird

Tintenfischsalat

Insalata di seppiolini
Venetien

Für 8 Portionen:
*1 kg sehr kleine Tinten-
fische (beim Fischhändler
vorbestellen und dann
gleich säubern lassen)
Salz
4–5 Stangen Staudenselle-
rie mit grünen Blättern
24 Kirschtomaten
einige frische Salatblätter
weißer Pfeffer (Mühle)
4–5 EL Olivenöl
2 unbehandelte Zitronen*

Tintenfische noch einmal
abspülen. Leicht gesalze-
nes Wasser zum Kochen
bringen. Tintenfische langsam hineingeben, damit
sie sich nicht kringeln, bei
mittlerer Hitze 20–25 Min.
leise kochen lassen. Tin-
tenfische abgießen und
gut abtropfen lassen.
Während die Tintenfische
garen, den Staudensellerie
putzen, waschen und in
dünne Scheiben schnei-
den. Die Blättchen für die
Garnitur beiseite legen.

Die Tomaten waschen
und halbieren. Eine große
Platte mit Salatblättern
auslegen. Tintenfische mit
Tomaten und dem Stau-
densellerie in einer gro-
ßen Schüssel mischen, mit
Pfeffer würzen, mit Oli-
venöl beträufeln. Noch
einmal alles durchheben
und dann auf das Salat-
bett schütten. Mit Sellerie-
blättchen garnieren. Die
Zitronen vierteln und ge-
trennt dazu reichen.

*Zubereiten: 40 Minuten
1 Port.: 17 g E, 7 g F, 1 g KH =
582 kJ (139 kcal)*

Der passende Tip:
Dieses Gericht läßt sich
wirklich nur mit den win-
zig kleinen Tintenfisch-
chen nachvollziehen. Dar-
um empfehlen wir Ihnen,
sie von Ihrem Fischhänd-
ler besorgen zu lassen,
denn die größeren und
tiefgekühlten Tintenfische
sind zu zäh.

Genueser Fischtopf

Brodetto genovese
*Ristorante „Lo Spuntino",
Hamburg*

Für 4 Portionen:
*250 g Miesmuscheln
250 g Herzmuscheln
4 Lachskoteletts (à 200 g)
Salz, Cayennepfeffer
1 Schalotte
1 Knoblauchzehe
2 EL Öl
20 g Butter
4 Lorbeerblätter
1 EL gehackte Petersilie
50 ccm Weißwein
½ Zitrone
1 TL rosa Pfefferkörner*

Muscheln unter fließen-
dem Wasser waschen, im
Durchschlag abtropfen las-
lassen. Lachskoteletts kurz
abspülen, trocknen, salzen
und pfeffern. Schalotte
und Knoblauchzehe pel-
len und sehr fein würfeln.
Die Fischkoteletts damit
einreiben.
Eine ofenfeste Form mit
Öl einfetten, leicht salzen
und pfeffern. Fisch und
Muscheln in die Form ge-
ben. Butter in Flöckchen,
Lorbeer, Petersilie und
Weißwein zugeben.

Form in den vorgeheizten
Ofen (250 Grad, Gas 5–6,
2. Leiste v. u.) einsetzen.
Fisch 10–12 Min. garen.
Fisch in der Form servie-
ren. Vorher die halbe Zi-
trone darüber ausdrücken
und die rosa Pfefferkör-
ner hineinstreuen.

*Zubereiten: 40 Minuten
1 Port.: 42 g E, 37 g F, 1 g KH =
2276 kJ (544 kcal)*

Das paßt dazu:
Vorher Bandnudeln mit
Petersilie und Schinken
(S. 38), als Gemüse Spinat
(S. 258) oder Broccoli mit
Thymianbutter (s. unten).

Das passende Getränk:
Ligurien, dessen Metro-
pole Genua ist, ist nie ein
so klassisches Weinland
gewesen wie zum Beispiel
das benachbarte Piemont.
Die Ligurer sind immer
eher Seefahrer als Wein-
bauern gewesen. Aber:
Wenn sie sich an die Re-
ben wagen, dann sind sie
ebenso kühn wie auf dem
Meer. Der beste ligurische
Wein wächst auf den
steilsten Felshängen in
den berühmten Cinque
terre.

**Broccoli mit
Thymianbutter**
(Broccoli al timo)

Für 4 Portionen brauchen
Sie: 1,5 kg Broccoli, Salz,
60 g Butter und 6 kleine
Thymianzweige.
Der Broccoli wird gewa-
schen und geputzt. Die
Stiele werden etwas ge-
kürzt. Dann wird der
Kohl in mildgesalzenem
Wasser bei mittlerer Hit-
ze 5 Min. gegart. In ei-
ner großen Pfanne läßt
man inzwischen die But-
ter schmelzen. Dann
streift man die Thymian-
blättchen von den Zwei-
gen direkt in die Butter.
Der Broccoli wird gut ab-
getropft in der Thymian-
butter geschwenkt und
dann gleich serviert.

Wenn Lidio di Bilio im kalten Hamburg Heimweh
nach dem sonnigen Ligurien hat, kennt er nur ein Mittel,
um es wirksam zu bekämpfen: Er kocht sich einen
Genueser Fischtopf. Herr di Bilio ist übrigens der Chef
vom kleinen „Spuntino" in Hamburg-Altona

*Cappon magro – magerer Kapaun:
das ist der listige Deckname
für ein über alle Maßen üppiges
Fastengericht aus Ligurien. Es wird
auf der großen Platte angerichtet und ist
so der Mittelpunkt einer ländlichen
Völlerei. Außerdem gibt es noch Steinpilze
in Basilikumöl, einen Orangen-Zitronen-Salat,
eine Erdbeercreme mit Mascarpone, kleine
runde Spinat-Gnocchi und – damit auch wirklich
keiner verhungert – eine gefüllte Pizza*

Ligurisches Fastengericht

Cappon magro
(Magerer Kapaun)

Für 14–16 Portionen:
500 g Möhren
500 g Blumenkohl
750 g Broccoli
500 g zarte grüne Bohnen
1 Staudensellerie
750 g Fenchel
Salz
750 g Frühlingszwiebeln
⅝ l Olivenöl
750 g Zucchini
knapp ½ l Weißweinessig
Pfeffer (Mühle)
2 Dosen Artischocken-
herzen (à 240 g EW)
6 hartgekochte Eigelb
3 alte Brötchen
(ohne Kruste)
4 Bund glatte Petersilie
2 Bund Basilikum
200 g Pinienkerne
3 Knoblauchzehen
1 Glas grüne Oliven
(85 g EW)
2 Glas Sardellenfilets
(à 45 g EW)
1 Kopfsalat
2 Köpfe Radicchio
10 frische Jakobsmuscheln
Saft von 2 Zitronen
10 große Scampi
(Kaisergranat)
1,5 kg Kabeljau
12 Scheiben Toastbrot
1 Glas Steinpilze in Öl
(200 g EW)
6 hartgekochte Eier
1 gekochte Languste (1 kg)
1 Glas schwarze Oliven
(85 g EW)
2 unbehandelte Zitronen
in Spalten

Am Tag vor dem Anrichten geputzte Möhren in Streifen schneiden. Geputzten Blumenkohl und Broccoli in Röschen teilen. Bohnen putzen. Geputzte Staudenselleriestangen einmal quer durchschneiden. Den geputzten Fenchel vierteln. Jedes Gemüse für sich in kochendem Salzwasser bißfest blanchieren, getrennt abtropfen lassen. Geputzte Frühlingszwiebeln längs vierteln, in 5 EL Öl zugedeckt in 2–3 Min. weichdünsten, mit dem Öl in eine Schüssel geben. Zucchini putzen, waschen, längs vierteln und in 5 EL Öl zugedeckt 6–8 Min. dünsten, mit Öl in eine Schüssel geben. Beide Gemüse mit je 4 EL Essig, etwas Salz und Pfeffer würzen und zugedeckt über Nacht durchziehen lassen.

Abgetropfte Artischocken halbieren. ¼ l Essig, Salz, Pfeffer und ¼ l Öl zu einer Marinade verquirlen. Gekochte Gemüse (getrennt) und Artischocken mit Marinade übergießen und zugedeckt über Nacht durchziehen lassen.

Für die ligurische Sauce das hartgekochte Eigelb durch ein Sieb streichen. Brötchen in Wasser einweichen. Petersilie und Basilikum hacken. Die Pinienkerne durch die Mandelmühle drehen. Knoblauch pellen und pürieren. Die Hälfte der grünen Oliven entsteinen, mit ausgedrückten Brötchen, 8 abgespülten Sardellenfilets mit dem Schneidstab vom Handrührer zerkleinern. Eigelb, Petersilie, Basilikum, Pinienkerne und Knoblauch mit den Quirlen vom Handrührer untermischen. ¼ l Olivenöl erst tropfenweise, dann in dünnem Strahl zugeben. Weiterrühren, bis eine dicke Sauce (mit der Konsistenz einer Mayonnaise) entsteht. Sauce mit Salz, Pfeffer und 4 EL Weißweinessig herzhaft abschmecken.

Für den mageren Kapaun Kopfsalat und Radicchio putzen, waschen, in Küchenkrepp eingewickelt ins Gemüsefach legen. Jakobsmuscheln mit Zitronensaft in Salzwasser 4–5 Min. pochieren, rausnehmen. Därme aus den Scampi ziehen. Scampi im Muschelwasser 5–6 Min. pochieren. Kabeljau mit Zitronensaft in siedendes Salzwasser legen, vom Herd nehmen, zugedeckt im Sud auskühlen lassen. Toastbrot ohne Rinde 20 Minuten im Backofen (100 Grad, Gas 1) trocknen.

Eine Stunde vor dem Servieren alle vorbereiteten Zutaten griffbereit hinstellen. Die restlichen Sardellenfilets gut abspülen. Steinpilze im Sieb abtropfen lassen. Gekochte Eier vierteln. 3 EL Essig mit 6 EL Wasser mischen. Pochierten Fisch häuten, ohne Gräten in Stücke teilen. Scampi aus den Schalen brechen (Schwanzflossen dranlassen). Gekochte Languste längs halbieren, Fleisch auslösen und in dicke Scheiben schneiden. Panzerhälfte aufbewahren.

Zum Servieren eine große Platte mit Toastbrot belegen und mit Essigwasser beträufeln. Gegarte Gemüse dekorativ aufbauen. Kopfsalat- und Radicchioblätter dazwischenschichten. Langustenfleisch, Scampi, Fisch, Eiviertel, Pilze, Sardellen und schwarze und restliche grüne Oliven darauf verteilen.

Die Jakobsmuscheln mit Zitronenspalten in Salatblättern außen hinlegen. Einen Teil Sauce darübergießen, den Rest getrennt reichen. Langustenpanzer zusammensetzen und den mageren Kapaun damit dekorieren.

Zubereiten: 6¼ Stunden
Marinieren: über Nacht
Dekorieren: 1 Stunde
1 Port. (16 Port.): 38 g E, 53 g F, 39 g KH = 3450 kJ (824 kcal)

Das paßt alles dazu ...

... wenn der magere Kapaun nicht allein aufgetischt werden soll: Steinpilze in Basilikumöl (S. 18), Orangen-Zitronen-Salat (S. 264), Erdbeercreme mit Mascarpone (S. 292), Spinatgnocchi (S. 42) und eine gefüllte Pizza (S. 272). So ist jedenfalls alles auf dem großen Foto auf Seite 210 (v. l. n. r.) angerichtet.

Muscheln in Tomatensauce

Cozze alla paesana
Kalabrien

Für 4 Portionen:
1,5 kg frische Miesmuscheln
1 Bund Suppengrün
1–2 Stangen Staudensellerie
100 g Zwiebeln
⅛ l Olivenöl
3 getrocknete Chilischoten
1 kleiner Rosmarinzweig
1 Bund Thymian
4 Lorbeerblätter
1 Dose geschälte Tomaten
(850 g EW)
Salz
½ l trockener Weißwein

Muscheln putzen (S. 216), im Durchschlag abtropfen lassen. Suppengrün und Staudensellerie putzen, waschen und klein würfeln. Zwiebeln pellen, auch klein würfeln.

Das Öl im Topf erhitzen. Vorbereitete Gemüse darin anrösten. Alle Gewürze und die Tomaten (mit Saft) zugeben und gut durchrühren, bei mittlerer Hitze offen 12–15 Min. einkochen lassen, hinterher salzen. Wein zugießen. Sauce zum Kochen bringen. Muscheln hineingeben, durchrühren und zugedeckt 6–8 Min. garen. Topf zwischendurch rütteln. Die Muscheln mit der Sauce in eine gut vorgewärmte Schüssel umschütten und mit Knoblauchbrot servieren.

Zubereiten: 1 Stunde
1 Port.: 18 g E, 32 g F, 11 g KH = 1926 kJ (460 kcal)

Wo ein Meer ist, gibt's auch Muscheln. Und weil fast alle italienischen Provinzen am Meer liegen, gibt's auch überall Muscheln. Und wo kein Meer ist, werden sie in aller Herrgottsfrühe über lange Wege hingeschafft. Diese Miesmuscheln sind in einem herzhaft gewürzten Tomatensud mehr geschmort als gekocht

213

Gebratener Kabeljau

Merluzzo arrostito

Für 4 Portionen:
4 Kabeljaufilets (à 180 g)
1 EL Zitronensaft
Salz
Pfeffer (Mühle)
50 g Mehl
2 El Öl
1 Lorbeerblatt
1 Rosmarinzweig
1 Zitrone

Fischfilets abspülen, trockentupfen, mit Zitronensaft beträufeln, von beiden Seiten mit Salz und Pfeffer würzen und anschließend leicht in Mehl wenden.
Öl in einer Pfanne erhitzen. Fischkoteletts darin bei mittlerer Hitze auf jeder Seite 5–6 Min. braten. Lorbeer und Rosmarin beim Braten mit in die Pfanne geben. Den Fisch mit einem Stück Zitrone servieren.

Zubereiten: 20 Minuten
1 Port.: 33 g E, 6 g F, 9 g KH =
996 kJ (238 kcal)

Unser Tip:
Zu diesem herzhaft gewürzten Kabeljau müssen Sie unbedingt die grüne Mandelsauce servieren, deren Rezept auf Seite 124 steht. Sie wird am besten zubereitet, bevor der Fisch in die Pfanne wandert.

Das paßt dazu:
Vorher Rabiate Nudeln (S. 44) oder Schmetterlingsnudeln mit jungem Gemüse (S. 36) und als Gemüse entweder ein Salat oder Mangold auf römische Art (S. 250). Außerdem auf jeden Fall etwas Brot.

Das passende Getränk:
Ein kräftiger, gut gekühlter weißer Landwein.

Gefüllter Karpfen

Carpa ripiena
Lago di Trasimeno,
Umbrien

Für 2 Portionen:
1 Karpfen (1,25 kg,
küchenfertig vorbereitet)
400 g kleine Kartoffeln
100 g Parmaschinken
1 EL Fenchelsaat
4 Knoblauchzehen
(gepellt)
2 Rosmarinzweige
3 Sardellenfilets
1 Zitrone (in Scheiben)
8 Salbeiblättchen
3 EL Olivenöl
3 EL Zitronensaft
Salz

Karpfen innen waschen und trocknen. Kartoffeln schälen, waschen, vierteln. Schinken, Fenchel, Knoblauch, Nadeln von 1 Rosmarinzweig und Sardellenfilets mit einem großen Messer fein hacken, den Fisch damit füllen. Karpfen in eine ofenfeste Form geben, mit Zitronenscheiben und dem zweiten Rosmarinzweig belegen. Kartoffeln um den Fisch herum verteilen und mit gezupften Salbeiblättchen bestreuen. Form in den vorgeheizten Backofen (200 Grad, Gas 3, 2. Leiste v. u.) setzen. Karpfen 45 Min. garen. Öl und Zitronensaft verrühren. Fisch beim Garen damit immer wieder bestreichen. Karpfen und Kartoffeln vor dem Servieren herzhaft salzen.

Zubereiten: 1 Stunde
1 Port.: 72 g E, 48 g F, 27 g KH
= 3650 kJ (873 kcal)

Umbrien liegt nicht am Meer . . .
. . . und gilt als das grüne Herz Italiens, hat 60 Quellen anzubieten, aus denen auch heute noch frisches klares Wasser strömt. Es gibt viele Flüsse und Bäche und etliche Seen. Im Trasimener See leben mindestens 20 verschiedene Fischsorten. Karpfen, Plötzen, Aale und Forellen gibt es reichlich.

Der gefüllte
Karpfen wird im
Kartoffelbett gebacken, ist
mit Parmaschinken gefüllt und mit
Fenchelsaat heftig gewürzt. Das Rezept
stammt aus Umbrien. Und Umbrien ist für
italienische Feinschmecker eine erste Adresse

Meeresfrüchte-Salat

Insalata di frutti di mare

Für 4–6 Portionen:
300 g Tiefseekrabben (TK)
150 g Kartoffeln, Salz
1 große rote Paprikaschote
300 g kleine Tintenfische
(beim Fischhändler vor-
bestellen und dann gleich
säubern lassen)
⅛ l trockener Weißwein
1 Zwiebel
1 Dose Muschelfleisch
(300 g EW)
1 Bund Petersilie
1 Bund Basilikum
3 EL Zitronensaft
1 EL Balsamessig
1 Knoblauchzehe
1 TL Senf
Pfeffer (Mühle)
Zucker, 5 EL Olivenöl

Krabben nebeneinander ausbreiten und auftauen lassen. Pellkartoffeln in Salzwasser garen. Inzwischen Paprikaschote längs halbieren, entkernen, etwas flachdrücken, auf dem Rost im vorgeheizten Backofen (250 Grad, Gas 5–6) etwa 20 Min. rösten, bis die Haut Blasen wirft. Schotenhälften rausnehmen, mit einem

feuchten Tuch abdecken, dann die Haut abziehen. Während die Schoten im Ofen sind, die Tintenfische noch einmal abspülen und in feine Ringe schneiden. Wein aufkochen. Tintenfisch darin 3 Min. gar ziehen lassen (größere Tintenfische brauchen 5–6 Min.). Tintenfische mit Sud in einer großen Schüssel abkühlen lassen.
Zwiebel pellen, in Scheiben schneiden, mit etwas Salz bestreuen. Kartoffeln pellen und klein würfeln. Muschelfleisch abtropfen lassen. Paprika würfeln. Petersilie und Basilikum hacken. Tiefseekrabben, Zwiebelringe, Kartoffeln, Muscheln, Paprika und die Kräuter zu den Tintenfischen in die Schüssel geben und vorsichtig durchheben. Zitronensaft, Balsamessig, mit püriertem Knoblauch, Senf, Salz, Pfeffer und 1 Prise Zucker verrühren. Das Olivenöl untermischen. Sauce über den Salat gießen und vorsichtig durchheben. Gleich servieren.

Zubereiten: 1 Stunde
Garen: 25 Minuten
1 Port. (6 Port.): 22 g E, 10 g F,
6 g KH = 950 kJ (227 kcal)

So kocht man Muscheln

● *Muscheln einzeln unter fließendem Wasser waschen, dabei gründlich bürsten.*
● *Offene Muscheln, die sich nicht bei leichter Berührung schließen, und zerbrochene Muscheln wegwerfen. Byssusfaden (den „Bart") abschneiden.*
● *Während man die Muscheln putzt, wird der Sud vorbereitet: Gewürze, Kräuter, Suppengrün und Zwiebeln mit Wasser oder Wein 15 Min. kochen.*
● *Kein Salz nehmen, die Muscheln enthalten genug salziges Meerwasser.*
● *Muscheln in den Sud geben. Deckel fest schließen. Bei starker Hitze so lange kochen, bis sich alle Muscheln geöffnet haben (etwa 5–10 Min.).*
● *Topf gelegentlich rütteln, damit alle Muscheln vom Sud profitieren.*
● *Muscheln mit der Schaumkelle herausnehmen. Brühe vorsichtig abgießen: Sand am Boden!*
● *Muscheln, die sich beim Kochen nicht geöffnet haben, wegwerfen!*

Überbackene Muscheln

Cozze gratinate

Für 4–6 Portionen als
Vorspeise:
2 kg Muscheln (in einem
Sud aus Weißwein, Sup-
pengrün, Zwiebel, Lorbeer
und Pfefferkörnern ge-
kocht)
1 Bund Petersilie
Blätter von 1 Stange
Staudensellerie
½ Bund Thymian
½ Bund Basilikum
2–3 Knoblauchzehen
Semmelbrösel
3 EL Olivenöl
(oder Butter)

Muscheln im Sud kochen, bis sie sich gerade öffnen. Leere Schalenhälften abbrechen, die gefüllten auf eine feuerfeste Platte legen. Alle Kräuter und die gepellten Knoblauchzehen fein hacken, in einer Schüssel mit den Semmelbröseln mischen. Kräuterbrösel über die Muscheln streuen. Dann wenig Muschelsud und Öl darüberträufeln (oder Butterflöckchen aufsetzen). Kurz übergrillen, bis alles leicht gebräunt ist. Mit Zitronenschnitzen, frischem Weißbrot und einem Roséwein servieren.

Zubereiten: 45 Minuten
1 Port. (4 Port.): 11 g E, 12 g F,
5 g KH = 753 kJ (180 kcal)

So wird gerechnet:
● Wenn die Muscheln als Hauptgericht gereicht werden: 1 kg Muscheln = 200 g Muschelfleisch pro Person. ● Zum Kochen von etwa 2 kg Muscheln braucht man mindestens einen 5-Liter-Topf. ● Wenn der Topf nicht für alle Muscheln ausreicht, kann man sie auch portionsweise hintereinander immer im gleichen Sud kochen. Der wird dabei immer besser und kann auch als Suppe gereicht werden.

Fischsuppe aus Ancona

Brodetto all'anconetana
Marken

Für 4 Portionen:
500 g reife Tomaten
150 g Zwiebeln
4–6 Knoblauchzehen
⅛ l Olivenöl
¾ l Hühnerbrühe
1 TL edelsüßes
Paprikapulver
Cayennepfeffer
Salz
Zucker
2–3 Bund Basilikum
6 Kabeljaukoteletts
(etwa 1,25 kg)

Die Tomaten auf der runden Seite über Kreuz einritzen, kurz in kochendes Wasser geben, anschließend kalt abschrecken und häuten. Die Stielansätze keilförmig herausschneiden. Die Tomaten längs halbieren, entkernen und in Spalten schneiden. Die Zwiebeln pellen und dann ebenfalls längs in schmale Spalten schneiden. Den Knoblauch pellen und in dünne Scheiben schneiden.
Die Hälfte des Öls in einer Pfanne erwärmen. Zwiebeln und Knoblauch darin bei ganz milder Hitze andünsten. 3 EL Brühe zugeben, Deckel auf die Pfanne legen. Zwiebeln und Knoblauch 12 Min. dünsten, ab und zu umrühren. Die Zwiebeln dürfen keine Farbe annehmen. Das Paprikapulver darüberstreuen, verrühren und kurz anschwitzen.
Alles in einen ofenfesten Topf umfüllen. Die Tomaten zugeben und mit Cayennepfeffer, Salz und 1 Prise Zucker herzhaft würzen. Basilikumblätter abzupfen, auf die Tomaten geben. Fischkoteletts waschen, salzen und auf die Basilikumblätter legen. Die restliche Brühe darübergießen. Fischsuppe im vorgeheizten Back-ofen (200 Grad, Gas 3, 2. Leiste v. u.) 20–25 Min. garen. Im Topf servieren. Vorher mit dem restlichen Olivenöl würzen.

Zubereiten: 1 Stunde
1 Port.: 34 g E, 35 g F, 23 g KH
= 2364 kJ (565 kcal)

Das paßt dazu:
In Knoblauchöl geröstetes weißes Brot und ein kräftiger weißer oder roter Landwein.

Fischsuppe-Variationen

Brindisi-Art: In eine Brühe aus Öl, Knoblauch, Tomaten und Petersilie kommen Aal, Barsch, Gold- und Zahnbrasse, Tintenfisch, Krake und Kalmar, Krebse und Miesmuscheln.

Gallipoli-Art: Sehr einfach. Sud aus Tomaten, Zwiebeln und Essig, fast süß im Geschmack. Mit Drachenkopf, Barsch und Brasse, Kalmaren und Kaisergranat (Scampi), auch Muscheln.

Neapolitanische Art: Wenig Wasser, mehr Olivenöl, viele Tomaten, reichlich Knoblauch und eine heftige Dosis Chilischote. Ganze Fische, Venus- und Miesmuscheln.

Maratea-Art (Basilikata): Brühe aus Öl, Zwiebeln, Knoblauch, Petersilie und süßen, roten Paprikaschoten, dazu Barsch und Brasse, Drachenkopf und Tintenfisch.

Como-Art: Sud aus Fischgräten, Wasser, Weißwein, Tomaten und Gemüse. Fische aus dem Comer See, in Filets geschnitten, mit Mehl paniert, gebacken und dann in den Sud gegeben, der mit Safran gefärbt und mit Chilischote pikant gewürzt wird.

In der Provinz Marken,
die an der Adria liegt,
werden die schönsten italienischen Fischsuppen
zubereitet. So wie diese
hier, die aus der Hauptstadt
Ancona stammt

219

Flußkrebse in Tomatensauce

Granchi di fiume
al pomodoro
*Al pescatore, Tempio di
Clitunno, Umbrien*

Für 4 Portionen:
1 kg Tomaten
100 g Schalotten
2 Stangen Staudensellerie
1 Knoblauchzehe
1 Bund Basilikum
1 EL Rosmarinnadeln
1 EL Thymianblätter
4 EL Olivenöl
1 EL Tomatenmark
1 EL Tomatenketchup
Pfeffer (Mühle)
Salz
24 Flußkrebse (à 80 g)
frische Kräuter zum
Garnieren

Die Tomaten häuten
(S. 64) und grob würfeln.
Schalotten pellen und
fein würfeln. Staudensellerie putzen, auch fein
würfeln. Knoblauch pellen und hacken. Basilikumblätter, Rosmarinnadeln und Thymianblätter
fein hacken.
Öl erhitzen. Schalotten
und Staudensellerie andünsten. Knoblauch zugeben. Tomatenwürfel, -mark
und -ketchup und die vorbereiteten Kräuter unterrühren. Tomatensauce bei
mittlerer Hitze 20 Min.

leise garen und etwas einkochen lassen, dabei öfter
umrühren. Sauce kräftig
mit Pfeffer würzen und
eventuell salzen.
In einem großen Topf
Salzwasser aufkochen.
Die Krebse portionsweise
kopfüber ins sprudelnd
kochende Wasser geben.
Topf vom Herd nehmen.
Alle Krebse im Wasser
5 Min. ziehen lassen. Hinterher abgetropft mit der
Tomatensauce anrichten
und mit frischen Kräutern garnieren. Knoblauchbrot dazu reichen.

Zubereiten: 1 Stunde
1 Port.: 24 g E, 11 g F, 13 g KH
= 1071 kJ (256 kcal)

Der passende Tip:

Die Tomatensauce kann
mit etwas zerrebelter
getrockneter Chilischote
(peperoncino secco) geschärft werden. Dann
sollten Sie den Pfeffer aus
der Mühle weglassen.
Wenn Sie kein geübter
Krebsesser sind, sollten
sie Krebse und Tomatensauce getrennt servieren
und dann das ausgehülste
Krebsfleisch in die Sauce
tauchen. Auf jeden Fall
sollten Sie beim Essen für
jeden eine große Serviette
bereitlegen.

Hummer und Flußkrebse
*Sind nie so gut wie in den
Monaten August bis
Oktober. Denn wenn die
Temperatur absinkt, nehmen die Tiere keine Nahrung mehr auf, sondern
leben von der eigenen Substanz. Folge: Das Fleisch
ist längst nicht mehr so
zart wie im Sommer.
Trotzdem werden Hummer über das ganze Jahr
gehandelt. Flußkrebse bekommen wir hauptsächlich
aus der Türkei. Europäische Flußkrebse spielen
leider kaum noch eine
Rolle. Hauptlieferanten
für Hummer sind
Norwegen, Schottland,
Irland und Kanada. Am
besten schmecken Hummer mit einem Gewicht
von 400–700 Gramm, sie
sind auch entsprechend
teurer als die älteren und
schwereren. Ein Hummer,
der ein Pfund wiegt, ist
ungefähr ein Jahr alt.*

Aal auf Jägerart

Anguilla alla cacciatora
*Trattoria Belvedere,
Anguillara Sabazia, Lago
di Bracciano, Latium*

Für 4 Portionen:
**750 g junge Aale (beim
Fischhändler vorbestellen
und auch gleich ausnehmen und abziehen lassen)**
3 EL Mehl
4 EL Olivenöl
1 Rosmarinzweig
2 Knoblauchzehen
Salz, 3 Zitronen

Die küchenfertig vorbereiteten Aale in Stücke
schneiden, waschen und
mit Küchenkrepp abtupfen und in Mehl wälzen.
Das Öl in einer großen
Pfanne erhitzen. Die Aalstücke darin bei kräftiger
Hitze und unter gelegentlichem Wenden 10 Min.
braten. Rosmarinnadeln
und pürierten Knoblauch
zugeben, kräftig salzen
und unter gelegentlichem
Wenden noch einmal
5 Min. braten. Mit Zitronenachteln und Zichoriensalat servieren.

Zubereiten: 30 Minuten
*1 Port.: 21 g E, 42 g F, 9 g KH =
2216 kJ (530 kcal)*

Zichoriensalat

(Puntarelle all'acciuga)
Die Puntarella ist eine
bitter-würzige Zichorienart, die von Anfang Februar bis Ende März
wächst. Sie ist außerhalb
Latiums nicht bekannt.
Die Spitzen der Stengel
werden abgeschnitten, der
Länge nach kreuzförmig
geschnitten und für 30
Min. in kaltes Wasser gelegt, damit sie sich kräuseln. Danach werden sie
getrocknet und mit einer
Sauce aus feingehacktem
Knoblauch, kleingeschnittenen Sardellen, Essig,
Pfeffer und Öl angemacht
und mit einer kräftigen
Prise Salz bestreut.

Aal, und zwar ganz junger, wie er am Lago di Bracciano nördlich von Rom zubereitet wird. Der große Kratersee ist das wichtigste Süß- wasser-Reservoir für die italienische Metropole

221

Riesengarnelen in Knoblauchöl

Gamberoni
con aglio e olio

Für 4 Portionen:
16 Riesengarnelen (Gam-
beroni, Hummerkrabben,
jede etwa 100 g)
5 EL Öl
2 Knoblauchzehen
1 EL Mehl, Salz
2 Zitronen

Riesengarnelen schälen und die Därme entfernen. Garnelen am Rücken quer einschneiden, damit sie sich beim Braten krümmen. Garnelen kurz abwaschen, mit Küchen-krepp trocknen.
Öl in einer großen Pfanne erhitzen. Gepellten Knoblauch darin goldbraun rösten und entfernen.
Inzwischen die Garnelen dünn mit Mehl einstäuben, sofort ins Knoblauchöl geben und 3 bis 4 Min. braten. Gleich herausnehmen, sonst werden sie zäh. Vorm Servieren salzen. Zitronenachtel dazu reichen.

Zubereiten: 30 Minuten
1 Stück: 8 g E, 4 g F, 1 g KH =
310 kJ (74 kcal)

Krustentiere: Alles eine große Familie
Garnelen, Langusten, Hummer, Krebse und Krabben – alle diese Krebstiere (Crustacea) gehören in die Familie der Zehnfüßler (Decapoda), die in zwei Unterordnungen aufgeteilt wird:
1. Garnelen (Natantia),
die sich schwimmend bewegen. Sie haben eine spitz zu-laufenden Schwanz und nur klitzekleine Zangen. In diese Abteilung gehören
● *Tiefsee- oder Riesengarnele (ital. gamberoni): auch Hummerkrabbe, dieser Name ist im Handel verboten.*
● *Sägegarnele (ital. gamberetto): auch rosa Krabbe oder pink shrimp.*
Die Nordseekrabbe gehört auch dazu.
2. Krebse (Repantia),
die sich kriechend bewegen. Sie haben einen runden Schwanz und ein kräftig ausgebildetes Zangenpaar. In diese Abteilung gehören
● *Kaisergranat (ital. scampo, auch langostino): wird oft mit der Riesengarnele verwechselt (und deshalb auch als Hummerkrabbe – sowieso falsch und außerdem verboten – verkauft). Hat aber einen runden Schwanz und kräftige Scheren.*
● *Languste (ital. aragosta) sieht aus wie ein Hummer ohne Scheren. Hat als Scherenersatz einen scharfen Muschelöffner. Man erkennt sie an ihren langen Antennengelenken, mit denen sie (z. B. beim Liebesspiel) laut knarren kann.*
● *Hummer (ital. astaco, auch lupo oder elefante di ma-re): wird gezüchtet, sollte nicht mehr als 500 g wiegen. Ein weiblicher Hummer schmeckt besser als ein männlicher.*
● *Süßwasserkrebs (ital. granchi di fiume): hat bei uns Schonzeit von Januar bis Juli. Soll mit Schale nicht mehr als 60–80 g wiegen.*

Stockfisch-Auflauf

Baccalà al forno
Genua, Ligurien

Für 4–6 Portionen:
750 g Stockfisch
1 Dose Kichererbsen
(vorgegart, 250 g EW)
750 g Fleischtomaten
350 g mittelgroße
Zwiebeln
1 Zitrone (unbehandelt)
4 Knoblauchzehen
100 g schwarze Oliven
4 Lorbeerblätter
⅛ l Olivenöl
schwarzer Pfeffer (Mühle)

Stockfisch in 5–6 Stücke schneiden, Flossen entfernen. Fisch 12 Std. in kaltem Wasser einweichen, Wasser zwischendurch immer wieder erneuern. Kichererbsen im Sieb abspülen und abtropfen lassen. Tomaten waschen, Stielansätze keilförmig herausschneiden. Tomaten vierteln. Zwiebeln pellen und vierteln. Zitrone waschen und in dünne Scheiben schneiden. Knoblauch pellen und in dünne, feine Scheiben schneiden.
Fischstücke aus dem Einweichwasser nehmen, abtropfen lassen und mit Küchenkrepp trocknen. Fischstücke, Kichererbsen, Tomaten, Zwiebeln, Knoblauch, Oliven, Lorbeer und Zitronenscheiben in eine Auflaufform schichten, mit Öl übergießen und kräftig mit Pfeffer würzen. Zum Garen den Deckel auflegen. Auflauf im vorgeheizten Ofen (225 Grad, Gas 4, 2. Leiste v. u.) 40–50 Min. garen. In der Form servieren.

Zubereiten: 1½ Stunden
Wässern: 12 Stunden
1 Port. (6 Port.): 70 g E, 25 g F,
20 g KH = 2603 kJ (622 kcal)

Auch eingeschworene Stock-
fischgegner kann man mit
diesem herzhaften Auflauf über-
zeugen: außer Fisch sind
nämlich noch Tomaten, Oliven,
Zwiebeln und Kichererbsen
eingeschichtet. Gewürzt
wird mit Lorbeer, Knoblauch,
Zitrone und viel schwarzem
Pfeffer

*Hummer total: noch
heiß und mit S   nd
Stiel serviert,
kalten Sauce
übergossen,
man einen w
Hummer hat,
mit dem Roge
wird, was die S
noch aufregen.*

Goldbrasse aus dem Ofen

Orata al forno

Für 8 Portionen:
250 g Möhren
40 g Staudensellerie
(alles in Stiften)
⅛ l Olivenöl, Salz
2–3 Goldbrassen (1,5 kg,
küchenfertig vorbereitet)
je 1 Bund Estragon,
Petersilie und Rosmarin
6 Knoblauchzehen
30 g Kapern
150 g schwarze Oliven
¼ l Weißwein
2 Zitronen

Gemüse in der Hälfte Öl
10 Min. dünsten, salzen.
Fische waschen, salzen,
mit Kräutern füllen, auf
die Saftpfanne legen.
Halbierten Knoblauch,
Kapern und Oliven zuge-
ben. Gemüse auf dem
Fisch verteilen. Wein zu-
gießen. Fische mit dem
restlichen Öl beträufeln.
Im vorgeheizten Ofen
(200 Grad, Gas 3, 2. Lei-
ste v. u.) 30 Min. garen.
Mit Brot und Zitronen-
vierteln auf der Pfanne
servieren.

Zubereiten: 1 Stunde
1 Port.: 20 g E, 19 g F, 4 g KH =
1269 kJ (303 kcal)

Hummer auf sardische Art

Astice alla sarda
Rist. La Taverna, Palau

Für 4 Portionen:
375 g Staudensellerie
7 EL milder Weißwein-
essig, Salz
2 kleine Hummer (à 500 g)
1 Fleischtomate
100 g Zwiebeln
1 Knoblauchzehe
1 Bund glatte Petersilie
Pfeffer (Mühle)
6–8 EL Olivenöl

2 Stangen Staudensellerie
grob zerkleinern. 4 l Wasser in einem großen Topf
mit vorbereitetem Stau-
densellerie, 4 EL Essig
und 3 EL Salz aufkochen.
Hummer nacheinander
mit dem Kopf zuerst hin-
eingeben. Beide Hummer
bei mittlerer Hitze in
25 Min. gar ziehen lassen.
Inzwischen den restlichen
Staudensellerie putzen, in
feine Scheiben schneiden.
Gewaschene Tomate grob
zerteilen. Zwiebeln pellen
und in Ringe schneiden.
Knoblauch pellen und

durch die Presse drücken.
Petersilie hacken.
Staudensellerie, Tomate,
Zwiebeln in einer großen
Schüssel mischen und mit
restlichem Essig, Salz,
Pfeffer und Knoblauch
würzen. Petersilie zuge-
ben, Öl unterrühren.
Hummer aus dem Sud
heben, heiß der Länge
nach durchschneiden. Die
Scheren ausbrechen. Das
Schwanzfleisch in 4 cm
große Stücke schneiden
und auf eine angewärmte
Platte legen. Scherenspit-
zen abknipsen. Scheren-
panzer so weit aufschnei-
den (Schere), daß man
das Fleisch gut herausziehen kann. Scherenfleisch
auf die Platte geben.
5 EL heißen Kochsud mit
etwas Hummerrogen le-
gieren und den Hummer
damit begießen, etwas
durchziehen lassen. Hum-
merfleisch mit dem Salat
mischen und möglichst
noch lauwarm servieren.

Zubereiten: 1¼ Stunden
1 Port.: 15 g E, 19 g F, 6 g KH =
1143 kJ (273 kcal)

Die passende Variation:
In Sardinien wird dieser
Salat mit Langusten zube-
reitet und heißt „aragosta
catalana".

EIER
UOVA

*Den Füllungsmöglichkeiten für
Pfannkuchen und der Phantasie der italienischen Pfannkuchen-Bäckerin sind keine Grenzen
gesetzt. Ganz links ein Omelett mit frischer Minze, dann eins mit
saftigem Paprika, daneben eins mit jungen Erbsen und
würzigem Fenchel und ganz rechts noch eins mit bitterem Mangold.*

Omelett mit Pfefferminze

Frittata alla menta
Latium
Zum Foto auf S. 228

Für 4 Portionen:
*1 Bund frische Pfefferminze, 6 Eier
150 g Ricotta-Käse (oder abgetropfter Sahnequark)
50 g frischer geriebener Parmesan-Käse
Salz, Pfeffer (Mühle)
40 g Butter
4 EL Olivenöl*

Pfefferminzblätter abzupfen, waschen, gut trocknen und dann sehr fein hacken. Die Eier in eine Schüssel aufschlagen, mit der Gabel verrühren. Ricotta, Parmesan und Pfefferminze unterrühren, mit Salz und Pfeffer herzhaft würzen und noch einmal gut verrühren.
Butter und Öl in einer Pfanne erhitzen. Nacheinander bei milder Hitze von beiden Seiten vier goldbraune Omeletts backen. Die fertigen Omeletts im vorgeheizten Backofen warm halten.

*Zubereiten: 30 Minuten
1 Omelett: 18 g E, 33 g F, 1 g KH
= 1623 kJ (388 kcal)*

Unser Tip:
Die Omeletts mit Minze schmecken warm oder kalt. Wenn Sie sie als Vorspeise servieren, werden sie vorher in kleine Stücke geschnitten und auf Holzspieße gesteckt.

Die passende Geschichte:
Das bestimmende Würzkraut der Provinz Latium (und damit auch der Hauptstadt Rom) ist die Minze, die ein knuspriges Omelett genausogut wie eine herzhafte Fleischfüllung oder ein junges Hühnchen aromatisieren kann. Mit der in Deutschland angebotenen Pfefferminze müssen Sie vorsichtig umgehen. Getrocknete Minze dürfen Sie gar nicht nehmen.

Omelett mit Paprika

Frittata con peperoni
Basilicata
Zum Foto auf S. 228

Für 2 Portionen:
*1 rote Paprikaschote
1 gelbe Paprikaschote
1 Zwiebel
1 EL Olivenöl
Salz, Pfeffer (Mühle)
4 Eier
20 g Butter*

Paprikaschoten halbieren, entkernen, waschen, gut trocknen, flachdrücken und unter dem Grill rösten, bis die Haut Blasen wirft. Paprikaschoten kurz mit einem feuchten Tuch abdecken, dann die Haut abziehen. Paprikaschoten in schmale Streifen schneiden. Zwiebel pellen und fein würfeln. Öl in der Pfanne erhitzen. Zwiebel darin glasig dünsten, Paprikastreifen zugeben und kurz darin schwenken. Gemüse salzen und pfeffern.
Eier in eine Schüssel aufschlagen, mit Salz und Pfeffer verrühren.
Butter in einer Pfanne erhitzen. Nacheinander und ohne zu wenden 2 Omeletts darin backen. Gemüse darauf verteilen. Omeletts von beiden Seiten zur Mitte überklappen, auf 2 vorgewärmte Teller gleiten lassen und gleich servieren.

*Zubereiten: 35 Minuten
1 Omelett: 15 g E, 21 g F, 7 g KH
= 1214 kJ (290 kcal)*

Das paßt dazu:
Ein frischer Salat aus Tomaten und Löwenzahn, angemacht mit Zitronensaft und Olivenöl.

Omelett mit Erbsen

Frittata coi piselli
Venetien
Zum Foto auf S. 228

Für 4 Portionen:
*1 kleine Fenchelknolle (370 g)
1 Zwiebel
1 Bund glatte Petersilie
50 g Parmaschinken
20 g Butter
150 g Erbsen (frisch oder TK)
Salz
6 Eier
Pfeffer (Mühle)
4 EL Olivenöl*

Fenchel putzen, waschen und in sehr dünne Scheiben schneiden. Zwiebel pellen und sehr fein würfeln. Petersilienblätter und Schinken sehr fein hacken.
Butter in einer Pfanne erhitzen. Schinken und Zwiebel darin glasig dünsten. Fenchel zugeben, unter Rühren 3 Min. dünsten. Erbsen zugeben, leicht salzen. Pfanne zudecken. Gemüse 3 Min. weiter dünsten.
Inzwischen die Eier in eine Schüssel aufschlagen, mit Petersilie, Salz und Pfeffer verrühren.
Je 1 EL Öl in einer Pfanne erhitzen. Gemüse unter die Eimasse rühren. Ein Viertel Eimasse in die Pfanne gießen und ein Omelett daraus backen, einmal wenden. Fertiges Omelett im vorgeheizten Backofen warm halten. Backvorgang noch dreimal wiederholen, Eimasse vorher immer gut durchrühren.

*Vorbereiten: 15 Minuten
Garen: Pro Omelett 10 Minuten
1 Omelett: 17 g E, 22 g F, 14 g KH
= 1416 kJ (339 kcal)*

Omelett mit Mangold: „Gebackenes Gras"

Erbazzone fritto
Ligurien
Zum Foto auf S. 228

Für 4 Portionen:
*500 g Mangoldblätter
Salz, 40 g Butter
4 kleine Eier
50 g Semmelbrösel
150 g frisch geriebener Parmesan-Käse
2 EL Mehl
Pfeffer (Mühle)
Muskatnuß, 4 EL Öl*

Aus den Mangoldblättern dicke Blattrippen rausschneiden. Blätter waschen, abgetropft in schmale Streifen schneiden und in kochendem Salzwasser 1 Minute blanchieren, in kaltem Wasser abschrekken und gut abtropfen lassen.
20 g Butter in einer Pfanne erhitzen, Mangold darin bei starker Hitze und unter Wenden 2 Min. dünsten, abkühlen lassen. Eier mit Semmelbröseln, Parmesan, Mehl, Salz, Pfeffer, Muskat verrühren. Mangold unterheben. Restliche Butter und das Öl in einer großen Pfanne erhitzen, Teig eßlöffelweise hineingeben, flachdrücken und kleine Küchlein daraus backen (einmal wenden).

*Vorbereiten: 15 Minuten
Garen: 5 Minuten pro Seite
1 Port.: 24 g E, 27 g F, 16 g KH
= 1770 kJ (423 kcal)*

Unser Tip:
Das Gebackene Gras ist ein hervorragender Snack zum Wein. „Gras" übrigens deshalb, weil der wildwachsende Mangold in Ligurien (und in der Emilia-Romagna) so genannt wird.

Omelett mit Muscheln

Frittata con vongole
Alle Küstenregionen
Zum Foto auf S. 232

Für 4 Portionen:
200 g Muschelfleisch (aus der Dose, Herzmuscheln, ital.: Vongole, Cappa gallina oder Beverazza)
1 Bund glatte Petersilie
6 Eier
Salz, Pfeffer (Mühle)
4 EL Öl

Muschelfleisch zum Abtropfen in ein Sieb schütten. Petersilie fein hacken. Die Eier mit Salz, Pfeffer und Petersilie verquirlen, die Muscheln unterrühren. In einer großen Pfanne nacheinander in etwas Öl 4 Omeletts daraus bakken (einmal wenden). Sofort heiß servieren.

Vorbereiten: 5 Minuten
Garen: 4 Minuten pro Seite
1 Port.: 15 g E, 14 g F, 1 g KH = 843 kJ (201 kcal)

Das paßt dazu:
Frisches Brot und kalter Landwein.

So brät man ein Omelett
Wenn das Omelett ohne andere Zutaten gebraten wird, rechnet man pro Person mit 3 Eiern und 10 g Butter, die in Stückchen unter die verquirlten Eier gezogen wird. Die Eimasse wird mit Salz und Pfeffer gewürzt. Zum Braten wird in einer Pfanne etwas Butter aufgeschäumt, und dann wird soviel Eimasse hineingegossen, daß der Boden nur gerade gut bedeckt ist, damit diese sofort durchgehend stocken kann. Nach 1 Min. wird die Pfanne leicht gerüttelt und etwas vom Körper weg angehoben. Dabei schiebt sich das Omelett am Pfannenrand etwas zusammen. Jetzt wird mit einer Gabel die andere Seite umgeklappt und das Omelett umgekehrt auf einen angewärmten Teller gestürzt.

Omelett mit Speck

Frittata in zoccoli
Toskana
Zum Foto auf S. 232

Für 4 Portionen:
100 g magerer Speck
1 Bund glatte Petersilie
6 Eier
Salz, Pfeffer (Mühle)
2 EL Olivenöl

Speck sehr fein würfeln. Petersilienblätter fein hakken. Eier mit etwas Salz und Pfeffer verquirlen. Die Speckwürfel in einer Pfanne goldgelb braten, mit der Schaumkelle herausnehmen und anschließend auf Küchenkrepp abtropfen lassen. Speckwürfel und Petersilie mischen. Speckfett mit Öl verrühren und nacheinander 4 Omeletts darin braten. Pfanne beim Braten immer ein wenig rütteln, bis die Teigoberfläche gestockt ist, dann die Speckwürfel daraufstreuen. Omelett zusammenklappen und im vorgeheizten Ofen warm stellen, bis die anderen drei gebacken sind.

Vorbereiten: 10 Minuten
Garen: Pro Omelett 3 Minuten
1 Port.: 12 g E, 27 g F, 1 g KH = 1316 kJ (314 kcal)

Das paßt dazu:
Ein frischer Salat aus jungem Löwenzahn, der mit einem sehr guten Olivenöl aus der Toskana angemacht und herzhaft gepfeffert wird.

Käse-Crêpes

Frittata al formaggio
Ohne Foto

Für 4 Portionen:
165 g Mehl, Salz
½ l Milch, 2 Eier
55 g Butter
500 g Tomaten
50 g Speck (gewürfelt)
200 g Zwiebeln (gewürfelt)
300 g Tomatenpüree
Pfeffer (Mühle)
1 Bund Basilikum
Öl zum Backen
¼ l Brühe
150 g Fontina-Käse (geraffelt)
Muskatnuß

125 g Mehl, 1 Prise Salz, ¼ l Milch, 2 Eier und 15 g geschmolzene Butter verrühren. Tomaten häuten, entkernen und in Streifen schneiden. Speck ausbraten. Zwiebeln zugeben, glasig dünsten. Tomatenpüree zugeben und unter Rühren 10 Min. offen kochen, mit Salz, Pfeffer, fein gezupftem Basilikum würzen. Tomatenstreifen unterziehen.
In einer kleinen Pfanne in wenig Öl 8 Crêpes bakken. Mit Tomatensauce bestreichen, aufrollen und in eine gebutterte Form legen.
40 g Mehl in 40 g Butter anschwitzen, mit Brühe und restlicher Milch auffüllen, durchkochen, 100 g Käse zugeben. Mit Salz, Pfeffer, Muskat würzen, über die Crêpes gießen, mit restlichem Käse bestreuen. Bei 200 Grad (Gas 3) im Ofen 20 Min. backen.

Zubereiten: 1 Stunde
1 Port.: 24 g E, 49 g F, 47 g KH = 3160 kJ (750 kcal)

Omelett-Variationen

Ligurische Art
(Frittata alla barcarola)
Mit Knoblauch, Sardellenfilet und Petersilie gefülltes Omelett.

Kampanische Art
(Frittata di cavolfiore)
Mit gedünsteten Blumenkohlröschen und viel frisch geriebenem Pecorino-Käse in der Eimasse.

Cosenza-Art
(Frittata di vermicelli)
Nicht zu weich gekochte Nudeln mit geriebenem Schafskäse, gehackter Salami und Eiern verrührt und dann in Öl gebacken.

... mit Zwiebeln
(di cipolla, Cremona)
Gedünstete Zwiebeln, Mehl und Käse. Manchmal auch mit gekochten Kartoffeln.

... mit grünem Spargel
(con punta di asparagi, Umbrien)
Spargel und Knoblauch in Öl gebraten. Mit Salz und Pfeffer verquirlte Eier dazugießen, auf beiden Seiten braten.

... mit Artischocken
(con carciofi, Latium)
Sehr junge Artischockenscheiben mit Knoblauch in Öl braten. Mit Salz und Pfeffer verquirlte Eier zugeben, auf beiden Seiten braten.

*Das Omelett
in der kleinen Pfanne
ist mit Muschelfleisch und
Petersilie gefüllt (con vongole).
Die übergeklappten Speck-Omeletts
auf der großen Platte stammen
aus der Toskana*

233

Crêpes mit Spinatfüllung

Crispelle con spinaci

Für 4 Portionen:

Teig:
125 g Mehl
2 Eier
¼ l Milch
je 1 Prise Salz und Zucker
20 g geschmolzene Butter

Spinatfüllung:
500 g junger Blattspinat
200 g Ricotta-Käse (oder abgetropfter Sahnequark)
100 g frisch geriebener Parmesan-Käse
2 kleine Eier
Salz
Pfeffer (Mühle)
20 g Butterschmalz
¼ l Schlagsahne

Außerdem:
6–8 EL Tomatensauce (S. 115)

Aus den angegebenen Zutaten einen Teig rühren und 1 Std. ruhenlassen. Inzwischen für die Füllung den Spinat verlesen und waschen, tropfnaß bei starker Hitze im geschlossenen Topf zusammenfallen lassen. Spinat abgießen und die Flüssigkeit sorgfältig auspressen. Trockenen Spinat mit dem Schneidstab vom Handrührer fein pürieren. Ricotta, 2 EL Parmesan, Eier, Salz und Pfeffer zugeben, mit der Hand locker mischen und noch einmal abschmecken.

Eine Pfanne (18 cm ⌀) mit etwas Butterschmalz ausfetten und darin nacheinander 8 Crêpes bakken. Die fertigen Crêpes mit Spinatfarce bestreichen und aufrollen.
Jetzt eine große, ofenfeste Form mit Butterschmalz ausfetten. Die Rollen nebeneinander hineinlegen. Die Sahne mit dem restlichen Parmesan verrühren und über die Rollen gießen. Die Rollen mit Tomatensauce bestreichen. Die Crêpes im vorgeheizten Ofen (225 Grad, Gas 4) etwa 15–20 Min. backen und dann in der Form servieren.

Zubereiten: 1½ Stunden
1 Port.: 31 g E, 57 g F, 31 g KH
= 3314 kJ (792 kcal)

Unser Tip:
Zu den Spinatcrêpes sollte es unbedingt einen frischen Salat geben. Die Crêpes können Sie auch als Bestandteil eines Antipasti-Buffets anbieten.

*Die Spinatcrêpes sind mit
Ricotta- und Parmesan-Käse
angereichert worden, bevor
sie – aufgerollt, mit Käse-Sahne
begossen und mit Tomaten-
sauce bestrichen – im
Ofen überbacken werden*

Setzeier in Tomatensauce

Uova affogate
in sugo di pomodoro

Für 4 Portionen:
2 Zwiebeln
1 Knoblauchzehe
4 EL Olivenöl
2 Dosen geschälte
Tomaten (à 850 g EW)
1 Lorbeerblatt
Salz
Cayennepfeffer
Zucker
1 TL getrockneter
Oregano
4 Eier

Zwiebeln pellen und würfeln. Knoblauch pellen und fein hacken.
Öl in einer großen Pfanne mäßig erhitzen. Zwiebeln und Knoblauch darin andünsten. Tomaten durch ein Sieb dazustreichen. Lorbeer zugeben. Tomatensauce aufkochen, dann bei mittlerer Hitze in 35 Min. dick einkochen lassen, dabei gelegentlich umrühren.
Die Tomatensauce herzhaft mit Salz, Cayenne-pfeffer und 1 Prise Zucker würzen. Zum Schluß Oregano unterrühren. 4 Mulden in die Tomatensauce drücken. Jeweils ein Ei aufschlagen und in je eine Mulde gleiten lassen und salzen.
Die Eier entweder auf dem Herd unter geschlossenem Deckel oder im vorgeheizten Backofen (175 bis 200 Grad, Gas 2–3) in etwa 10–15 Min. stocken lassen. Mit frischem Brot servieren.

Zubereiten: 1 Stunde
1 Port.: 12 g E, 16 g F, 23 g KH
= 1262 kJ (301 kcal)

Unser Tip:
Wenn Sie zu diesem schönen Eiergericht noch einen frischen Salat servieren, haben Sie eine vollständige kleine Mahlzeit, die zudem noch vollwertig ist.

Kräuterflan

La Tartarà
Langhe, Piemont

Für 6 Portionen:
¾ l Schlagsahne
¼ l Milch, Salz
1 Kräuterstrauß (1 Rosmarinzweig, 2 Lorbeerblätter, 1 Salbeiblatt, 2 Stiele Petersilie)
einige Rosmarinnadeln
3 EL glatte Petersilie
2 Salbeiblätter
2 Lorbeerblätter
1 Zwiebel
1 Knoblauchzehe
20 g Butter, weißer Pfeffer
Muskatnuß, 6 Eier
50 g Parmesan (gerieben)
Fett für die Form

Sahne, Milch und 1 Prise Salz aufkochen. Den Kräuterstrauß darin 30 Min. kochen, rausnehmen. Inzwischen Rosmarin, Petersilie, Salbei, Lorbeer, gepellte Zwiebel und Knoblauch fein hakken, in Butter dünsten, mit Sahne verrühren, mit Salz, Pfeffer und Muskat würzen.
Eier trennen. Sahne vom Herd nehmen, mit Eigelb verrühren. Eiersahne auf der ausgeschalteten Herdplatte unter Rühren sämig werden lassen.
Eiweiß steif schlagen. Erst den Käse, dann den Eischnee unter die Sahne rühren. Masse in eine ofenfeste, ausgefettete Form (2 l) gießen. Heißes Wasser in die Saftpfanne gießen. Form hineinstellen. Flan im vorgeheizten Backofen (175–200 Grad, Gas 2–3, 2. Leiste v. u.) in 25–30 Min. garen. Mit Petersilien-Champignons servieren.

Zubereiten: 1 Stunde
1 Port.: 14 g E, 52 g F, 6 g KH =
2418 kJ (577 kcal)

Petersilien-Champignons
(Funghi coltivati
al prezzemolo)

500 g große, rosa Champignons in Scheiben in 60 g Butter braten, und mit Salz, Pfeffer und viel gehackter Petersilie würzen.

Dieser Kräuterflan, dessen italienischer Name klingt wie ein Fanfarenstoß (Tartarà), ist eine Spezialität aus den Langhe, einem Weinbaugebiet im Piemont. Er besteht im wesentlichen aus Sahne und Kräutern und wird von Pilzen begleitet. Im Herbst sollten es unbedingt frische Steinpilze sein

Rührei mit Trüffeln

Uova intartufate
Umbrien/Piemont

Für 4 Portionen:
8 Eier
1 schwarze Trüffel
(20–25 g)
2 EL Mineralwasser
Salz, 45 g Butter

Die Eier mit der Trüffel in ein Einmachglas legen, verschließen und über Nacht bei Zimmertemperatur stehenlassen.
Am anderen Tag die Eier in eine Schüssel schlagen. Mit Mineralwasser und Salz verschlagen.
Butter in einer großen Pfanne erhitzen. Ei hineingießen. Wenn die Eimasse anfängt am Rand zu stocken, wird sie zur Mitte hin mit einem Holzspatel zusammengeschoben.
Fertiges Rührei aus der Pfanne auf eine vorgewärmte Platte schieben. Bei Tisch die Trüffel darüberhobeln.

Zubereiten: 10 Minuten
1 Port.: 12 g E, 22 g F, 0 g KH =
1298 kJ (310 kcal)

Unser Tip:
Im Piemont werden die Rühreier mit weißer, in Umbrien mit schwarzer Trüffel zubereitet. Beide Male handelt es sich um ein typisches Wintergericht. Es könnte sein, daß Sie dieses Gericht unter dem Namen „Frittata con tartufi" kennen. Die Italiener unterscheiden nicht so genau wie wir zwischen Rühr- und Spiegelei oder Omelett.

Die passende Variation:
Am besten schmecken Trüffel, wenn man sie in nasses Packpapier wickelt und dann in der Asche unter der Glut brät. Wahre Trüffelliebhaber legen sich dann noch beim Essen ein Tuch über Kopf und Teller, damit auch ja nichts vom kostbaren Aroma verlorengeht.

Feingemachtes Rührei mit frisch gehobelten Trüffelspänen. Ein teures, aber auch ein ungemein schönes Vergnügen, das sich die Italiener im Winter, und ohne groß nach dem Preis zu fragen, gerne gönnen

Crêpes mit Pilzfüllung

Crespelle ai funghi

Für 4 Portionen:

Teig:
**40 g Mehl
¼ l Milch
2 Eier, Salz**

Füllung:
**750 g Pilze (Maronen oder
große Champignons)
250 g Zwiebeln
1 Bund Schnittlauch
1 Bund Petersilie
50 g Butter
Salz
Pfeffer (Mühle)**

Außerdem:
**Fett zum Backen
200 g Crème fraîche**

Für den Teig Mehl mit Milch verrühren und 30 Min. ausquellen lassen. Dann die Eier und das Salz gut darin verrühren. Füllung zubereiten, während der Teig quillt. Pilze putzen, wenn nötig waschen. Pilze in Scheiben schneiden. Zwiebeln pellen und fein würfeln. Schnittlauch in feine Röllchen schneiden. Petersilie fein hacken.

Butter in der Pfanne schmelzen lassen. Zwiebeln darin glasig werden lassen. Pilze zugeben und darin so lange offen dünsten, bis die Flüssigkeit völlig verdampft ist. Farce mit Salz und Pfeffer würzen und die Kräuter unterziehen. Farce abkühlen lassen.
In einer Crêpepfanne (oder in einer anderen Pfanne mit flachem Rand) etwas Fett schmelzen lassen und ein Viertel vom Teig hineingeben. Crêpe auf jeder Seite goldbraun backen, danach warm stellen. Back-

vorgang noch dreimal wiederholen. Teig vorher jedesmal wieder gut durchrühren.
Pilzfarce auf die vier Crêpes streichen. Jeden Crêpe zu einer Rolle aufwickeln. Eine ofenfeste Form ausfetten. Die Rollen nebeneinander hineinlegen. Crème fraîche darübergießen.
Crêpes unter dem eingeschalteten Grill in 10 Min. bräunen und anschließend in der Form servieren.

*Zubereiten: 1 Stunde
1 Port.: 12 g E, 41 g F, 25 g KH
= 2224 kJ (531 kcal)*

Mozzarella-Crêpes
Aus dem Teig werden vier kleine Crêpes in jeweils einem Teelöffel Olivenöl gebacken. Die fertigen Pfannkuchen kommen nebeneinander auf ein gefettetes Backblech und werden mit 200 g gewürfeltem Mozzarella belegt und mit Thymian, Majoran und Pfeffer gewürzt. Gebacken wird im vorgeheizten Backofen auf der obersten Einschubleiste bei stärkster Hitze, etwa 4–6 Minuten. Vorm Servieren werden die Mozzarella-Crêpes noch einmal mit frischem Olivenöl beträufelt und mit frisch gemahlenem Pfeffer gewürzt.

Zucchini-Eierkuchen

Tortino alla fiorentina
Toskana

**Für 4 Portionen:
3 Stengel Majoran
1 Bund glatte Petersilie
600 g junge, feste Zucchini
2 EL Mehl
6 EL Olivenöl
6 Eier
4 EL Milch
1 EL frisch geriebener
Pecorino-Käse
Salz
Pfeffer (Mühle)
Fett für die Form**

Die Kräuter fein hacken. Die Zucchini putzen, waschen und der Länge nach in dünne Scheiben schneiden. Scheiben in Mehl wenden, überschüssiges Mehl abklopfen.
Öl in einer großen Pfanne erhitzen. Zucchinischeiben darin von beiden Seiten goldbraun braten.
Die Eier mit der Milch und dem Käse verquirlen, salzen und pfeffern und dann die Kräuter unterziehen.
Eine ofenfeste Form etwas ausfetten. Die Zucchinischeiben hineinschichten und mit der Eiermilch übergießen.
Im vorgeheizten Backofen (250 Grad, Gas 5–6, 2. Leiste v. o.) etwa 20 Min. backen. In der Form servieren.

*Zubereiten: 45 Minuten
1 Port.: 14 g E, 25 g F, 10 g KH
= 1413 kJ (337 kcal)*

Broccoli-Eierkuchen
(Frittata con broccoli)
Nach dem Rezept vom Zucchini-Eierkuchen, nur eben mit Broccoli, den man in Röschen zerlegt, die halbiert werden. Auf die Kräuter in der Eiermilch wird verzichtet. Und statt des Pecorino wird frisch geriebener Parmesankäse genommen. Zum Schluß kann man die Eierkuchen mit gerösteten Mandelblättchen oder gerösteten Pinienkernen bestreuen.

*Die florentinische
Küche ist bekannt für
schöne Gemüsegerichte. Dieser
Zucchini-Eierkuchen gehört
dazu. Er kann als Vorspeise, aber auch als
kleines Hauptgericht gegessen werden*

GEMÜSE
VERDURE

Zucchiniblüten in Weinteig

Fritto di fiori di zucca

Für 4 Portionen:
3 kleine Eier
⅛ l Weißwein, 125 g Mehl
je 1 Prise Salz und Zucker
2 EL Rum
Öl zum Ausbacken
12 Zucchiniblüten

Eier mit Wein in einer Schüssel sehr schaumig schlagen. Mehl, Salz und Zucker unterrühren. Teig 30 Min. ausquellen lassen. Rum unterrühren.
Öl auf 175 Grad erhitzen. Stempel aus den Blüten brechen. Blüten in den Teig tauchen, 2–3 Min. im Öl schwimmend ausbacken. Auf Küchenkrepp abtropfen lassen.

Zubereiten: 15 Minuten
1 Port.: 8 g E, 10 g F, 25 g KH =
1114 kJ (266 kcal)

Gefüllte Zucchiniblüten

Fiori di zucca ripiene

Für 4 Portionen:
125 g Kalbfleischwürfel
2 Schalotten, 15 g Butter
1 Bund Basilikum
1 Ei, Salz, Pfeffer
12 Zucchiniblüten
5 EL Öl
2 EL Zitronensaft

Fleisch im Mixer pürieren. Schalotten pellen, fein hacken, in der Butter glasig dünsten. Basilikum zupfen. Vorbereitete Zutaten mit Ei, Salz und Pfeffer verkneten. Stempel aus den Blüten brechen, Fleischteig einfüllen. Blütenenden zusammendrücken.
2 EL Öl in eine ofenfeste Form geben. Blüten hineinlegen, mit restlichem Öl und Zitronensaft beträufeln, im Ofen (250 Grad, Gas 5–6) 15 Min. backen.

Zubereiten: 30 Minuten
1 Port.: 8 g E, 18 g F, 1 g KH =
860 kJ (206 kcal)

*Zu den schönsten frühsommer-
lichen Vorspeisen gehören gefüllte
oder in Weinteig ausgebackene
Zucchiniblüten, die es glücklicher-
weise jetzt auch auf unseren
Märkten gibt, wenn sie nicht sogar
im eigenen Garten blühen*

Warmer Gemüsesalat mit Auberginen

Caponata di verdure
Sizilien

Für 4–6 Portionen:
750 g Auberginen
500 g Staudensellerie
250 g rote Zwiebeln
200 ccm Olivenöl
50 ccm Rotweinessig
50 g Zucker
1 EL Kapern
3 Sardellenfilets
Salz, Pfeffer (Mühle)
1 Dose Tomaten
(425 g EW)
6 große grüne Oliven
1 Bund Basilikum
30 g Pinienkerne

Auberginen schälen und würfeln (1 × 1 cm). Staudensellerie putzen, waschen, in nicht zu kleine Stücke schneiden. Die Zwiebeln pellen und in Spalten schneiden. Etwas Öl erhitzen. Sellerie und Zwiebeln darin in knapp 15 Min. garen. Gemüse aus dem Topf nehmen. Auberginen im restlichen Öl goldbraun braten. Zwiebeln und Sellerie zugeben. Gemüse mit Essig, Zucker, gehackten Kapern, fein zerdrückten Sardellenfilets gut verrühren, salzen und pfeffern. Abgetropfte Tomaten und Oliven zugeben.
Gemüse zugedeckt bei milder Hitze 15 Min. schmoren. Dann den Deckel abnehmen und die Flüssigkeit noch etwas einkochen lassen (wenn es nötig ist), das Gemüse dabei möglichst wenig umrühren. Vor dem Servieren gehacktes Basilikum und die Pinienkerne darüberstreuen.

Zubereiten: 50 Minuten
1 Port. (6 Port.): 6 g E, 30 g F,
14 g KH = 1463 kJ (370 kcal)

Grüner Spargel

Asparagi verdi

Für 4 Portionen:
1 kg grüner Spargel
Salz

Spargel waschen. Untere Teile der Stangen dünn schälen, dabei die unteren holzigen Teile abbrechen. Spargel mit Küchengarn zu kleinen Bündeln zusammenfassen.
Schwach gesalzenes Wasser zum Kochen bringen. Spargelbündel ins kochende Wasser geben und darin, je nach Dicke, 5–10 Min. garen, mit der Schaumkelle herausheben, abtropfen lassen und mit drei Saucen servieren. Garprobe: Sobald sich die Spargelspitzen beim Kochen biegen, ist das Gemüse gar.

Zubereiten: 30 Minuten
1 Port.: 4 g E, 0 g F, 2 g KH =
104 kJ (26 kcal)

Die passende Geschichte:
Weißer Spargel ist in Italien relativ unbekannt, der grüne ist hier Favorit. Er ist viel gemüsiger und kräftiger und verträgt sich deshalb auch mit herzhaften Saucen.

Weißweinsauce

Salsa al vino bianco
Im Foto oben links

Für 4 Portionen:
4 Eigelb
50 ccm Weißwein
20 g Butter
Zucker, Salz
Zitronensaft

Eigelb mit Wein in der Schüssel kräftig verschlagen. Schüssel ins heiße Wasserbad stellen. Mischung zu einer dicken, schaumigen Creme aufschlagen. Schüssel aus dem Wasserbad nehmen. Butter in kleinen Flöckchen unter die Creme schlagen. Sauce mit 1 Prise Zucker, Salz und Zitronensaft (nach Geschmack) abschmecken.

Zubereiten: 10 Minuten
1 Port.: 3 g E, 10 g F, 7 g KH =
538 kJ (129 kcal)

Knoblauchsauce

Aioli
Im Foto oben rechts

Für 4 Portionen:
2 Knoblauchzehen
2 Eigelb
1 TL Senf
Pfeffer (Mühle)
⅛ l Olivenöl
Zitronensaft
Salz

Knoblauch pellen, in eine Rührschüssel pressen, mit Eigelb, Senf und Pfeffer verrühren. Öl in dünnem Strahl unterschlagen. Die Sauce mit Zitronensaft (nach Geschmack) und Salz würzen.

Zubereiten: 5 Minuten
1 Port.: 2 g E, 28 g F, 1 g KH =
1141 kJ (273 kcal)

Tatarensauce
(Salsa alla tartara)
Im Foto oben in der Mitte

Sie wird nach dem Rezept von S. 126 zubereitet, aber ohne Paprikaschote, weil die sich nicht mit dem Spargel vertragen würde.

Die Basis der
Caponata sind immer
Auberginen. Wir haben den
Fisch weggelassen, der
sonst in Sizilien und in Ligurien noch dazukommt.
Beide Landstriche sind für die
üppige Bestückung ihrer Ge-
müsesalate bekannt

Gemischter Salat

Insalata mista

Für 4 Portionen:
¼ Kopf Eskarolsalat
¼ Kopf Friseesalat
1 kleiner Kopf Radicchio
2 mittelgroße Tomaten
2 Möhren
1 kleine Salatgurke
½ Zwiebel
1 Knoblauchzehe
2 Sardellenfilets in Öl
40 g Kapern
3 EL Kräuteressig
Salz
Pfeffer (Mühle)
3 EL Olivenöl

Salat verlesen und grobe Strünke herausschneiden. Salatblätter gründlich waschen, trockenschleudern und in mundgerechte Stücke teilen. Tomaten waschen und die Stielansätze keilförmig herausschneiden. Tomaten in Scheiben schneiden.

Möhren waschen, schälen und raspeln. Gurke schälen und in Scheiben schneiden. Salate mit Tomaten und Möhren auf Portionstellern anrichten. Für die Sauce Zwiebel und Knoblauch pellen. Zwiebel sehr fein würfeln, Knoblauch durchpressen. Sardellen abspülen, sehr fein zerdrücken. Kapern fein hacken.

Diese Zutaten in einer Schüssel mit Essig verrühren, salzen und pfeffern und das Öl unterrühren. Sauce noch einmal herzhaft abschmecken und vor dem Servieren über den Salat gießen.

Zubereiten: 20 Minuten
1 Port.: 3 g E, 8 g F, 8 g KH =
507 kJ (121 kcal)

Wichtig:
Salatsaucen werden in Italien, wie Sie sicher schon gemerkt haben, gerne mit zerdrückten Sardellenfilets gewürzt. Wenn Sie die nicht mögen, können Sie sie auch einfach weglassen.

Feiner Gemüsesalat

Insalata ricca
Sizilien
Im Foto unten

Für 4 Portionen:
2 kleine feste Kopfsalate
3 Stangen Staudensellerie
1 Fenchelknolle
2 Fleischtomaten (500 g)
1 Dose Thunfisch
(naturell, 200 g)
100 g grüne Oliven
2 Sardellenfilets in Öl
6 hartgekochte Eier
2–3 EL Essig
Salz, Pfeffer (Mühle)
6 EL Olivenöl

Äußere, harte und unansehnliche Salatblätter entfernen. Salatköpfe achteln, vorsichtig waschen und abtropfen lassen.

Sellerie und Fenchel putzen und in feine Scheiben schneiden. Tomaten waschen, die Stielansätze keilförmig herausschneiden. Tomaten in Stücke schneiden. Diese Salatzutaten auf Portionstellern verteilen.

Thunfisch abtropfen lassen und grob zerteilen. Oliven entsteinen und fein hacken. Sardellen abspülen und fein zerdrücken. Eier pellen und vierteln. Diese Zutaten auf den Tellern verteilen.

Essig mit Salz, Pfeffer und Öl verrühren, den Salat damit beträufeln.

Zubereiten: 20 Minuten
1 Port.: 25 g E, 36 g F, 12 g KH
= 2065 kJ (493 kcal)

Das paßt dazu:
Brot und Mineralwasser, weil beide Salate für sich eine vollständige Mahlzeit sein können – jedenfalls für einen Italiener, der durchaus nicht immer und zu jeder Tages- und Nachtzeit Nudeln ißt. Für die berufstätige italienische Frau ist die Insalata mista am Mittag schon fast die Regel – aus den gleichen Schlankheitsgründen wie bei uns übrigens.

*Nur zwei von den unzähligen
italienischen Salat-Variationen: oben
der ganz einfache gemischte
Salat, die Insalata mista. Und unten
eine feinere Version aus Sizilien,
die Insalata ricca*

249

Safranerbsen

Piselli allo zafferano

Für 4 Portionen:
1 kg Erbsenschoten
1 Zwiebel
4 EL Olivenöl
Salz, Pfeffer (Mühle)
1 Tütchen Safran

Erbsen auspalen. Zwiebeln pellen und in Ringe schneiden. Öl erhitzen. Erbsen zugeben, salzen und pfeffern. Safran in 4 EL heißem Wasser auflösen, unter die Erbsen mischen. Auf kleinster Hitze zugedeckt in 10 Min. bißfest garen.

Zubereiten: 40 Minuten
1 Port.: 8 g E, 11 g F, 18 g KH =
867 kJ (208 kcal)

Wichtig:
Bei TK-Erbsen verringert sich die Garzeit auf 5 Min.

Mangold auf römische Art

Bietole alla romana

Für 4 Portionen:
800 g Mangold
3 EL Olivenöl
2 Knoblauchzehen
3 Sardellenfilets in Öl
1 kleine Dose geschälte Tomaten (425 g EW)
Salz, Pfeffer (Mühle)

Mangold waschen. Blätter und Stiele trennen. Alles in fingerbreite Streifen schneiden. Das Öl erhitzen. Gewürfelten Knoblauch und zerdrückte Sardellenfilets darin andünsten. Tomaten mit Saft zugeben, zerdrücken, 15 Min. leise offen kochen. Mangoldstiele zugeben, 5 Min. dünsten. Blätter zugeben, 8 Min. dünsten. Salzen und pfeffern.

Zubereiten: 40 Minuten
1 Port.: 5 g E, 8 g F, 7 g KH =
520 kJ (124 kcal)

Radicchiosalat

Radicchio alla vicentina

Für 4 Portionen:
400 g Radicchio
100 g frischer Speck
1 EL Öl, Salz, Pfeffer
2 EL Weinessig
dünn abgeschälte Schale von ½ unbeh. Zitrone (in feinen Streifen)

Salat putzen, waschen, trockenschleudern und in mundgerechte Stücke zupfen, auf 4 Teller verteilen. Speck fein würfeln, im Öl knusprig ausbraten, salzen und pfeffern, dann mit Essig ablöschen und verdampfen lassen. Heißen Speck mit Fett auf den Salat gießen. Mit Zitronenschale bestreuen.

Zubereiten: 20 Minuten
1 Port.: 2 g E, 23 g F, 1 g KH =
943 kJ (225 kcal)

Wichtig:
Der Salat muß gleich serviert werden. Kaltes, erstarrtes Fett schmeckt furchtbar.

Radicchio aus Treviso
„Wollte man Venedig mit einem großen Haus vergleichen", heißt es in einer Chronik aus dem 16. Jahrhundert, „dann wäre die Lagune der dazugehörige Fischteich und die Gegend von Treviso der Garten." Die berühmteste eßbare Blume dieses Gartens ist der würzig-bitterscharfe, rote Radicchio (aus der Gattung cichorium wie die Wegwarte und der Chicoree), der als Salat gegessen wird.

Artischocken auf jüdische Art
(Carciofi alla giudia)
Ein uraltes römisches Gericht, bei dem zarte, geputzte Artischocken kopfüber und mit dem Stiel nach oben in Öl ausgebacken werden, bis sich die Blätter wie bei einer Chrysanthemenblüte weit auffächern.

Aufrechte Artischocken

Carciofi ritti

Für 4 Portionen:
12 kleine Artischocken
Zitronenwasser
Füllung:
100 g luftgetrockneter Schweinebauch
1 Knoblauchzehe
1 Bund glatte Petersilie
2 Salbeiblätter
Salz, Pfeffer (Mühle)
5 EL Olivenöl
500 ccm Rotwein (Chianti)

Äußere dunkle Artischockenblätter abzupfen. Oberes Drittel der Artischocken abschneiden, innere Teile mit einem Teelöffel herausschaben. Stiele am Boden flach abschneiden. Artischocken ins Zitronenwasser legen. Fleisch fein hacken. Den Knoblauch dazupressen. Feingehackte Petersilien- und Salbeiblättchen untermischen. Farce gut verkneten und herzhaft salzen und pfeffern. Artischocken abtrocknen, mit Farce füllen, nebeneinander in eine flache, feuerfeste Form setzen. Öl und Wein zugießen, zugedeckt in 20 Min. garen.

Zubereiten: 40 Minuten
1 Port.: 6 g E, 33 g F, 22 g KH =
2081 kJ (497 kcal)

Artischocken auf römische Art
(Carciofi alla romana)
Zarte junge Artischocken werden geputzt und etwas ausgehöhlt. In die Höhlung und zwischen die Blätter gibt man Knoblauchstifte und gehackte Minze und schmort sie dann in viel gutem Olivenöl. Kopfüber und mit dem Stiel nach oben stellt man die Artischocken dann in eine flache Schale und serviert sie als Vorspeise.

Aus Sardinien: Safranerbsen

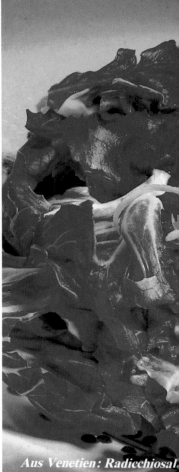

Aus Venetien: Radicchiosalat

Aus Latium: Mangold auf römische Art

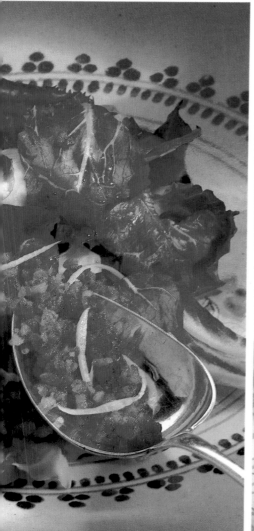

Aus der Toskana: Aufrechte Artischocken

251

Erbsen-Bohnen-Pfanne

Padellaccia
Rist. Grotta Azzurra,
Trevignano, Latium

Für 4 Portionen:
1 kg dicke Bohnen
1 kg Erbsenschoten
30 g Butter
¼ l Instantbrühe
2 Bund glatte Petersilie
Salz
Pfeffer (Mühle)
1 TL Zucker

Bohnen und Erbsen waschen und auspalen. Butter in einer breiten Pfanne schmelzen lassen. Bohnen darin 10–15 Min. andünsten, dabei die Brühe nach und nach zugießen. Erbsen zugeben. Gemüse noch einmal 10 Minuten garen.
Inzwischen Petersilienblättchen von den Stielen zupfen und hacken.

Das Gemüse vor dem Servieren mit Salz, Pfeffer und Zucker würzen. Zum Schluß die Petersilie unterziehen.

Zubereiten: 40 Minuten
1 Port.: 23 g E, 9 g F, 56 g KH =
1674 kJ (400 kcal)

Die passende Geschichte:
Eine Padella ist eine Pfanne. Und eine Padellaccia ist ein kleines Gericht, das aus einer Pfanne kommt. Sie wird übrigens immer aus frischen bitteren und süßen Gemüse zubereitet, das können, wie hier, süße frische Erbsen und leicht-bittere frische dicke Bohnen sein. Man könnte aber auch z. B. junge süße Kartoffeln zu jungen frischen bitteren Artischocken geben. Oder Kartoffeln zu dicken Bohnen. Oder Erbsen zu Spargel.

Gefüllte Auberginen

Melanzane ripiene

Für 4 Portionen:
4 mittelgroße Auberginen
Salz
75 g Provolone-Käse
(ersatzw. mittelalter Gouda)
⅛ l Olivenöl
2 Knoblauchzehen
100 g durchw. Speck
3 kleine Dosen Tomaten
(à 425 g EW)
Pfeffer (Mühle)

Stiel und Blütenansatz der Auberginen abschneiden. Früchte waschen und jede längs in 6 Scheiben schneiden. Scheiben auf beiden Seiten mit Salz bestreuen, wieder aufeinanderlegen und Saft ziehen lassen. Auberginenscheiben dann leicht ausdrücken.
Käse fein raspeln. Öl in einer Pfanne stark erhitzen. Auberginenscheiben darin von beiden Seiten braten und anschließend auf Küchenkrepp abtropfen lassen. Knoblauchzehen pellen und durch die Knoblauchpresse drücken. Auberginenscheiben auf beiden Seiten damit bestreichen.
Speck fein würfeln, etwas davon beiseite legen, den Rest in der Pfanne knusprig ausbraten. Tomaten ohne Flüssigkeit zugeben, etwas zerdrücken und gut anschmoren, mit Salz und Pfeffer würzen.
Die Auberginenscheiben schichtweise mit den Tomaten und dem Käse (etwas zum Bestreuen zurücklassen) in eine ofenfeste Auflaufform legen und mit dem zurückgelegten Speck bestreuen.
Form in den vorgeheizten Ofen setzen (225 Grad, Gas 4, 2. Leiste v. u.). Auberginen offen 20 Min. garen. Danach mit dem restlichen Käse bestreuen und sofort servieren.

Zubereiten: 1½ Stunden
1 Port.: 29 g E, 51 g F, 16 g KH
= 2454 kJ (586 kcal)

Der passende Tip:
Dieses Gericht läßt sich sehr gut für mehrere Portionen auf der Saftpfanne vom Backofen garen.

Die passende Geschichte:
Die Auberginen-Provinz Italiens ist Kalabrien. Aber auch dort sind sie bis zum Ende des vorigen Jahrhunderts nicht allzu beliebt gewesen, weil sie zu bitter schmeckten und in dem Ruf standen, den Esser um den Verstand zu bringen. Später hat man dann gelernt, daß man die Eierfrüchte vor der Zubereitung in Salzwasser legen oder einsalzen und hinterher abspülen muß. Die kalabresischen Auberginen sind besonders aromatisch, weil Hitze, Trockenheit und die kalkarmen Böden dieses Landstrichs die besten Voraussetzungen für dieses Gemüse sind.

Die Aubergine ist ein Glanzstück
der Natur. Aber: Wer die
prächtige Gemüsefrucht essen will,
braucht ein gutes Rezept.
Weil sich die Schöne nämlich
kulinarisch ein bißchen spröde zeigt.
Bei richtiger Behandlung
jedoch schmeckt sie genauso, wie
sie aussieht: unwiderstehlich

Fritiertes Gemüse

Fritto misto di verdura

Für 6 Portionen:
Teig:
200 g Mehl
1 Ei (getrennt)
Salz
Gemüse:
125 g Blumenkohl
125 g Broccoli
125 g Zucchini
125 g grüne Bohnen
Salz
2 Stangen Staudensellerie
150 g Champignons (oder Steinpilze)
Außerdem:
Sonnenblumenöl zum Ausbacken
pro Person 1 Zitrone (in Achtel aufgeschnitten)

Für den Teig Mehl, Eigelb, Salz mit ¼ l Wasser in einer Schüssel verrühren. Den Teig 1 Stunde ruhen lassen.

Inzwischen das Gemüse vorbereiten: Blumenkohl und Broccoli putzen und in Röschen zerteilen. Zucchini putzen und längs in Scheiben schneiden. Grüne Bohnen putzen und entfädeln, dann 7 Min. in schwach gesalzenem Wasser vorgaren. Staudensellerie putzen, in fingerlange Stücke schneiden, in schwach gesalzenem Wasser 7 Min. vorgaren. Pilze nur wenn nötig waschen, putzen und große halbieren.

Öl in einer Friteuse (oder in einer Pfanne mit Fritiereinsatz und Thermometer) erhitzen. Inzwischen das Eiweiß sehr steif schlagen und unter den Teig ziehen. Die Gemüsestücke einzeln durch den Teig ziehen und dann schwimmend im Öl ausbacken. Vor dem Servieren kurz auf Küchenkrepp abtropfen lassen. Das fritierte Gemüse heiß bis lauwarm mit den Zitronen servieren.

Zubereiten: 1 Stunde
Ruhezeit für den Teig: 1 Stunde
1 Port.: 7 g E, 8 g F, 27 g KH = 875 kJ (209 kcal)

Fritiertes, egal ob Gemüse, Käse, Fisch oder Fleisch, ist die große kulinarische Leidenschaft der Italiener. Dicke Kochbücher beschäftigen sich allein mit diesem Thema

Gebratene Champignons und Tomaten mit Basilikum

Funghi prataioli
e pomodori in padella

Für 4 Portionen als
Vorspeise:
500 g Fleischtomaten
4 Knoblauchzehen
⅛ l Öl
500 g große weiße
Champignons
1 Bund glatte Petersilie
1 Bund Basilikum
1 EL kleine Kapern
Salz, schwarzer Pfeffer
2 EL Olivenöl
1 EL Zitronensaft
1 Zitrone

Tomaten häuten, Stielansätze keilförmig herausschneiden. Tomaten in Scheiben schneiden, auf Küchenkrepp legen. Knoblauch pellen, längs in Scheiben schneiden und im Öl braten, rausnehmen und auf Küchenkrepp legen. Geputzte Champignons in Scheiben schneiden, im Knoblauchöl portionsweise braten (pro Seite 2–3 Min.), auf Küchenkrepp abtropfen lassen. Petersilie und Basilikum fein hacken.

Pilze und Tomaten anrichten. Mit Knoblauch, Kapern und Kräutern bestreuen. Alles salzen und pfeffern und mit Olivenöl und Zitronensaft beträufeln. Mit Zitronenspalten servieren.

Zubereiten: 40 Minuten
1 Port.: 4 g E, 32 g F, 4 g KH = 1366 kJ (327 kcal)

Überbackener Fenchel

Finocchi gratinati

Für 4 Portionen:
1 Gemüsezwiebel
½ Bund Suppengrün
1 Knoblauchzehe
3 EL Öl
1 Dose Tomaten
(425 g EW)
Salz, Zucker
Paprikapulver
1 Lorbeerblatt
1 kg Fenchel
250 g Mozzarella
Pfeffer (Mühle)
1 EL Olivenöl
50 g Pinienkerne

Zwiebel pellen, fein würfeln. Suppengrün putzen, waschen, fein würfeln. Knoblauch pellen, fein hacken. Öl erhitzen. Vorbereitete Zutaten darin glasig dünsten. Tomaten grob hacken, mit Saft zugeben. Mit Salz, Zucker, Paprikapulver, Lorbeer würzen, bei mittlerer Hitze offen in 20 Min. dicklich einkochen.

Inzwischen Fenchel putzen, waschen, längs vierteln, in kochendem Wasser 3 Min. vorgaren. Abgetropft in die Tomatensauce legen und zugedeckt 20 Min. dünsten, nach 10 Min. einmal wenden. Alles in eine ofenfeste Form geben, mit 12 Scheiben Mozzarella belegen, pfeffern und mit Olivenöl beträufeln. Im vorgeheizten Ofen (200 Grad, Gas 3, 2. Leiste v. u.) 8–10 Min. überbacken. Inzwischen Pinienkerne ohne Fett rösten, mit Fenchelgrün auf das Gericht streuen.

Zubereiten: 1½ Stunden
1 Port.: 24 g E, 32 g F, 37 g KH = 2186 kJ (522 kcal)

Überbackener Fenchel wird
mit Tomaten und Mozzarella
im Ofen gebacken und vor
dem Servieren mit gerösteten
Pinienkernen und etwas
zartem Fenchelgrün bestreut.
Er reicht als Vorspeise
für acht oder als Hauptgericht
für vier Portionen

257

Spinat in Gorgonzolasauce

Spinaci al gorgonzola

Für 4 Portionen:
1 kg Blattspinat
50 g Butter
Salz
⅛ l trockener Weißwein
⅛ l Schlagsahne
100 g milder Gorgonzola
2 Eigelb
Pfeffer (Mühle)

Spinat verlesen und grobe Stiele entfernen. Spinatblätter mehrmals gründlich waschen und abtropfen lassen. 30 g Butter in einem großen Topf aufschäumen lassen, Spinat zugeben und in 2–3 Min. zusammenfallen lassen, dabei einmal wenden und anschließend salzen. Spinat bei milder Hitze warm halten.

Gleichzeitig die restliche Butter in einer anderen Pfanne schmelzen lassen. Wein und Sahne zugießen und offen leicht cremig einkochen lassen. Käse in kleine Stücke schneiden und in der Sauce schmelzen lassen. Eigelb mit etwas Sauce verrühren. Pfanne vom Herd nehmen. Sauce mit dem verrührten Eigelb legieren und mit Pfeffer würzen. Spinat vor dem Servieren in die Sauce geben und unterheben.

Zubereiten: 40 Minuten
1 Port.: 13 g E, 32 g F, 10 g KH
= 1839 kJ (440 kcal)

Das paßt dazu:
Kalbsnieren oder Kalbsleber und Landbrot.

Spinat mit Zitrone und Öl
(Spinaci all'agro)

Spinatblätter werden wie üblich geputzt, gründlich gewaschen, bis wirklich kein Sandkorn mehr drin ist, dann in kochendem Salzwasser kurz blanchiert und anschließend in Öl durchgeschwenkt und beim Servieren mit Zitronensaft, Salz und Pfeffer herzhaft gewürzt.

Spinat in Zitronensauce

Spinaci in salsa di limone

Für 4 Portionen:
1 kg Blattspinat
50 g Butter
Salz
4 Eigelb
4 EL trockener Weißwein
2–3 EL Zitronensaft
¼ l Schlagsahne
weißer Pfeffer (Mühle)
1 Bund Dill

Spinat verlesen und grobe Stiele entfernen. Spinatblätter mehrmals gründlich waschen und abtropfen lassen. Butter in einem großen Topf aufschäumen lassen. Spinat darin in 2–3 Min. zusammenfallen lassen, dabei einmal wenden und anschließend salzen. Spinat bei milder Hitze warm halten.

Für die Sauce Eigelb, Wein und 2 EL Zitronensaft in einem Topf mit dem Schneebesen verrühren, ins Wasserbad stellen und darin erwärmen, dabei ständig rühren. Nach und nach die Sahne unterschlagen, bis die Sauce cremig ist (aber nicht kochen lassen, weil sonst das Eigelb gerinnt). Die Sauce mit Salz, Pfeffer und eventuell noch mit Zitronensaft würzen.

Dill hacken, 1 EL beiseite legen, den Rest unter die Sauce rühren.

Spinat auf vorgewärmten Tellern anrichten, mit Dill bestreuen und mit der Zitronensauce servieren.

Zubereiten: 45 Minuten
1 Port.: 10 g E, 37 g F, 11 g KH
= 2047 kJ (489 kcal)

Das paßt dazu:
Sie können den Spinat als Beilage zu Kalbsschnitzelchen oder auch zu gebratenen Hühnerbrustfilets reichen. Sie können ihn aber auch mit etwas Brot als eigenständige Vorspeise anbieten.

Spinat in Gorgonzolasauce (links) und Spinat in Zitronensauce (rechts) gehören zu den beliebtesten Spinatzubereitungen in Italien. Innereien vom Kalb oder zartes Fleisch von Kalb und Geflügel sind die passende Begleitung

Salat aus gekochtem Gemüse

Insalata di verdura cotta

Für 4 Portionen:
350 g Blumenkohl
200 g Möhren
Salz
3 EL Weißweinessig
4 EL trockener Weißwein
1 TL grob geschroteter
schwarzer Pfeffer
8 EL Olivenöl
½ Bund glatte Petersilie
1 Fenchelknolle (300 g)
1 EL Zitronensaft
2 kleine Zwiebeln
½ Staudensellerie
250 g gemischte Oliven

Blumenkohl putzen und in Röschen zerteilen. Möhren schälen, waschen und schräg in Scheiben schneiden. Blumenkohl in kochendem Salzwasser bei milder Hitze 10 Min. garen, die Möhren nach 8 Min. 2 Min. mitgaren lassen. Gemüse hinterher gut abtropfen lassen.

Aus Essig, Wein, Salz, Pfeffer und Öl eine Sauce rühren. Petersilie hakken und unterrühren. Sauce durchziehen lassen, bis alle Zutaten vorbereitet sind, dabei ab und zu durchrühren.

Fenchel putzen, längs in dünne Scheiben schneiden und mit Zitronensaft beträufeln. Zwiebeln pellen und in Ringe schneiden. Staudensellerie putzen, schräg in Scheiben schneiden. Oliven halbieren und entsteinen.

Alle Zutaten in die Sauce geben und gut mischen. Salat noch einmal 15 Min. durchziehen lassen. Vor dem Servieren herzhaft mit Salz und Pfeffer abschmecken.

Zubereiten: 1 Stunde
1 Port.: 3 g E, 42 g F, 12 g KH =
2041 kJ (487 kcal)

Zucchini in Weinteig mit geschmolzenen Tomaten

Zucchini fritti e pomodori

Für 4 Portionen:
20 g Kürbiskerne
150 g Mehl
1 Messerspitze Backpulver
1 Ei, 1 Eigelb, Salz
175 ccm trockener
Weißwein
4 Zucchini (400 g)
Pflanzenfett zum Fritieren
400 g Fleischtomaten
1 kleine Zwiebel
2 EL Öl
Cayennepfeffer

Für den Teig Kürbiskerne fein hacken. Mehl, Backpulver, Ei und Eigelb verrühren, mit 1 Prise Salz würzen. Nach und nach unter Rühren Wein zugießen. So lange rühren, bis der Teig glatt ist. Kürbiskerne untermischen. Teig 15–20 Min. ausquellen lassen.

Inzwischen Zucchini waschen, putzen und längs in 1 cm dicke Scheiben

schneiden, auf Küchenkrepp ausbreiten, salzen, damit die Feuchtigkeit entzogen wird.

Pflanzenfett in einer Friteuse (oder in einer tiefen Pfanne) auf 180 Grad erhitzen.

Tomaten häuten, Stielansätze keilförmig herausschneiden. Tomaten vierteln, entkernen und fein würfeln. Zwiebel pellen, fein würfeln, im Öl glasig dünsten, Tomaten zugeben und kurz erhitzen, mit Salz und Cayennepfeffer würzen.

Die Zucchinischeiben abtrocknen, durch den Teig ziehen und im Fett in 3–4 Min. goldbraun braten, auf Küchenkrepp abtropfen lassen. Mit Tomaten servieren.

Zubereiten: 45 Minuten
1 Port.: 10 g E, 21 g F, 34 g KH
= 1671 kJ (399 kcal)

Das paßt dazu:
Ein Friseesalat mit einer Sauce aus Essig und Öl.

Der Witz: Der Weinteig wird mit feingehackten Kürbiskernen angereichert, was dem zarten Nußaroma der Zucchini ausgesprochen wohltut. Dazu werden geschmolzene Tomaten und Friseesalat serviert

Piemonteser Paprika

Peperonata alla piemontese

Für 4 Portionen:
500 g gelbe
Paprikaschoten
250 g Tomaten
2 Knoblauchzehen
1 Dose Sardellen in Öl
30 g Butter, Salz
3 EL Olivenöl
1 Bund glatte Petersilie

Paprika vierteln, Tomaten und Knoblauch in Scheiben schneiden. Sardellen hacken. Auf jedes Paprikastück Knoblauch, eine Tomatenscheibe, ½ TL Sardellen und ein Butterflöckchen geben, in eine ofenfeste Form geben, salzen, mit Öl beträufeln. Im vorgeheizten Ofen bei 200 Grad (Gas 3) 30 Min. garen und mit gehackter Petersilie bestreuen.

Zubereiten: 1 Stunde
1 Port.: 4 g E, 16 g F, 7 g KH =
759 kJ (190 kcal)

Gratinierter Staudensellerie

Sedano gratinato
Trevi, Umbrien

Für 4 Portionen:
1 kg Staudensellerie
100 g Schalotten
80 g Butter
2 Knoblauchzehen
500 g Fleischtomaten
2 EL Weißwein
Salz
schwarzer Pfeffer (Mühle)
50 g Parmesankäse
(frisch gerieben)
½ Bund Petersilie

Sellerie putzen, waschen, längs halbieren. Schalotten pellen, würfeln und in einer breiten Pfanne in 50 g Fett dünsten.

Knoblauch pellen, pürieren und mit Sellerie zu den Schalotten in die Pfanne geben, zugedeckt bei milder Hitze 20 Minuten dünsten.
Inzwischen die Tomaten häuten (S. 64), Stielansätze keilförmig herausschneiden. Das Tomatenfleisch würfeln. Sellerie aus der Pfanne nehmen. Wein in den Fond gießen, mit Salz und Pfeffer würzen. Sellerie wieder hineingeben. Mit Tomaten und Käse bestreuen, mit der restlichen flüssigen Butter begießen. Im vorgeheizten Ofen (250 Grad, Gas 5–6) 10 Min. überbacken. Vor dem Servieren mit gehackter Petersilie bestreuen.

Zubereiten: 1 Stunde
1 Port.: 7 g E, 20 g F, 7 g KH =
1058 kJ (253 kcal)

Staudensellerie ist in Italien viel beliebter als bei uns. Er wird in vielen Gerichten eingesetzt und gibt ihnen dann den letzten schönen „Biß"

Lauwarmer sizilianischer Gemüsesalat

Bobbia

Für 4 Portionen:
500 g reife Fleischtomaten
500 g fleischige Paprika-
schoten (rot und grün)
500 g Zwiebeln
500 g Kartoffeln
Salz, Pfeffer (Mühle)
⅛ l Olivenöl
(sehr gute Qualität)

Tomaten häuten (S. 64) und die Stielansätze keilförmig herausschneiden. Paprikaschoten putzen, halbieren, entkernen und waschen. Zwiebeln schälen. Kartoffeln schälen und waschen. Alle Gemüse in nicht zu kleine Stükke schneiden und tropfnaß in einen Topf geben, mit Salz und Pfeffer würzen. Das Öl darübergießen. Topf fest verschließen. Gemüse bei milder

Hitze 45 Min. garen, dabei ab und zu vorsichtig umrühren. Lauwarm oder auch kalt zu sizilianischem Rindfleisch servieren.

Zubereiten: 1¼ Stunden
1 Port.: 6 g E, 26 g F, 38 g KH =
1758 kJ (420 kcal)

Sizilianisches Rindfleisch
(Braciola alla siciliana)

500 g sehr dünn geschnittene Rindfleischscheiben mit Knoblauch, frischen Oreganoblättern und Pfeffer würzen, mit Öl beträufeln, dicht aufeinander in eine Arbeitsschale legen, mit Klarsichtfolie zudekken, über Nacht marinieren. Fleisch am nächsten Tag ohne Fett in einer Pfanne blitzschnell von beiden Seiten braten. Dann erst salzen.

Orangen-Zitronen-Salat

Insalata di arance e limoni
Sizilien

Für 4 Portionen:
4 Orangen, 4 Zitronen
½ Kopfsalat, ½ Friseesalat
2 EL Balsamessig
Salz, Pfeffer (Mühle)
5 EL Olivenöl
frisches Basilikum

Orangen und Zitronen schälen, dabei die weißen Innenhäute mit entfernen. Früchte filieren, dabei den Saft auffangen. Salate putzen, waschen, trockenschleudern, in mundgerechte Stücke zupfen, auf Portionstellern anrichten und die Obstscheiben darauflegen. Saft mit Essig, Salz, Pfeffer und Olivenöl verrühren, darübergießen und mit Basilikum garnieren.

Zubereiten: 30 Minuten
1 Port.: 3 g E, 13 g F, 21 g KH =
906 kJ (217 kcal)

Zauberkraut Basilikum
Seit jeher werden dem Basilikum, der einjährigen Verwandten unserer Pfefferminze, magische Kräfte zugeschrieben. Basilikum schützt vor Schlangenbiß, macht verführerisch und begehrenswert und hilft gegen die Melancholie: Das glaubten die Kräuterdoktoren der Antike und des Mittelalters. Und die Italiener, für die das Basilikum das wichtigste Kraut überhaupt ist, glauben noch heute daran. Damit das schöne Aroma nicht verlorengeht, sollten Sie Basilikum so schnell wie möglich verbrauchen und dann nie so fein hacken wie Petersilie, sondern grob zupfen oder hacken. Basilikum darf nie gekocht werden, es wird immer erst kurz vor Schluß unter das Gericht gemischt.

*Der sizilianische
Salat aus Orangen und
Zitronen ist frisch und fruchtig
– und überhaupt nicht sauer*

PIZZA UND BROT
PIZZA E PANE

Von Neapel in alle Welt: Die Pizzabegeisterung ist grenz-übergreifend. Hier drei Musterbeispiele, die italienisch üppig belegt sind: auf dem oberen Blech mit Thunfisch und Muscheln, auf dem mittleren mit Cabanossi, Mozzarella und Oliven und auf dem unteren schließlich mit Champignons und Porree

Pizzateig

Impasto di pizza
Neapel, Kampanien

Für 1,5 kg Hefeteig:
1,125 kg Mehl
100 g Hefe
1 gestrichener TL Salz
1 Prise Zucker, ¼ l Öl

Mehl in eine große Schüssel geben, eine Mulde eindrücken. Hefe in die Mulde krümeln. ⅝ l Wasser (½ + ⅛ l) leicht erwärmen und über die Hefe gießen. Salz und Zucker auf den Mehlrand streuen. Hefe von der Mitte aus mit dem Mehl und Wasser mischen. Nach und nach das Öl zugießen und alles zu einem glatten Teig verkneten. Teig mit wenig Mehl bestäuben und zugedeckt gehen lassen, bis sich sein Volumen verdoppelt hat. Gegangenen Teig noch einmal kräftig durchkneten, in 3 Portionen teilen. Jede Portion zu einer Kugel formen. Zwei Kugeln in Folie einwickeln und in den Kühlschrank legen, die dritte weiter bearbeiten.

Vorbereiten: 25 Minuten.
Zeit zum Gehen: ca. 20 Minuten.

Wichtig: Teigmenge reicht für 3 große Backbleche oder für 3 Tarteformen mit 28 cm ⌀. Bei den Tarteformen bleiben ca. 1,1 kg Teig übrig, der eingefroren werden kann.

Einfache Tomatensauce für Pizza

Sugo di pomodoro
semplice

Für knapp 2 Liter:
knapp ¼ l Olivenöl
1 kg Zwiebeln
(fein gewürfelt)
4 Knoblauchzehen
(püriert)
2 Dosen geschälte Tomaten (à 425 g EW)
3 EL Oregano
100 g Tomatenmark
1 EL Zucker, viel Salz
Pfeffer a. d. Mühle

Öl in einer großen Pfanne erhitzen. Zwiebeln und Knoblauch darin glasig dünsten. Tomaten grob zerdrücken, mit dem Saft in die Pfanne geben, aufkochen, dann bei milder Hitze 1 Std. garen, dabei umrühren. Mit Oregano, Tomatenmark, Zucker, Salz und Pfeffer herzhaft würzen.

Zubereiten: 1½ Stunden
Pro Liter: 23 g E, 253 g F,
155 g KH = 6399 kJ (1532 kcal)

Champignon-Pizza

Pizza con funghi
Zum Foto auf Seite 268/269

Für 1 Backblech:
50 g Butter
500 g Champignons (Scheiben)
1,5 kg Porree (Ringe)
Salz, Pfeffer
500 g Pizzateig
etwas Mehl und Fett
½ l Tomatensauce
600 g mittelalter Gouda (1 cm große Würfel)
200 g Walnußkerne (gehackt)
2 TL Oregano
4 EL Olivenöl

Butter erhitzen. Champignons unter Wenden 5–6 Min. braten. Porree untermischen, 5 Min. braten, salzen, pfeffern und abkühlen lassen. Pizzateig auf der bemehlten Arbeitsfläche ausrollen, auf das gefettete Blech legen, mehrmals einstechen. Erst Tomatensauce, dann Gemüse draufstreichen. Mit Käse, Nüssen und Oregano bestreuen, mit Öl beträufeln. Im vorgeheizten Ofen (225 Grad, Gas 4, 2. Leiste v. u.) 25–30 Min. backen.

Zubereiten: 1¼ Stunden
1 Stück: 18 g E, 40 g F, 32 g KH
= 2443 kJ (584 kcal)

Wurst-Pizza

Pizza con salsiccia
Zum Foto auf Seite 268/269

Für 1 Backblech:
200 g schwarze Oliven
600 g Mozzarella
750 g Salami
(oder Cabanossi)
500 g Pizzateig
etwas Mehl und Fett
½ l Tomatensauce
2 TL Oregano

Oliven entsteinen. Mozzarella abtropfen lassen, klein würfeln. Wurst in ½ cm dicke Scheiben schneiden. Teig auf der bemehlten Arbeitsfläche ausrollen, auf das gefettete Backblech legen, mehrmals mit der Gabel einstechen. Mit Tomatensauce bestreichen. Käse, Wurst und Oliven darauf verteilen, mit Oregano würzen. Pizza 8–10 Min. gehen lassen. Im vorgeheizten Ofen (225 Grad, Gas 4, 2. Leiste v. u.) 25–30 Min. backen.

Zubereiten: 1¼ Stunden
1 Stück: 20 g E, 47 g F, 23 g KH
= 2556 kJ (611 kcal)

Muschel-Pizza

Pizza alle cozze
Zum Foto auf Seite 268/269

Für 1 Backblech:
2 Bund Suppengrün
300 g durchwachsener Speck (Scheiben)
¼ l Schlagsahne
Salz, Pfeffer (Mühle)
3 Bund glatte Petersilie
3 Knoblauchzehen
100 g Parmesan (gerieben)
25 g Semmelbrösel
2 Dosen Miesmuscheln im eigenen Saft (à 275 g EW)
3 Dosen Thunfisch naturell (à 150 g EW)
500 g Pizzateig
etwas Mehl und Fett
½ l Tomatensauce
4 EL Olivenöl

Geputztes Suppengrün durch die grobe Scheibe vom Fleischwolf drehen. Speck anbraten, Suppengrün darin andünsten. Sahne zugießen, in 6–8 Min. einkochen lassen, salzen, pfeffern und abkühlen lassen. Petersilie hacken, Knoblauch durchpressen, mit Parmesan und Semmelbröseln mischen. Muscheln und Thunfisch abtropfen.

Teig auf der bemehlten Arbeitsfläche ausrollen, auf das gefettete Blech legen, mit der Gabel mehrmals einstechen. Suppengrün- und Tomatensauce darauf verteilen. Muscheln und zerpflückten Thunfisch daraufgeben, und mit Käsemischung bestreuen, mit Öl beträufeln. Pizza 10 Min. gehen lassen. Im vorgeheizten Ofen (225 Grad, Gas 4, 2. Leiste v. u.) 25–30 Min. backen.

Zubereiten: 1½ Stunden
1 Stück: 20 g E, 47 g F, 29 g KH
= 2357 kJ (563 kcal)

Pizza Marinara
Für 1 Tarteform (28 cm ⌀): 300 g Teig ausrollen, aufs gefettete Blech legen, einstechen. Mit 375 g Tomatensauce, 1 pürierten Knoblauchzehe und 1 EL Oregano bestreuen. 10 Min. gehen lassen. Im vorgeheizten Ofen (225 Grad, Gas 4, 2. Leiste v. u.) 20 Min. backen.

Pizza Margherita
Für 1 Tarteform (28 cm ⌀): 300 g Teig ausrollen, aufs gefettete Blech legen, einstechen. Mit 375 g Tomatensauce bestreichen, mit 100 g Mozzarella in Scheiben belegen. 10 Min. gehen lassen. Im vorgeheizten Ofen (225 Grad, Gas 4, 2. Leiste v. u.) 20 Min. backen.

Pizza Napoli
Für 1 Tarteform (28 cm ⌀): 300 g Teig ausrollen, aufs gefettete Blech legen, mehrmals einstechen. Mit 375 g Tomatensauce, 100 g Mozzarellawürfeln und 3 zerstampften Sardellenfilets belegen. 10 Min. gehen lassen. Im vorgeheizten Ofen (225 Grad, Gas 4, 2. Leiste v. u.) 20 Minuten backen.

Drei Pizza-Klassiker: links die vor hundert Jahren erstmals gebackene Margherita, rechts die Marinara, unten die Napoli. Die Rezepte haben wir vom Pizzaiolo Luciano aus der „Casetta" in Rom

Gefüllte Pizza

Pizza ripiena

Für 14 Stücke:
1 Poularde (1,75 kg)
Salz, schwarzer Pfeffer
1/8 l trockener Weißwein
500 g Mehl und Mehl zum
Arbeiten
20 g Hefe, 1 TL Zucker
1/8 l Öl, 1 kg Tomaten
150 g Zwiebeln
3 Knoblauchzehen
400 g Auberginen
1 Bund Thymian
1 kleiner Zweig Rosmarin
1/2 Bund Oregano
300 g Thunfisch (Dose)
1 EL Kapern
100 g schwarze Oliven

Poularde in vier Stücke schneiden, salzen, pfeffern, im ausgelassenen Poulardenfett anbraten, mit Wein ablöschen, 45 Min. schmoren.

Aus Mehl, Hefe, Zucker und 4 EL Öl einen Hefeteig zubereiten (S. 270), gehen lassen.

Tomaten häuten (S. 64), 2 in Scheiben, den Rest ohne Kerne in Würfel schneiden. Zwiebeln würfeln, Knoblauch durchpressen. Beides in 4 EL Bratfond glasig dünsten. Tomatenwürfel zugeben, dick einkochen. Auberginen in Scheiben blanchieren, abtropfen, in etwas Öl goldbraun braten. Kräuter hacken. Fleisch würfeln, Thunfisch abtropfen. Alles (ohne Auberginen) in die Tomatensauce geben. Kapern, Oliven und Kräuter zugeben, salzen, pfeffern.

Teig kneten, ausrollen, so in die gefettete Form (28 cm ⌀) legen, daß er 10 cm über den Rand hängt. Füllung hineingeben, mit Bratfond beträufeln. Teig überklappen, mit Öl bestreichen. Mit Auberginen und Tomatenscheiben belegen, mit Öl beträufeln. Im vorgeheizten Ofen (225 Grad, Gas 4, unterste Leiste) 30 Min. backen.

Zubereiten: 1 1/2 Stunden
1 Stück: 30 g E, 20 g F, 32 g KH
= 1890 kJ (457 kcal)

Tomatentorte

Torta al pomodoro

Für 14 Stücke:

Teig:
je 100 g Weizen- und
Roggenmehl
1 Eigelb
2 EL Eiswasser
1/2 TL Salz
150 g Butter

Belag:
1 kg kleine Fleischtomaten
Salz, Pfeffer (Mühle)
1 Zwiebel
2 Scheiben Toastbrot
250 g gemischtes Hackfleisch
1 Ei
Paprika (edelsüß)
50 g Fontina-Käse
5 EL Semmelbrösel
30 g Reis
1 EL Olivenöl

Guß:
1/8 l Milch
1/8 l Schlagsahne
4 Eier
Salz, Pfeffer (Mühle)
Paprika (edelsüß)
je 2 Bund Schnittlauch
und Basilikum

In das Mehl auf der Arbeitsfläche eine Mulde drücken. Eigelb, Eiswasser und Salz hineingeben. Butter in Flöckchen auf den Rand setzen. Alles rasch mit einem Messer zum Teig zusammenhakken. Kurz durchkneten, in Folie wickeln, 30 Min. kalt stellen.

Inzwischen Tomaten häuten (S. 64), halbieren, entkernen. Innen salzen und pfeffern.

Teig kurz durchkneten, halbieren, eine runde Platte (26 cm ⌀) ausrollen, Form damit auslegen. Aus der anderen Hälfte eine Rolle formen, einen 6 cm hohen Rand innen an den Formrand drükken. Boden mit der Gabel mehrfach einstechen. 10 Min. bei 200 Grad (Gas 3) auf dem Ofenboden vorbacken, abkühlen lassen.

Inzwischen Zwiebel pellen, fein würfeln. Toastbrot ohne Rinde in Wasser einweichen, gut ausdrücken, mit Fleisch, Zwiebel und Ei zu Teig verkneten, mit Salz, Pfeffer, Paprika würzen. Käse würfeln (1 cm). In jede Tomatenhälfte 2 Würfel geben, mit Hackfleisch randvoll füllen.

Für den Guß Milch, Sahne und Eier verquirlen, mit Salz, Pfeffer, Paprika würzen. Schnittlauch in Röllchen schneiden. Basilikum zerzupfen. Hälfte Kräuter in die Eiermilch geben.

Semmelbrösel und Reis auf dem Teigboden verteilen, mit den restlichen Kräutern bestreuen. Tomaten mit der offenen Seite nach unten daraufsetzen und mit Eiermilch begießen. Torte auf dem Ofenboden bei 200 Grad (Gas 3) 40 Min. backen, bis die Eiermilch gestockt ist. Fertige Torte mit Öl bepinseln.

Zubereiten: 2 Stunden
1 Stück: 11 g E, 22 g F, 20 g KH
= 1398 kJ (333 kcal)

Gefüllte Pizzen sind der Stolz einer jeden italienischen Hausfrau. Sie füllt sie mit dem, was an eßbaren Resten gerade zur Hand ist. Diese hier enthält knusprig gebratenes Huhn und saftigen Thunfisch

Neapolitanische Teigtasche

Calzone napoletano
Kampanien
Im Foto hinten links

Für 4 Portionen:

Hefeteig:
250 g Mehl, 15 g Hefe
Zucker
1/8 l lauwarmes Wasser
2 EL Olivenöl, Salz
Mehl zum Arbeiten
Fett fürs Backblech

Füllung:
50 g Mortadella
1 hartgekochtes Ei
1/2 Bund Basilikum
150 g Ricotta
(oder Quark)
Salz, Pfeffer (Mühle)
1 Ei (getrennt)
2 EL Milch

Hefeteig zubereiten und gehen lassen (S. 270). Für die Füllung Wurst, Ei und Basilikum fein hakken. Ricotta unterrühren, mit Salz und Pfeffer würzen. Teig durchkneten und auf der bemehlten Arbeitsfläche zu einem dünnen, runden Fladen ausrollen. Die Füllung auf die eine Hälfte setzen. Teigrand mit Eiweiß einpinseln, Teig über die Füllung legen, Rand rundherum fest andrükken. Backblech fetten. Teigtasche daraufsetzen. Eigelb mit Milch verquirlen. Tasche damit gut einpinseln.
Tasche im vorgeheizten Ofen (225 Grad, Gas 4, 2. Leiste v. u.) etwa 25 Min. backen. Warm servieren.

Zubereiten: 1¾ Stunden
1 Port.: 16 g E, 24 g F, 47 g KH
= 2057 kJ (492 kcal)

Die passenden Variationen:
Calzone sind süß oder pikant gefüllte Hefeteigtaschen. In der Provinz Molise werden sie mit Schinken gefüllt, in Neapel mit Schinken und Käse und in Apulien mit Schinken oder mit Fisch.

Apulische Teigtäschchen

Calzoni pugliesi
Im Foto in der Mitte

Für 16 Stück:

Hefeteig:
250 g Mehl, 15 g Hefe
Zucker
1/8 l lauwarmes Wasser
2 EL Olivenöl
Salz
Mehl zum Arbeiten
Fett fürs Backblech

Füllung:
200 g Zwiebeln
2 EL Olivenöl
2 Tomaten
30 g Sardellenfilets
Salz, Pfeffer (Mühle)
1 Ei (getrennt)
2 EL Milch

Hefeteig zubereiten und gehen lassen (S. 270). Für die Füllung Zwiebeln pellen, würfeln und im heißen Olivenöl anbraten. Tomaten häuten (S. 64), würfeln und zu den Zwiebeln geben. Sardellen fein hacken, auch zugeben. Alles so lange dünsten, bis die Flüssigkeit verdampft ist, salzen und pfeffern.
Teig noch einmal durchkneten und auf der bemehlten Arbeitsfläche dünn ausrollen, in 6 cm breite und 8 cm lange Rechtecke schneiden. Auf jeweils eine Hälfte je 1 TL Füllung setzen. Teigränder mit Eiweiß bepinseln, Teig über der Füllung zusammenklappen, Ränder mit einer Gabel fest zusammendrücken.
Backblech einfetten. Teigtaschen daraufsetzen. Eigelb mit Milch verquirlen. Taschen damit bepinseln. Im vorgeheizten Ofen (225 Grad, Gas 4, 2. Leiste v. u.) ca. 15 Min. bakken. Warm servieren.

Zubereiten: 1½ Stunden
1 Stück: 3 g E, 3 g F, 13 g KH =
398 kJ (95 kcal)

Gefüllte Teigtaschen

Panzarotti
Neapel, Kampanien
Im Foto rechts

Für 10 Stück:

Hefeteig:
500 g Mehl, 30 g Hefe
Zucker
1/4 l lauwarmes Wasser
4 EL Olivenöl, Salz
Mehl zum Arbeiten
Öl zum Ausbacken

Füllung:
75 g Mozzarella
25 g gekochter Schinken
1 hartgekochtes Ei
1 Bund glatte Petersilie
50 g Parmesan
(frisch gerieben)
Muskatnuß
(frisch gerieben)
Salz, Pfeffer (Mühle)
Eiweiß zum Bepinseln

Hefeteig zubereiten und gehen lassen (S. 270.) Für die Füllung Käse und den Schinken fein würfeln und in eine Schüssel geben. Ei und Petersilie hacken, beides mit dem Parmesan unter die Käse-Schinken-Mischung rühren, mit 1 Prise Muskat, Salz und Pfeffer würzen.
Teig noch einmal tüchtig durchkneten, auf der bemehlten Arbeitsfläche dünn ausrollen und zehn 12 cm große Kreise ausstechen. Auf jeweils eine Kreishälfte je 1 leicht gehäuften TL Füllung setzen. Die Ränder mit Eiweiß bepinseln, die freie Hälfte über die Füllung klappen, Ränder mit einer Gabel fest zusammendrücken.
Reichlich Öl in einer Friteuse oder in einer tiefen Pfanne auf 180 Grad erhitzen. Teigtaschen darin in etwa 8–10 Min. schwimmend ausbacken. Anschließend auf Küchenkrepp abtropfen lassen und heiß servieren.

Zubereiten: 1½ Stunden
1 Stück: 10 g E, 8 g F, 37 g KH
= 1125 kJ (269 kcal)

Gehören in den Arbeitsbereich der Pizzabäcker, stammen also aus Italiens Süden und schmecken im Stehen fast besser als im Sitzen: links hinten eine große Teigtasche aus Neapel, in der Mitte kleine Täschchen aus Apulien und rechts kampanische Panzarotti

Frühstück?
Der wesentliche Unterschied zum deutschen Frühstück liegt darin, daß man diese erste Mahlzeit (prima colazione) in Italien nicht als eine solche ansieht. Ein kurzer heißer Caffè (so heißt hier der Espresso) aus der Macchina vom heimischen Gasherd, ein flüchtiger Gruß – schon ist der Hausherr auf dem Weg zur Arbeit, der ihn allerdings zuerst in die nächste Bar führt, wo der Barmann ihm dann wortlos die ganz persönliche Cappuccino-Anfertigung über den Tresen schiebt. Zum Cappuccino wird sich der eilige Hausherr dann entweder ein warmes Brioche oder einen kurz gerösteten Tramezzino ordern. Tramezzini gibt es in tausendundeiner Variante, Rezepte werden nicht aufgeschrieben. Der Belag entspricht der Tagesform des Barmanns. Tramezzini heißen diese Sandwiches übrigens, weil etwas zwischen zwei Toastscheiben eingelegt wird (tramezzare). Die Tramezzini werden meist diagonal durchgeschnitten und dann zwischen zwei heißen Platten geröstet.

Üppiges Brot

Pane ricco

**Für 4 Portionen
als Vorspeise:
4 Scheiben Weißbrot
2 EL trockener Weißwein
4 Scheiben Parmaschinken
(50 g)
2 Kugeln Mozzarella
(300 g)
1 EL Olivenöl**

Brot nebeneinander auf den Boden einer feuerfesten Form legen und mit Weißwein beträufeln. Im vorgeheizten Backofen (225 Grad, Gas 4, 2. Leiste v. u.) ca. 5 Min. backen. Dann mit Schinken und Mozzarella in Scheiben belegen und mit dem Öl beträufeln. Form wieder in den Ofen geben. Brot noch einmal 10 Min. backen.
Das Pane ricco wird heiß zu jungem Wein serviert.

*Zubereiten: 20 Minuten
1 Port.: 19 g E, 19 g F, 13 g KH
= 1319 kJ (315 kcal)*

Weißbrotspieße auf römische Art

Crostini alla romana
Latium

**Für 8 Portionen
als kleine Mahlzeit:
1 Stangenweißbrot (250 g)
300 g Mozzarella
1 Bund glatte Petersilie
4 Sardellenfilets
60 g Butter
Salz, Pfeffer (Mühle)**

Brot in fingerdicke Scheiben schneiden. Je 3 Brotscheiben auf einen langen Holzgrillspieß stecken. Jeweils die mittlere Scheibe mit einer Scheibe Mozzarella belegen.
Spieße aufs Backblech legen und im vorgeheizten Ofen (250 Grad, Gas 5–6, 2. Leiste v. u.) 5 Min. backen, bis der Käse zerlaufen ist und die Brotscheiben knusprig braun sind. Inzwischen Petersilie hakken. Sardellenfilets zermusen. Butter und Sardellen erhitzen und dabei gut verrühren.
Die leeren Brotscheiben mit Sardellenbutter beträufeln. Mozzarella mit Salz und Pfeffer würzen, mit Petersilie bestreuen. Brote warm mit dem Rest Sardellenbutter servieren.

*Zubereiten: 30 Minuten
1 Port.: 10 g E, 13 g F, 16 g KH
= 954 kJ (228 kcal)*

Mozzarella-Sandwich
(Mozzarella in carrozza)

Hierbei handelt es sich um eine Spezialität aus Neapel. Zwischen Salerno und Paestum liegt das Hauptproduktionsgebiet – an der „Strada della mozzarella".
Für das Mozzarella-Sandwich wird eine dicke Scheibe Mozzarella zwischen zwei Weißbrotscheiben gelegt. Der Doppeldecker wird dann durch verquirltes Eigelb gezogen, mit Mehl bepudert und anschließend in reichlich Öl in der Pfanne goldgelb gebraten. Auch dazu wird eine flüssige Sardellenbutter gereicht.

Mozzarella-Tramezzino
(Tramezzino con mozzarella)

Zwei Toastscheiben auf je einer Seite buttern, mit Pesto (S. 124) bestreichen, mit Mozzarellascheiben und eingelegten grünen Paprikastreifen belegen, salzen und pfeffern und mit Basilikumblättchen garnieren. Dann toasten.

Lachs-Tramezzino
(Tramezzino con salmone)

Zwei Toastscheiben auf je einer Seite buttern, leicht mit pikanter Mayonnaise (S. 126) bestreichen, mit Scheiben von hartgekochtem Ei und geräuchertem Lachs belegen. Mit Basilikumblättchen und grobgeschrotetem Pfeffer würzen. Dann toasten.

Die Römer wissen bekanntlich seit Urzeiten, was gut ist:
zum Beispiel geröstete Weißbrotscheiben mit
Mozzarella und einer kräftigen Sardellenbutter

277

Geröstetes Fladenbrot

Focaccia

Für 10–12 Portionen:
Teig:
350 g Mehl, 30 g Hefe
Salz, Zucker
4 EL Olivenöl
Mehl zum Bestäuben
Öl für das Blech

Belag:
4 EL Olivenöl
Salz
je 2 TL Oregano und
Thymian (getrocknet)

Aus den Teigzutaten einen Hefeteig kneten (S. 270), leicht mit Mehl bestäuben, zudecken und 10–15 Min. gehen lassen. Das Backblech mit Öl einpinseln.
Teig auf der bemehlten Arbeitsfläche zu einer Kugel formen, 10 Min. zugedeckt gehen lassen. Kugel auf der bemehlten Arbeitsfläche zu einem Rechteck ausrollen, das halb so groß ist wie das Backblech. Teig in die

Blechmitte legen, mit Öl beträufeln und mit Salz, Oregano und Thymian bestreuen. Im vorgeheizten Ofen (250 Grad, Gas 5–6, unterste Leiste) in 8 Min. goldbraun backen. Grill einschalten. Focaccia auf der 2. Leiste v. o. noch einmal 3 Min. bakken. Vorm Servieren in Stücke schneiden.
Die Focaccia schmeckt am besten warm und mit einem kräftigen Olio santo, einem heiligen Öl.

Zubereiten: 45 Minuten
1 Port. (bei 12): 4 g E, 9 g F,
24 g KH = 822 kJ (196 kcal)

Heiliges Öl
(Olio santo)
In den Abruzzen steht in jeder Küche und in jeder Gastwirtschaft ein Würzöl auf dem Tisch, das sehr scharf ist, das Olio santo: Einige kleine frische Pfefferschoten putzen, halbieren, waschen, fast ganz entkernen und im Ofen rösten. Mit reinstem, jungfräulichem Olivenöl aus der ersten Pressung in ein gut verschließbares Glas geben. Das Olio santo muß 2 Wochen durchziehen, ehe es die richtige Schärfe hat.

Geröstetes Brot mit Tomaten

Bruschetta al pomodoro
Latium

Für 4 Portionen:
4 kleine Fleischtomaten
(500 g)
2–3 Knoblauchzehen
4 Scheiben Graubrot
5 EL Olivenöl
Salz, schwarzer Pfeffer
50 g Parmesan im Stück
1 Bund Basilikum
16 schwarze Oliven

Tomaten waschen, Stielansätze keilförmig herausschneiden. Knoblauch pellen. Brot im Toaster goldbraun rösten und mit einer Knoblauchzehe abreiben. Restlichen Knoblauch hacken. Jede Brotscheibe mit 1 EL Öl beträufeln. Tomaten in dikke Scheiben schneiden und fächerförmig auf den Brotscheiben anordnen. Tomaten salzen und pfeffern und mit Knoblauch bestreuen. Parmesan darüber hobeln. Brote mit restlichem Olivenöl beträufeln. Vor dem Servieren mit gehackten Basilikumblättchen bestreuen und mit Oliven umlegen.

Zubereiten: 20 Minuten
1 Port.: 10 g E, 15 g F, 33 g KH
= 1320 kJ (315 kcal)

Die passende Geschichte:
In Fara in den Sabiner Bergen, unweit von Rom, findet man auf einer antiken Mauer einen Hinweis auf das „crustulum". Das war ein mit Öl getränkter Fladen, den der römische Senat bei wichtigen Festtagen im Dezember und Januar an die Bevölkerung verteilen ließ. Noch heute wird in dieser Jahreszeit, in der das Olivenöl noch ganz frisch und leicht ist, ein geröstetes Fladenbrot serviert, das mit Öl durchtränkt ist, die „bruschetta" eben.

Brot (wie diese Bruschetta hier) und Spiele gehörten bekannt-lich zum Überlebensprogramm der römischen Caesaren. Die Bruschetta gab es (als „crustulum") im Winter, wenn das Olivenöl noch jung und frisch war.

DESSERTS
DOLCI

Giovanninos tirami su

Für 8–10 Portionen:
150 g Zucker
300 ccm extra stark
gekochter Espresso
5 Eigelb, 75 g Puderzucker
200 g Mascarpone (oder
je 100 g Mascarpone und
Ricotta-Käse)
3 Blatt weiße Gelatine
1 EL Vanillezucker
2 EL Rum
1 EL Grand Marnier
3 EL Zitronensaft
3 Eiweiß, 1 EL Zucker
100 g Schlagsahne
20 Löffelbiskuits
1–2 EL Kakaopulver

Zucker im heißen Espresso auflösen und abkühlen lassen. Eigelb und Puderzucker cremig-dicklich aufschlagen. Mascarpone darunterheben. Gelatine erst in kaltem Wasser einweichen, dann in 1 EL heißem Wasser in einem Topf auflösen und unter die Käsemasse ziehen. Creme mit Vanillezucker, Rum, Grand Marnier und Zitronensaft würzen. Zum Schluß Eiweiß mit Zucker und die Sahne steif schlagen, vorsichtig unter die Creme ziehen.

Eine Form mit der Hälfte der Löffelbiskuits auslegen und mit der Hälfte des Espressosirups tränken. Die halbe Menge Creme darüberstreifen. Die restlichen zerbröselten Löffelbiskuits darüberstreuen, wieder tränken, mit der übriggebliebenen Creme bestreichen und zum Schluß dick mit Kakaopulver bestreuen. Die Creme mindestens 3 Std. im Kühlschrank durchkühlen lassen und wirklich erst kurz vor dem Servieren herausnehmen und gleich auf den Tisch bringen.

Zubereiten: 35 Minuten
Kühlen: 2–3 Stunden
1 Port. (10 Port.): 7 g E, 42 g F,
48 g KH = 1250 kJ (306 kcal)

*Tirami su – so wie ihn Deutschlands
berühmtester Patissier und Dessertspezialist
Johann Lafer vom Restaurant Le Val d'Or
in Guldental am schönsten findet*

Obstquartett mit Katzenzungen

Quartetto di frutta con
lingue di gatto
Rom, Latium

Für 8 Portionen:
2 reife Granatäpfel
8 reife Kaktusfrüchte
8 kleine Mandarinen
250 g blaue Weintrauben
32 Katzenzungen (oder
Löffelbiskuits)
1 Packung Vanille- oder
Walnußeis (750 ccm)
2 EL Orangenlikör

Granatäpfel aufbrechen,
Kerne mit einer Gabel
auskratzen. Kaktusfrüch-
te vorsichtig schälen und
in Scheiben schneiden.
Mandarinen pellen und
in Filets zerlegen. Trau-

ben waschen und von den
Stielen zupfen.
Kekse kreuzförmig auf
Portionstellern anrichten.
Früchte und Granatapfel-
kerne dazwischen anord-
nen, dabei die Mitte frei-
lassen. Eine Eiskugel in
die Mitte setzen und vor
dem Servieren mit Oran-
genlikör aromatisieren.

Zubereiten: 20 Minuten
1 Port.: 5 g E, 8 g F, 50 g KH =
1273 kJ (306 kcal)

Kleiner Hinweis:
Statt dieser sehr ausgefal-
lenen Früchte tun es auch
andere, zum Beispiel Ki-
wis oder Mangos.

Die passende Geschichte:
Dieses hübsche Dessert
(und in seiner optischen
Aufmachung sehr römi-
sche Gericht) ist die Lieb-
lingssüßspeise des italienischen Stardirigenten
Guiseppe Sinopoli.

Eistorte „Giolitti"

Torta gelata „Giolitti"
Gelateria Giolitti, Rom

Für 12–14 Stücke:
Biskuitboden:
2 Eier (Gew.-Kl. 2)
1 Eigelb, 75 g Zucker
75 g Mehl, Fett und
Mehl für die Form

Krokant:
125 g Zucker
125 g Mandelblättchen
Öl für das Backblech

Sahnefüllung:
100 g kandierte Früchte
2 EL Orangenlikör
¾ l Schlagsahne (gekühlt)
1 Päckchen Sahnesteif
200 g Zucker

Eismantel:
2 l TK-Schokoladeneis
4–6 EL Orangenlikör

Dekoration:
⅜ l Schlagsahne
1 Päckchen Vanillezucker
1 Päckchen Sahnesteif
150 g Kuvertüre

Eier, Eigelb, Zucker und
1 EL lauwarmes Wasser
mit den Handrührerquir-
len zu einer dicklichen
Creme aufschlagen. Mehl
unterheben. Springform
(26 cm ∅) am Boden fet-
ten, mit Mehl bestäuben.
Biskuitmasse einfüllen,
glattstreichen. Im Ofen
(175 Grad, Gas 2, 2. Lei-
ste v. u.) 30 Min. backen.
In der Form auskühlen.
Für den Krokant Zucker
zu hellbraunem Karamel
schmelzen lassen. Man-
delblättchen darin unter
Rühren bräunen. Masse
auf ein geöltes Blech streichen und kalt werden las-
sen. Krokant in einen Ge-
frierbeutel geben, mit der
Kuchenrolle zerdrücken.
Für die Füllung kandierte
Früchte würfeln, mit Li-
kör mischen. Boden und
Rand einer Springform
(26 cm ∅) mit Backtrenn-
papier auslegen, 30 Min.
im Gefriergerät kühlen.
Schlagsahne mit Sahne-
steif und Zucker steif
schlagen, Früchtewürfel,
Krokant unterziehen, in
den Kühlschrank stellen.
Eis antauen, Boden und
Rand der Form damit
ausstreichen. Sahne ein-
füllen, glätten.
Biskuitboden auf die Sah-
nemischung legen und
mit Likör beträufeln. Torte mindestens 6 Std. ins
Gefriergerät stellen.
Für die Dekoration Sahne
mit Vanillezucker und
Sahnesteif steif schlagen.
Torte aus der Form lösen
(Papier abziehen), auf eine vorgekühlte Platte setzen. Oberfläche und
Rand mit Sahne bestrei-
chen. Torte für 20 Min.
ins Gefriergerät stellen,
vorm Servieren Kuvertüre
mit einem Sparschäler
darüberhobeln.

Zubereiten: 1½ Stunden
Kühlen: 6 Stunden
1 Port. (14 Port.): 9 g E, 43 g F,
64 g KH = 2995 kJ (714 kcal)

Ziel aller eis-
verrückten Römer
ist diese Eistorte aus
der Gelateria Giolitti
mitten im Herzen Roms,
in der Via Uffici del Vicario

Sauerkirschkuchen

Crostata di visciole
Latium

Für 16 Stücke:
500 g Mehl
250 g Zucker
160 g Butter
80 g Schmalz
abgeriebene Schale von
1 unbehandelten Zitrone
6 Eigelb
Mehl und Butter zum
Arbeiten
600 g Sauerkirsch-
marmelade
(möglichst herb)
etwas Zimt- und
Nelkenpulver
1 Ei
50 g Pinienkerne

Mehl in eine Schüssel sieben. Zucker, Butter und Schmalz in Flöckchen, Zitronenschale und Eigelb zugeben. Die Zutaten verkneten. Den Teig 1 Std. kalt stellen.
Das Backblech leicht mit Butter einfetten (oder mit Backtrennpapier auslegen). Zwei Drittel Teig auf der bemehlten Arbeitsfläche dünn ausrollen, auf das Blech legen und mit einer Gabel einstechen.
Teig im vorgeheizten Backofen (200 Grad, Gas 3, 2. Leiste v. u.) 10 Min. vorbacken.
Inzwischen das letzte Teigdrittel auf der bemehlten Arbeitsfläche dünn ausrollen und mit dem Teigrädchen in schmale Streifen ausradeln.
Die Kirschmarmelade mit Zimt- und Nelkenpulver glattrühren und auf den Teig streichen. Die Teigbänder als Gitter auf den Kuchen legen. Das Ei verquirlen und das Gitter damit bestreichen.
Blech im Ofen wieder auf der 2. Leiste von unten einsetzen. Kuchen bei 225 Grad (Gas 4) in etwa 15 Min. goldbraun bakken. Nach etwa 5 Min. Backzeit die Pinienkerne auf den Kuchen streuen. Kuchen auf dem Kuchengitter auskühlen lassen.

Zubereiten: 1 Stunde
Kühlen: 1 Stunde
1 Stück: 6 g E, 19 g F, 63 g KH
= 1909 kJ (456 kcal)

Unser Tip:
Die Crostata schmeckt noch besser, wenn man sie erst einen Tag nach dem Backen serviert.

Die passende Variation:
Die Crostata, die mit Sauerkirschmarmelade bestrichen ist, gilt als die klassische Version. Sie kann aber auch mit jeder anderen, nicht zu süßen Marmelade bestrichen werden. Sie können sie aber genausogut mit Früchten oder mit Quark belegen. Hauptsache, der Teig ist schön dünn und knusprig.
Wichtig: Alle Sachen, die man sich auf die Crostata tut, können mit Alkohol gewürzt werden.

Maronenpüree mit Sahne

Vermicelli di castagne
con panna

Für 6–8 Portionen:
1 kg Maronen (Eßkasta-
nien, etwa 500 g netto)
Salz
1 Vanilleschote
200 ccm Milch
100 g Zucker
600 ccm Schlagsahne
2 EL Kirschwasser

Die Maronen auf der rund gewölbten Seite über Kreuz einritzen, mit der flachen Seite aufs Backblech legen, im vorgeheizten Backofen (200 Grad, Gas 3, 2. Leiste v. u.) etwa 20 Min. rösten. Hinterher so heiß wie möglich aus der Schale brechen und die braunen Häutchen ablösen.
Die geschälten Maronen knapp mit Wasser bedekken, leicht salzen und zugedeckt 40 Min. leise kochen lassen, abgießen und gut abgetropft mit dem Schneidstab vom Handrührer pürieren.
Vanilleschote aufschlitzen, Mark herauskratzen, beides in der Milch langsam zum Kochen bringen. Maronenpüree zugeben, unter Rühren einkochen lassen. Zucker und 100 ccm flüssige Sahne zugeben, wieder einkochen lassen. Masse vom Herd nehmen, Vanilleschote entfernen. Masse kalt stellen. Anschließend mit Kirschwasser abschmecken. Die restliche Sahne steif schlagen und in einen Spritzbeutel füllen. Sechs oder acht Gläser mit etwas Sahne füllen. Die Maronenmasse durch den Fleischwolf (feine Scheibe) drehen. Zwei Drittel der Maronen-„Würstchen" auf die Gläser verteilen, darauf wieder Schlagsahne geben und mit den restlichen Maronennudeln belegen. Noch einen Tupfer Sahne obendrauf setzen.

Zubereiten: 2½ Stunden
1 Port. (8 Port.): 4 g E, 26 g F,
43 g KH = 1823 kJ (436 kcal)

Unser Tip:
Wer sich Arbeit ersparen möchte, nimmt fertiges, ungesüßtes Maronenpüree aus der Dose.

Für dieses sahnige
Dessert gibt es keine
regionale Zuord-
nung mehr. Sicher ist
es von einem Koch
kreiert worden, der da
zu Hause war, wo
die Maronen wachsen –
in den Abruzzen
oder im Piemont. Heute
gibt's die Vermicelli
in jeder Strandbar.
Vermicelli
übersetzt man
übrigens mit
„Würmchen"

Rotweinbirnen mit Schlagsahne

Pere al vino rosso con panna

Für 12 Portionen:
1 Flasche sehr guten
schweren Rotwein
6 reife, aromatische
Birnen (etwa 850 g)
½ l Schlagsahne
1 Päckchen Vanillezucker
1 EL Birnengeist

Rotwein in einem Topf zum Kochen bringen und auf die Hälfte einkochen lassen.
Inzwischen die Birnen schälen und längs halbieren. Vorsichtig die Kernhäuser auslösen. Die Birnen mit der Gabel vorsichtig etwas einstechen, im Rotwein bei milder Hitze etwa 10 Minuten leise kochen lassen und dabei mehrmals vorsichtig wenden.

Die Birnen im Wein abkühlen lassen und dann zugedeckt über Nacht im Kühlschrank durchkühlen lassen.
Die Sahne vor dem Servieren steif schlagen und mit Vanillezucker und Birnengeist würzen.
Je eine Birnenhälfte mit wenig Rotwein anrichten und mit Schlagsahne servieren.

Zubereiten: 30 Minuten
Kühlen: mindestens 12 Stunden
1 Port.: 2 g E, 14 g F, 24 g KH =
1966 kJ (470 kcal)

Die passende Variation:
Statt mit Rotwein können Sie dieses Dessert auch mit einem guten roten Portwein zubereiten. Der wird allerdings nur ganz kurz und keinesfalls bis auf die Hälfte eingekocht.

Süße Polenta mit Mandelkruste

Polenta dolce alle mandorle
Friaul, Julisch-Venetien

Für 4–6 Portionen:
Salz
5 EL Honig
250 g groben Maisgrieß
60 g Butter
100 g Mandelblättchen
750 g Pflaumen
1 TL Zimtpulver
4 EL Marsala

1 l Wasser mit ½ TL Salz und 1 EL Honig aufkochen. Den Maisgrieß unter Rühren einrieseln lassen. Den Brei bei milder Hitze unter Rühren 5 Min. kochen lassen. Dabei ein Sieb über den Topf legen (Spritzgefahr!). Herdplatte ausschalten. Polenta darauf in 15 Min. ausquellen lassen, ab und zu gut umrühren, damit wirklich nichts anbrennt. Eine flache Auflaufform

dünn mit Butter ausstreichen. Die Polentamasse einfüllen und glattstreichen. Mit dem Holzlöffelstiel kleine Vertiefungen in die Polenta-Oberfläche drücken.
Die Mandelblättchen in der restlichen Butter mit 2 EL Honig kurz andünsten und anschließend auf der Polenta verteilen.
Die Polenta im vorgeheizten Ofen (200 Grad, Gas 3, 2. Leiste v. u.) in 20–25 Min. goldbraun backen.
In der Zwischenzeit die Pflaumen waschen und entsteinen. Mit dem restlichen Honig, Zimt und Marsala verrühren und Saft ziehen lassen. Die Pflaumen kalt zur heißen Polenta servieren.

Zubereiten: 1 Stunde
1 Port. (4 Port.): 12 g E, 29 g F,
100 g KH = 3081 kJ (736 kcal)

Polenta mit Mandelkruste – oder Grießbrei auf italienisch. Sie macht sehr satt und kann deshalb auch eine süße Hauptmahlzeit sein

Halbgefrorenes mit Marsala-Zabaione

Semifreddo con zabaione al Marsala

Für 4–6 Portionen:
3 Eigelb (Gew.-Kl. 4)
50 g Zucker
5 EL Marsala
10 Amaretti-Kekse (oder
60 g Löffelbiskuits)
1½ EL Orangenlikör
250 ccm Schlagsahne

Eigelb und Zucker in einem Schneekessel (oder in einer Metallschüssel) über dem heißen Wasserbad mit dem Schneebesen vom Handrührer dicklich-cremig aufschlagen. Unter ständigem Rühren nach und nach den Marsala unterrühren. Kurz vor dem Siedepunkt vom Wasserbad nehmen und abkühlen lassen. Dabei ab und zu umrühren.

Die Kekse zerbröseln und mit dem Orangenlikör beträufeln.
Eine Kastenform mit Alu- oder Klarsichtfolie auskleiden, die Sahne steif schlagen und unter die Eiercreme heben. Ein Drittel davon in die Form geben, glattstreichen und die Hälfte der getränkten Brösel darüberstreuen. Das zweite Drittel der Creme darübergeben. Die Form mehrmals auf die Arbeitsfläche stoßen, damit die Luftblasen entweichen können.
Die Form mit Alufolie abdecken und 12 Std. ins Gefriergerät stellen.
Das Halbgefrorene kurz vor dem Servieren auf eine gekühlte Platte stürzen und die Folie abziehen. Die Creme mit einem in heißes Wasser getauchten Messer in Scheiben schneiden.

Zubereiten: 45 Minuten
Kühlen: 12 Stunden
1 Port. (6 Port.): 3 g E, 18 g F,
21 g KH = 1098 kJ (267 kcal)

Halbgefrorenes mit Kaffee
(Semifreddo al caffè)

In Bologna, der Hauptstadt der Provinz Emilia-Romagna, gibt es in der Weihnachtszeit eine halbgefrorene Plätzchenart, die mit Kaffee zubereitet wird – das „Semifreddo al caffè". Es wird aus zerbröselten Biskuits, Butter, Zucker und Schokoladenstückchen gemacht und mit starkem Espresso und Cognac gewürzt. Die Masse wird in kleine Weihnachtsplätzchen-Förmchen gegossen und dann ausreichend lange gut gekühlt. Man reicht die halbgefrorenen Weihnachtsplätzchen zum Caffè nach dem Essen.

Birnenspalten in Orangen-Karamel

Pere al caramello d'arancia

Für 4 Portionen:
3–4 Orangen (davon 1 mit unbehandelter Schale)
60 g Zucker
4 cl Orangenlikör
3 reife Birnen (650 g)
1 EL Zitronensaft
4 Kugeln Schokoladeneis kandierte Rosenblätter und Veilchen

Die unbehandelte Orange heiß abwaschen und abtrocknen. Einen etwa 8 cm langen Schalenstreifen so dünn abschälen, daß nichts von der dünnen weißen Innenhaut mehr anhaftet. Die Schale in hauchfeine Späne hobeln. Alle Orangen auspressen und 400 ccm Saft abmessen. Zucker in einem Topf mit dickem Boden zu goldbraunem Karamel schmelzen lassen. Likör und Saft untermischen, Orangenschale zugeben. Karamel im offenen Topf unter Rühren so lange kochen, bis er sich ganz gelöst hat, dann dickflüssig einkochen.
Birnen schälen und vierteln. Die Kernhäuser vorsichtig herausschneiden. Die Viertel in dünne Spalten schneiden, mit Zitronensaft beträufeln.
Die Birnen auf vier Teller verteilen und mit dem lauwarmen Karamel überziehen. Schokoladeneis zugeben, mit Rosenblättern und Veilchen dekorieren.

Zubereiten: 30 Minuten
1 Port.: 2 g E, 3 g F, 48 g KH =
1078 kJ (259 kcal)

Die passende Variation:
Dieses feine Dessert kann man ebensogut mit Pfirsichen zubereiten. Wenn sie sehr reif sind, wird ihnen nur vorsichtig die Haut abgezogen, wenn sie noch hart sind, pochiert man sie kurz in einem guten, etwas eingekochten Weißweinsud.

Das wichtigste bei diesem Dessert: Die Birnen müssen unbedingt ganz reif sein, denn sie werden nicht gedünstet, sondern nur sehr vorsichtig geschält und ebenso vorsichtig in dünne Scheiben geschnitten, bevor man sie mit lauwarmem Karamel und eiskaltem Schokoladeneis serviert

291

Englische Suppe

Zuppa inglese
Apulien

Für 4 Portionen:
1 dünner Biskuitboden
(vom Bäcker, 26 cm ⌀)
10 EL Rum
1 Vanilleschote
½ l Milch, 3 Eigelb
80 g Zucker
1 Päckchen Vanillezucker
50 g Mehl
50 g gemischte kandierte
Früchte
Haube:
2 Eiweiß, 90 g Zucker

Biskuitboden in Streifen schneiden und mit dem Rum tränken.
Vanilleschote der Länge nach aufschlitzen und das Mark herauskratzen. Das Mark mit der Milch einmal aufkochen. Milch kalt werden lassen.
Inzwischen Eigelb, Zucker und Vanillezucker mit den Quirlen vom Handrührer zu einer dicklichcremigen Masse aufschlagen. Nach und nach das Mehl und die kalte Milch unterrühren. Die Masse zum Kochen bringen. Den Topf von der Platte nehmen und ins Eiswasserbad stellen. Die Creme weiterschlagen, bis sie kalt ist. Die kandierten Früchte würfeln. Abwechselnd eine Schicht Biskuitstreifen, eine Schicht Vanillecreme und kandierte Früchte in eine runde Schüssel geben.
Für die Haube das Eiweiß sehr steif schlagen, dann nach und nach den Zucker einrieseln lassen und noch 1 Min. weiterschlagen. Die gefüllte Schüssel kopfüber in eine feuerfeste Form stürzen. Die Schüssel abheben. Die obenliegenden Biskuitstreifen dick mit der Baisermasse einstreichen. Die Nachspeise im vorgeheizten Ofen (200 Grad, Gas 3, 2. Leiste v. u.) 10–15 Min. überbacken. Dann gleich in der Form servieren.

Zubereiten: 1 Stunde
1 Port.: 9 g E, 8 g F, 69 g KH = 1776 kJ (423 kcal)

Römische Suppe
(Zuppa romana)

Schichtet man drei oder vier saftig mit Amaretto getränkte Biskuitböden übereinander, nachdem man sie dick und abwechselnd mit einer Vanillecreme (mit kandierten Früchten) und einer Schokoladencreme bestrichen hat – gibt man dem ganzen nach einer durchkühlten Nacht einen Mantel aus Eischnee und üppiger Verzierung, übergrillt das alles, bis die Kruste goldbraun ist – dann hat man eine Zuppa romana, einen römischen Kuchen, der dem englischen auch hautnah verwandt ist.

Erdbeercreme mit Mascarpone

Crema di fragole
con mascarpone
Lago di Nemi, Latium

Für 4–6 Portionen:
750 g Erdbeeren
⅛ l Erdbeerlikör
50 g Puderzucker
500 g Mascarpone
(ital. Frischkäsecreme,
ersatzweise abgetropfter
Sahnequark)
100 g Löffelbiskuits

Erdbeeren waschen, abtropfen lassen und putzen. 500 g Erdbeeren mit 2 EL Erdbeerlikör mischen und abgedeckt beiseite stellen.
Die restlichen Erdbeeren mit Puderzucker mischen und mit dem Schneidstab pürieren. 2 EL Püree abnehmen und mit dem restlichen Erdbeerlikör mischen. Das restliche Püree mit einem Schneebesen unter den Mascarpone rühren.
Den Boden einer nicht zu hohen Glasschüssel mit Löffelbiskuits auslegen. Mit einem Pinsel reichlich Püree-Likörmischung auf die Kekse streichen. Die Hälfte der Mascarpone-Erdbeercreme daraufgeben und glattstreichen. Jetzt die restlichen Löffelbiskuits darauf verteilen und mit der restlichen Likörmischung bestreichen. Den Rest Erdbeer-Mascarponecreme daraufschichten und glattstreichen.
Die eingeschichtete Creme 2–3 Std. im Kühlschrank durchkühlen lassen. Die zurückgelegten Erdbeeren vor dem Servieren auf die fertige Speise geben.

Zubereiten: 45 Minuten
Kühlen: 2–3 Stunden
1 Port. (6 Port.): 10 g E, 10 g F, 37 g KH = 1427 kJ (341 kcal)

*Der säuer-
lich-frische
Mascarpone ver-
trägt sich gut mit den
fruchtig-süßen Erdbee-
ren, die noch mit einem
Hauch Erdbeerlikör aroma-
tisiert werden*

Ricotta-Torte

Torta di ricotta
Sardinien

Für 6–8 Stücke:
150 g Löffelbiskuits
40 g gehackte Mandeln
4 Blatt weiße Gelatine
4 Eigelb
1 Päckchen Vanillezucker
50 g Zucker
500 g Ricotta (ital.
Frischkäse, ersatzweise
Sahnequark)
1–2 EL Sambuca
(Anisschnaps)
³⁄₈ l Schlagsahne
40 g Mandelblättchen

Löffelbiskuits an einem
Ende mit dem Sägemesser
soweit kürzen, daß sie
gleiche Höhe wie die
Springform haben. Ge-
hackte Mandeln ohne Fett
goldbraun rösten. Ge-
latine in kaltem Wasser
einweichen.
Eigelb mit Vanillezucker
und Zucker mit den
Handrührerquirlen zu ei-
ner dicklichen, fast wei-
ßen Creme aufschlagen.

Gelatine tropfnaß bei milder Hitze auflösen und
unter die Eicreme rühren.
Ricotta, geröstete Man-
deln und Sambuca unter-
rühren. Sahne steif schlagen. Drei Viertel davon
unter die Ricottacreme
ziehen.
Den Ring der Springform
(18 cm ∅) ohne Boden
direkt auf eine Servier-
platte stellen. Restliche
Sahne in einen Spritzbeu-
tel füllen und einen Ring
in den inneren Rand der
Form spritzen. Löffelbis-
kuits mit der Zuckerseite
nach außen in den Sahne-
ring stellen. Ricottacreme
in die Mitte füllen, die
Oberfläche glattstreichen.
Die Torte mindestens
1 Std. kühl stellen.
Die Mandelblättchen kurz
vor dem Servieren ohne
Fett goldbraun rösten,

kalt werden lassen und
erst dann auf die Torte
streuen. Vor dem Auftra-
gen den Springformrand
vorsichtig entfernen.

Zubereiten: 45 Minuten
Kühlen: mindestens 1 Stunde
1 Port. (8 Port.): 9 g E, 24 g F,
24 g KH = 1707 kJ (408 kcal)

Cappuccino, prego!
Eine Cappuccino-Bestel-
lung in einer italienischen
Bar kann sehr kompliziert
sein. Er kann entweder
hell (chiaro) oder dunkel
(scuro), kochendheiß (bol-
lente) oder warm (caldo)
oder auch nur lau (tiepido)
sein und mit wenig (poca)
oder ganz ohne Schaum
(senza schiuma) serviert
werden. Und das auf
Wunsch auch noch im
Glas (in vetro). Wenn es
hochkommt, könnte die
Cappuccino-Bestellung im
folgenden Befehl enden:
Cappuccino scuro tiepido
con poca schiuma in vetro.
Prego!

Eiskaffee

Caffè freddo
Im Foto oben

Für 6 Portionen:
³⁄₄ l starker Kaffee
3 EL Zucker
¹⁄₄ l Schlagsahne
500 ml Schokoladeneis
6 EL Amaretto
Borkenschokolade

Kaffee mit Zucker süßen
und kalt werden lassen.
Sahne steif schlagen und
kühl stellen. Eis auf 6 vorgekühlte Gläser verteilen,
je 1 EL Amaretto und je
¹⁄₈ l Kaffee daraufgeben.
Schlagsahne obendrauf
spritzen und mit zerrie-
bener Borkenschokolade
bestreuen.

Zubereiten: 15 Minuten
1 Port.: 3 g E, 16 g F, 29 g KH =
1315 kJ (314 kcal)

Walnußeis mit Eissauce und Baisers

Gelato di noci
con baisers
Im Foto unten

Für 6–8 Portionen:
500 ml Vanilleeis
4–5 EL Mokkalikör
750 ml Walnußeis
6–8 Baiserschalen

Vanilleeis bei Zimmer-
temperatur in 10–15 Min.
auftauen lassen. Likör
untermischen, mit den
Handrührquirlen schau-
mig rühren. Walnußeis
portionieren, mit Eissau-
ce und Baisers servieren.

Zubereiten: 20 Minuten
1 Port. (8 Port.): 5 g E, 8 g F,
35 g KH = 1287 kJ (308 kcal)

Zwei weltberühmte italienische Eisspeziali-täten: Eiskaffee, hier mit Amaretto verfeinert. Und kerniges Wal-nußeis in einer kühlen Sauce aus Vanille-eis, die mit Mokkalikör gewürzt ist. Dabei liegen, damit es richtig italienisch wird, zuckersüße Baisers. Zwei ungemein prakti-sche Desserts, weil man alle Zutaten fertig kaufen kann

Mandelkekse

Cantuccini
Toskana, Umbrien

Für etwa 650 g Kekse:
175 g Mandeln
250 g Mehl
180 g Zucker
1 TL Backpulver
2 Päckchen Vanillezucker
½ kleine Flasche
Bittermandelaroma
Salz
25 g Butter (zimmerwarm)
2 Eier (Gew.-Kl. 2)

Mandeln kurz in kochendes Wasser geben, in ein Sieb schütten, kalt abbrausen und häuten. Mandeln auf einem Tuch ausbreiten und über Nacht trocknen lassen.
Für den Teig Mehl, Zucker, Backpulver, Vanillezucker, Bittermandelaroma und Salz auf die Arbeitsfläche häufen. In die Mitte eine Mulde eindrücken, Butter und Eier hineingeben. Alle Zutaten mit einem Spatel zu einem Teig verarbeiten. Die Mandeln unterkneten. Den Teig mit etwas Mehl zu einer Kugel formen und 30 Min. kalt stellen.

Den Teig in 6 Teile schneiden. Aus jedem Teil eine 25 cm lange Rolle formen.
Ein Backblech mit Backtrennpapier auslegen. Die Rollen im Abstand von 8 cm voneinander darauflegen. Im vorgeheizten Backofen (200 Grad, Gas 3) 10–15 Min. vorbacken, kalt werden lassen und dann schräg in etwa 1 cm dicke Scheiben schneiden. Kekse mit einer Schnittfläche auf das Backblech legen und noch einmal 8–10 Min. rösten (200 Grad, Gas 3). Die Cantuccini müssen zum Schluß goldbraun sein.
Die Kekse auskühlen lassen und dann erst in einer geschlossenen Blechdose aufbewahren.

Zubereiten: 1½ Stunden
50 g: 6 g E, 10 g F, 30 g KH =
999 kJ (239 kcal)

Das passende Getränk:

Die Cantuccini sind die ständigen Begleiter zum Vin Santo, dem Heiligen Wein, einem schweren Dessertwein. Am besten schmecken die Mandelkekse, wenn man sie tief in die heilige Flüssigkeit eintaucht.

Gratinierte Pfirsiche mit Amaretto-Zabaione

Pesche gratinate allo zabaione di amaretto

Für 6 Portionen:
Pfirsiche:
12–15 kleine Pfirsiche
1 Limette (unbehandelt)
Zucker nach Geschmack

Zabaione:
2 Eigelb
1 Ei
4 cl Amaretto
50 g Zucker

Die Pfirsiche waschen, abtrocknen, halbieren und die Steine herauslösen. Die Limette fein abreiben, dann auspressen.
Die Pfirsiche mit der Höhlung nach oben auf eine ofenfeste Platte legen, mit dem Limettensaft beträufeln und nach Geschmack mit Zucker bestreuen. Im vorgeheizten Backofen (200 Grad, Gas 3, 2. Leiste v. u.) 5 Min. erhitzen.
Inzwischen Eigelb und Ei mit Amaretto und Zucker in einem Schneekessel (oder in einer Metallschüssel) über dem heißen Wasserbad bis kurz vor dem Siedepunkt schaumig-cremig aufschlagen. Die Hälfte der Limettenschale unterrühren.
Die Pfirsiche auf Portionstellern anrichten, mit der Zabaione begießen und mit der restlichen Limettenschale bestreuen.

Zubereiten: 20 Minuten
1 Port.: 4 g E, 3 g F, 23 g KH =
680 kJ (163 kcal)

Unser Tip:

Man kann die Pfirsiche vorm Gratinieren kurz in kochendes Wasser tauchen, kalt abschrecken und häuten.

Die Zabaione ist eine (über dem heißen Wasser-bad) aufgeschlagene Wein-schaumsauce. Hier wurde der Wein durch bittersüßen Amaretto ersetzt, weil die Zabaione so besser zu den kleinen fruchtig-süßen Pfirsichen paßt

Sizilianischer Kuchen

Cassata
Palermo, Sizilien

Für 8–12 Portionen:
Teig:
4 Eier (Gew.-Kl. 2)
125 g Zucker
2 EL Zitronensaft
100 g Mehl
Fett und Mehl für die Form
Füllung:
100 g kandierte Früchte
50 g bittere Schokolade
500 g Sahnequark
2 EL Schlagsahne
3 EL Orangenlikör
50 g Zucker
Glasur:
350 g dunkle Kuvertüre
⅛ l Mokka
(aus 1 TL Instant-Kaffee)
250 g Butter

Eier trennen. Eigelb mit Zucker und Zitronensaft mit den Schneebesen vom Handrührer zu einer dicklich-weißen Creme aufschlagen. Das Mehl darübersieben. Eiweiß steif schlagen. Ein Drittel davon auf das Mehl geben und unterrühren. Restlichen Eischnee vorsichtig unterheben.
Eine Kastenform (1¼ l) am Boden dünn ausfetten und mit Mehl bestäuben (oder auf dem Boden mit Backtrennpapier auslegen). Teig einfüllen und glattstreichen, im vorgeheizten Ofen (175–200 Grad, Gas 2–3, 2. Leiste v. u.) 25 Min. backen, etwas abkühlen lassen, aus der Form nehmen, kalt werden lassen und dann der Länge nach in 3–4 Scheiben schneiden.
Kandierte Früchte fein würfeln. Schokolade grob hacken. Quark durch ein Sieb streichen, mit Sahne, Likör und Zucker verrühren. Früchte und Schokolade untermischen. Alle Böden (bis auf den obenliegenden) auf der Oberseite damit bestreichen, aufeinandersetzen und etwas andrücken. Letzten Boden daraufsetzen, andrücken. Kuchen fest in Alufolie einwickeln und mindestens über Nacht kühl gestellt durchziehen lassen.
Für die Glasur Kuvertüre grob hacken, bei milder Hitze im Mokka schmelzen lassen. Butter stückchenweise unterrühren. Masse kühl stellen, bis sie streichfähig ist. Kuchen mit einer Palette dünn mit der Glasur bestreichen. Restliche Glasur in einen Spritzbeutel (Sterntülle 4) geben, die Cassata damit verzieren.
Die Cassata noch einmal über Nacht im Kühlschrank durchziehen lassen und vor dem Anschneiden erst auf Zimmertemperatur temperieren, sonst bröckelt die Glasur.

Zubereiten: 1 Stunde
Kühlen: 2 Nächte
1 Port. (12 Port.): 9 g E, 36 g F, 41 g KH = 2373 kJ (567 kcal)

Die passende Geschichte:
Das Meisterwerk unter den palermitanischen Süßigkeiten (und davon gibt es in Palermo gewiß viele) ist die Cassata, der traditionelle Osterkuchen.

Beerencocktail mit Vanilleeis

Frutta di bosco
con gelato alla vaniglia

Für 4 Portionen:
400 g gemischte Beeren
(Himbeeren, Brombeeren, schwarze und rote Johannisbeeren)
30 g abgezogene Pistazienkerne
150 g Sahnejoghurt
1 EL Zucker
2 EL Zitronensaft
¼ l Schlagsahne
200 ml Vanilleeis

Himbeeren und Brombeeren verlesen. Johannisbeeren in einem Sieb kurz abbrausen, dann von den Rispen streifen und gut abtropfen lassen. Ein Drittel der Früchte zur Dekoration beiseite legen. Pistazien (bis auf 10 g) durch die Mandelmühle drehen.
Den größeren Teil der Beeren mit Joghurt, Zukker, Zitronensaft und gemahlenen Pistazien mit den Handrührerquirlen verrühren und zugedeckt kalt stellen.
Restliche Pistazienkerne hacken. Sahne steif schlagen und unter die Beerencreme ziehen. Hälfte Creme in Portionsgläser geben, je 1 Eiskugel daraufsetzen und mit der restlichen Creme halb bedekken. Die restlichen Beeren und Pistazien darüberstreuen. Den Beerencocktail sofort servieren.

Zubereiten: 20 Minuten
1 Port.: 7 g E, 34 g F, 28 g KH = 1934 kJ (462 kcal)

Der passende Tip:
Außerhalb der Beerenzeit können Sie dieses fruchtige Dessert sehr gut mit tiefgekühlten Beeren zubereiten.

Die Italiener sind wie wild auf die Frutta di bosco, die sie in den tiefen Wäldern des Appenin noch immer in großen Mengen sammeln können. Zu den Frutta di bosco gehören Himbeeren, Brombeeren, Blaubeeren und schwarze und rote Johannisbeeren

KÄSE UND WEIN

FORMAGGIO E VINO

Seit den Zeiten der Römer sind die Italiener Meister in der Herstellung der unterschiedlichsten Käsesorten. Ohne Käse ist die italienische Küche nicht denkbar. Käse begleitet jede Mahlzeit: ob pur oder in Stücke gebrochen, ob zum Aperitif oder zum Wein, ob als nahrhafte Zutat oder als Würze für Nudeln, Suppen, Gemüse und Pizza. In unserem Käse-ABC auf Seite 306 sagen wir Ihnen alles über die wichtigsten Sorten und ihre Verwendung. Und nun zum Wein: Wer in Italien welchen trinkt, hat's einfach. Der wählt einfach einen aus der Gegend, in der er sich gerade befindet. Wer aber hierzulande italienischen Wein kauft oder bestellt, der muß erst einmal genau studieren, was die vielen fremden Wörter und Zeichen bedeuten, mit denen eine Flasche gemeinhin versehen ist. Dabei helfen wir Ihnen in Wort und Bild (auf Seite 304), und wir geben Ihnen selbstverständlich Hinweise auf Rebsorten, Weinarten und andere wichtige Begriffe aus der Weinkunde in unserem Wein-ABC ab Seite 302.

Wein

Für die Alte Welt war Italien „Oinotria", das Weinland. Auch heute noch ist es das Land, das den meisten Wein anbaut, trinkt und exportiert. Die Skala reicht hier vom einfachen **Vino da Pasto**, der in den kleinen Trattorien als Tischwein offen ausgeschenkt oder als schlichter Tafelwein mit Markennamen in dickbauchigen Zwei-Liter-Flaschen exportiert wird, bis zu hochfeinen Gewächsen mit berühmten Namen, die sich erfolgreich mit den besten Franzosen messen.

In jeder Kategorie gibt es gute Weine, mittelmäßige und solche, die enttäuschen. Was die Auswahl so schwer macht, ist die Vielgestaltigkeit der italienischen Weine. Von den Ausläufern der Alpen im Norden über die Poebene, die Hänge des Apennin und der Abruzzen bis zum äußersten Süden nach Apulien, Kalabrien und Sizilien, hat jede Landschaft „ihre" Weine. Es gibt über 1,6 Millionen eingetragene Weinberge und rund 90 verschiedene Rebsorten, einheimische, andernorts unbekannte, und klassische, aus Frankreich und Deutschland eingebürgerte.

Es ist erst 25 Jahre her, daß der italienische Staat versuchte, diese für alle Außenstehende schwer durchschaubare Vielfalt mit einem Gesetz über die kontrollierte Herkunft und Qualität zu ordnen. Die **Denominazione di Origine Controllata**, abgekürzt **DOC**, entspricht in etwa unserem Qualitätswein bestimmter Anbaugebiete (**QbA**). Weine mit dieser Bezeichnung werden genau kontrolliert. Rebsorten, Anbauzonen und Herstellungsmethoden sind bindend vorgeschrieben. Inzwischen ist noch eine Zusatzbezeichnung, die „**Garantita**" = **DOCG**, für bisher sechs Weinsorten hinzugekommen, die damit höchste Qualität garantieren soll.

220 Weinbaubereiche mit mehr als 800 verschiedenen Weinsorten tragen mittlerweile die **DOC**-Bezeichnung. Sie stellen aber nur etwa 12 Prozent der gesamten italienischen Weinerzeugung. Der Rest ist Tafelwein, **Vino da Tavola**. Darunter finden sich sowohl einfache Marken- und Massenweine unbestimmter Herkunft wie auch **Vini Tipici**, Landweine, die nach alten Traditionen und aus festgelegten Rebsorten in bestimmten Gebieten hergestellt werden, als auch hochpreisige Weine renommierter Weingüter, die wegen der verwendeten Rebsorten und wegen besonderer Herstellungsmethoden nicht in das **DOC**-Schema passen.

Wein-ABC

abbocato, amabile: lieblich, mild

Abruzzen: gebirgige Region in Mittelitalien, hat vor allem kräftige, dunkle Rotweine (Montepulciano d'Abruzzo DOC).

Alba: Weinort im Piemont, wo aus der Nebbiolo-Traube der berühmte DOCG-Wein Barolo und der ihm nahestehende Barbaresco gewonnen werden.

amaro: bitter

302

Annata oder **Vendemmia**: Jahrgang (Ernte), Angabe bei DOC-Weinen zwingend vorgeschrieben.

Apulien: die mit durchschnittlich 1 Milliarde Litern weinreichste Region im Absatz des italienischen Stiefels, dunkle, robuste Landweine, wenig DOC (2 %), berühmt die Roséweine, u. a. **Castel del Monte DOC.**

Barbaresco: herzhafte, dunkle, herbe Rotweine mit DOCG aus Piemont, aus der Nebbiolo-Traube.

Barbera: rustikale Rotweine aus Piemont, aus der gleichnamigen weitverbreiteten Rebsorte.

Bardolino: Rot- und Rosé-Weine vom westlichen Ufer des Gardasees (mit DOC), frisch, fruchtig und trocken, am besten jung zu trinken.

Barolo: gilt als „König der Weine" Italiens, aus den Nebbiolo-Trauben im Piemont gewonnen, mit DOCG, tiefdunkle, gerbstoffreiche Weine, die erst nach längerer Faß- und Flaschenlagerung ihre Würze entfalten.

Barrique: kleines Eichenfaß, in dem Weine nach französischem Vorbild ausgebaut werden.

Bianco: Weißwein

Bianco di Custoza: frischer, leichter Weißwein (mit DOC) aus der Lombardei, auch als Schaumwein.

Brunello di Montalcino: berühmter Rotwein (mit DOCG) aus der Toskana, aus der dort heimischen Sangiovese-Rebe (braucht lange Reifezeit im Faß und in der Flasche).

Cabernet: Rotweinrebe aus Bordeaux, seit einigen Jahrzehnten auch vielfach in Italien angebaut. In Mischungen oder rein zu hochpreisigen, lange lagerfähigen kräftigen Rotweinen ausgebaut.

Cannonau: Rotweinrebe aus Sardinien. Sie ergibt dunkle, kräftige Bratenweine, aber auch trockene bis süße portweinähnliche Dessertweine (aufgespritet mit 18 % Alkohol).

Cantina: Kellerei, **Cantina sociale** oder **Cantina cooperativa:** Genossenschaftskellerei

Casa vinicola: Weinhaus

Charmat: Methode zur Erzeugung von Schaumweinen (Tankgärverfahren).

Chianti: Italiens weltweit bekanntester Wein aus dem toskanischen Bergland zwischen Florenz und Siena. Wurde in jüngster Zeit in die Kategorie der DOCG-Weine aufgenommen.

Chianti Classico kommt aus dem enger begrenzten Ursprungsgebiet, wird durch ein eigenes **Consorzio** kontrolliert und mit dem **Gallo Nero** (schwarzer Hahn) ausgezeichnet. Chianti besteht aus einer Mischung von roten Sangiovese- und Canaiolo-Trauben mit einem kleinen Zusatz von weißen Trebbiano-Trauben (manchmal auch noch Malvasia- und/oder Grecchetto-Trauben). Es gibt rund 7000 registrierte Lagen und mehrere hundert Erzeuger, dementsprechend große Qualitäts- und Preisunterschiede.

Die leichteren Chianti mit höherem Anteil an weißen Reben werden meist jung und kühl getrunken.

Chianti Riserva, länger gelagert und mit geringem Anteil an weißen Rebsorten, können gut altern, sind schwer und kräftig.

Chiaretto: heller Rotwein, Zwischenstufe zu Rosé.

Cirò: schwere Rot-, süffige Rosé- und milde Weißweine mit DOC aus Kalabrien.

Classico: Bezeichnung für das klassische Traditionsgebiet von DOC-Weinen (z. B. Chianti Classico).

Consorzio: ein Zusammenschluß von Erzeugern zur Überwachung der Weinbereitung bestimmter Gebiete.

Corvo: Markenname für viele exportierte Weine aus Sizilien (weiß, rot und Spumante).

Degustazione: Weinprobe

dolce: süß (bei Weinen: stärker als amabile, lieblich)

Dolcetto: milde, aber absolut trockene Rotweine aus Piemont, mit DOC.

Enoteca: Vinothek, Ausstellung von Weinen zum Vergleich, für Proben und zum Verkauf, von amtlichen Stellen organisiert, aber auch privat.

Est! Est!! Est!!!: aus Montefiascone am Bolsena-See in Latium kommt dieser goldgelbe Wein mit DOC, der vor allem durch die Legende um seinen Namen berühmt wurde (ein wandernder Bischof hatte seinen Diener vorausgeschickt, um die besten Weine am Weg zu suchen – dieser schien ihm der beste).

Fattoria: Weingut (vor allem in Mittelitalien)

Fermentazione: Gärung

Fermentazione naturale steht oft als Bezeichnung für Perlweine mit natürlicher Gärung (ohne zugesetzte Kohlensäure).

Frascati: weißer, trockener bis leicht lieblicher Wein mit DOC aus Latium, Lieblingswein der Römer, die ihn meist offen in den Trattorien zu allem trinken (gut gekühlt und jung).

Galestro: trockener, leichter, jung zu trinkender Weißwein aus der Toskana (aus Trebbiano- und anderen Trauben).

Grignolino: Rebsorte aus Piemont, ergibt leichte, hellrote Weine, die jung und gekühlt getrunken werden sollten.

imbottigliato da . . . : abgefüllt von . . .

invecchiato: gelagert, auch: gealtert

Kalterer See: siehe Lago di Caldaro

Lago di Caldaro: die hellen, leichten Rotweine vom Kalterer See und der Umgebung von Bozen werden aus der Schiava-Traube (in Tirol Vernatsch genannt, identisch mit Trollinger) gewonnen. Kühl und jung zu trinken. Vor Jahren durch unkontrollierte Verschnitte und Massenausfuhr in 2-Liter-Flaschen in Verruf geraten. Jetzt als DOC-Wein streng kontrolliert. **Caldaro Classico** kommt aus der unmittelbaren Umgebung des Sees, **Superiore** und **Scelto** (oder Auslese) bezeichnen bessere Qualitäten mit höherem Alkoholgehalt.

Lagrein: im Etschland (Südtirol und Trentino) beheimatete rote Rebsorte. Ergibt herzhafte, süffige Rot- und vor allem als

Lagrein Kretzer Roséweine mit DOC.

Malvasia: weitverbreitete weiße Rebsorte, aromatisch. Ergibt milde, trockene oder liebliche Weine.

Marchio depositato: eingetragene Schutzmarke

Marsala: schwere, volle Dessertweine aus Sizilien, die ähnlich wie Portwein mit Weinalkohol angereichert (auf 18 Vol.-%) und jahrelang in Fässern gealtert werden. Neben süßen Marsala-Sorten, die früher zuweilen noch mit Eiern **(all'uovo)**, Chinin **(chinato)** und Zusätzen von Kräutern angereichert wurden, gibt es auch halbtrockene bis absolut trockene, die sich leicht gekühlt gut als Aperitif eignen. Die inzwischen von der DOC überwachte Qualität steigert sich vom **Marsala Fine** über den **Superiore Riserva** bis zum **Marsala Vergine,** der ganz ohne Zusätze auskommt.

Metodo classico (früher **Metodo champenois):** für Schaumweine, die in der klassischen Flaschengärung (wie für Champagner vorgeschrieben) zubereitet werden.

Montepulciano d'Abruzzo: dunkle Rebsorte aus den Abruzzen, für volle Rotweine.

Montepulciano, Vino Nobile di –: einer der besten Rotweine aus dem Chiantigebiet, mit DOCG.

Moscato: die verschiedenen Formen der Muskatreben sind in Italien weit verbreitet und liefern süße Dessertweine: **Moscato Giallo** (Goldmuskateller) und **Moscato Rosa** (Rosenmuskateller, im Trentino und im Piemont), und die Grundweine für **Asti Spumante** und andere Schaumweine mit und ohne DOC.

Müller-Thurgau: die Riesling - Silvaner - Kreuzung liefert am Alpensüdrand (Trentino und Friaul) rassige Weine.

Nebbiolo: edle Rotweinrebe aus dem Piemont. Liefert Barolo-, Barbaresco- und Nebbiolo-DOC-Weine. Kräftig, dunkel, würzig, lagerfähig

Nosiola: Weißweinrebe aus dem Trentino mit DOC.

Geschmacksangabe (secco = trocken), nicht obligatorisch

Name des Weins und Bezeichnung der Weinkategorie, hier Denominazione di Origine Controllata (= DOC), in jedem Fall vorgeschrieben

Flascheninhalt (hier 0,75 l e)

Wappen, Warenzeichen und Namen dürfen (müssen aber nicht) angegeben werden

Zwingend vorgeschrieben: der Name des Erzeugers oder des Abfüllers und der Abfüllungsort, das Herkunftsland und der Alkoholgehalt (in Vol.-%)

Jahrgang, DOC-Weinen Vorschrift

VENDEMMIA 1987

Siegel des Schutzkonsortiums, zusätzliche Qualitätsgarantie bei DOC-Weinen, mit fortlaufender Numerierung

Nuragus: alte sardische Rebsorte für weiße Weine.

Orvieto: ein goldfarbener Weißwein mit DOC. Früher **abbocato** (lieblich), heute meist trocken und heller. Aus einem weiten Bereich um die Stadt Orvieto in Umbrien.

Passito: Weine aus Trauben, die auf Gestellen antrocknen. Kräftig, gehaltvoll und meist süß.

pastoso: mild, leicht, lieblich

Pinot Bianco: Weißburgunder, **Pinot Grigio:** Grauburgunder (Ruländer), **Pinot Nero:** Blauburgunder (Spätburgunder). Die Burgunderreben, vor Jahrzehnten aus Frankreich eingeführt, liefern in Norditalien gute Rot- und Weißweine, oft mit DOC (Trentino, Alto Adige, Friaul) und, zusammen mit Chardonnay, Schaumweine nach Champagner-Art (Metodo Classico).

Produttore: Erzeuger, Produzent

Prosecco: Weißweinrebe, in Venetien verbreitet, oft zu Schaum- bzw. Perlweinen **(frizzante)** verarbeitet.

Raboso: eigenständiger, dunkler, herzhafter Rotwein aus Venetien.

Recioto: Wein aus zum Teil angetrockneten Trauben, stark und meist süß.

Refosco: eine Rotweinrebe aus Friaul.

Riesling Italico: Welschriesling, nicht verwandt mit dem edleren Rheinriesling, **Riesling Renano,** beide am Alpensüdrand angebaut, gut zu Fischgerichten.

Riserva: nur bei DOC-Weinen als Bezeichnung für länger gelagerte Weine höherer Qualität.

Rosato: Rosé

rosso: rot

Sangiovese: die wertvollste Rotweinrebe der Toskana, nicht nur für Chianti, sondern auch sortenrein oder mit Cabernet verwendet.

Schiava: Vernatsch, Trollinger, Rotweinrebe im Tiroler Etschland, liefert frühreife Rotweine (Caldaro, Santa Maddalena).

secco: trocken, herb

Soave: leichter, jung zu trinkender Weißwein aus Venetien (nördlich Verona), aus Garganega-

und Trebbiano-Trauben. Nach dem Chianti mengenmäßig der zweite unter Italiens DOC-Weinen. Duftig und trocken. Weine aus dem **Classico**-Bereich und mit der Bezeichnung **Superiore** sind gehobene Qualität und halten sich etwas länger.

Spumante: Schaumwein (Sekt), im Tankgärverfahren **(Charmat)** oder mit Flaschengärung **(Metodo Classico)** hergestellt, **brut** (trocken), **demi-sec** oder **semisecco** (halbtrocken, lieblich) und **amabile** (süß).

Superiore: nur für DOC-Weine mit über der Norm liegenden Qualitätsmerkmalen.

Tenuta: Hof, Weingut

Teroldego: alte Rotweinrebe, die nur im Trentino angebaut wird. Dunkle, kräftige Weine.

Tocai Friulano: seit Jahrhunderten im Friaul angebaute Rebsorte (nicht verwandt mit dem ungarischen Tokajer). Liefert auch in Venetien und der Lombardei ausdrucksvolle, frische Weißweine mit DOC.

Torgiano: DOC-Bereich in Umbrien, südöstlich von Perugia, mit voluminösen Rot- und frischen, blumigen Weißweinen (u. a. mit Trebbiano).

Traminer: alte Rebsorte, liefert wie der von ihr abstammende **Gewürztraminer** im Etschtal würzige, milde Weißweine.

Trebbiano: in Mittelitalien und im Süden weitverbreitete Weißweinrebe, die milde bis würzige, jung zu trinkende Weine liefert. Bestandteil des Chianti und der meisten weißen Weine der Toskana **(Bianco di Toscana, Galestro).**

Valpolicella: nach Chianti, Soave und Moscato d'Asti auf dem vierten Platz in der DOC-Produktion. Wird vorwiegend um Verona im großen Stil angebaut. Als einfacher Valpolicella ein rubinroter, trockener Wein

für viele Gelegenheiten. Als **Recioto** und **Amarone** aus halbgetrockneten Trauben, lagerfähig, voll, schwer und mächtig.

vecchio: alt, bei DOC-Weinen nach bestimmter Lagerung

Vendemmia: Weinlese, Jahrgang

Verdicchio: Weißwein mit DOC aus den Marken, beliebt zu Fischgerichten und als Schaumwein.

Verduzzo: im Friaul heimische Weißweinrebe, die frische, jung zu trinkende Weißweine ergibt, meist blumig und trocken.

Vernaccia: alte Weißweinrebe, am bekanntesten und am besten als **Vernaccia di San Gimignano** (mit DOC). Trocken, blumig, jung zu trinken. Auch als Perl- oder Schaumwein. In Sardinien auch ein Sherry-ähnlicher Dessertwein.

Vigna, Vigneto: Weinberg

Vino da Arrosto: Bratenwein. Robuste, ältere, volle Rotweine, die gut zu schweren Fleischgerichten passen.

Vino da Pasto: einfacher Tischwein

Vino da Tavola: Tafelwein. Sind meist einfache Tischweine, aber auch Spezialitäten guter Weingüter, die nicht in das DOC-Schema passen.

Vino Novello: ein neuer Wein, der fast unmittelbar nach der Ernte auf den Markt kommt und noch im gleichen Jahr getrunken werden sollte (wie Beaujolais Nouveau).

Vin Santo: in der Toskana aus Trebbiano- und Malvasia-Trauben, die auf Gestellen getrocknet werden, gekeltert und mindestens drei Jahre in kleinen Fässern auf dem Dachboden gelagert. Ergibt volle, aromatische, süße bis herbe Dessertweine, die jahrelang haltbar sind (in der Toskana mit DOC, aber auch aus anderen Regionen).

Viticoltore: Weinbauer, Winzer

Gisela Gramenz

Parmigiano Reggiano

Der bekannteste aller italienischen Käse, oft auch der „König der Käse" genannt, wird bei uns oft nur als Reibkäse zu Pastagerichten aller Art und zum Überbacken benutzt. Wer seinen feinen, würzigen, nußartigen Geschmack richtig auskosten will, sollte ihn frisch vom Stück kaufen (am besten mit dem mandelförmigen Spezialmesser gebrochen, siehe Foto) und so zum Aperitif essen.

Auch zur Pasta sollte er immer frisch gerieben werden. Geriebener Parmesan wird leicht bitter und scharf, wenn man ihn ungeschützt aufbewahrt. Reste können, fest in Alufolie eingewickelt, gut eingefroren werden.

Der Parmesan ist ein Hartkäse, der mindestens ein Jahr („fresco"), oft aber zwei bis drei Jahre („vecchio" bzw. „stravecchio") beim Hersteller reift, ehe er in den Handel kommt.

Echter Parmesan stammt aus einem genau begrenzten Gebiet der Emilia-Romagna, der Region um Bologna. Sein Ursprung wird von einem eigenen Konsortium überwacht (Qualitätsgarantie ist der Stempel auf der Rinde „Parmigiano Reggiano"). Mit einem Fettgehalt von 32 % in der Trockenmasse ist der Parmesan nur „dreiviertelfett" und sollte deshalb zum Überbacken mit Butter, Öl oder Sahne versetzt werden, weil er sonst verbrennt.

Grana Padano

Der Grana Padano ist der Bruder des Parmesan und wird oft mit ihm verwechselt: Er hat die gleiche körnige Struktur und den gleichen Fettgehalt (32 % i. Tr.). Der wie der Parmesan aus Kuhmilch hergestellte Grana wird in glei-

cher Weise verwendet, als Reibkäse oder in Stückchen gebrochen. Er ist nicht ganz so pikant, heller im Teig und in der (ebenfalls zur Kontrolle gestempelten) Rinde. Erzeugungsgebiete sind die ganze Poebene und Teile vom Piemont, der Lombardei, Venetien und der Emilia-Romagna.

Pecorino Romano

Pecorino ist ein Sammelbegriff für große, zylinderförmige Hartkäse, die nach uralten Rezepten aus Schafsmilch hergestellt und – wie Parmesan und Grana – vorwiegend als Reibkäse zu Teigwaren und Gemüsegerichten gegessen werden.

Der Pecorino Romano (aus Latium und Sardinien) mit dunkelbrauner Rinde und weißem bis blaßgelbem und körnigem Teig hat nur 30 % Fett i. Tr. Pecorino Siciliano mit gelblichem Teig und heller Rinde hat mindestens 40 % Fett i. Tr.

Alle Pecorino-Käse haben einen charakteristi-

schen, würzig-pikanten Geschmack, der zuweilen durch Pfefferkörner im Teig verstärkt wird (siehe Foto auf S. 300).

Caciocavallo

Der Caciocavallo ist ein milder, vollfetter Hartkäse aus Kuhmilch, der jung als Tafelkäse, gereift auch als Reibkäse zu vielen Gerichten verwendet wird, in denen nur ein sanftes Käsearoma gewünscht ist. Mit mindestens 44 % Fett i. Tr. schmilzt er sehr gut. Zum Reifen (sechs bis zwölf Monate) wird bei den ursprünglich kugelförmigen Käsen ein „Köpfchen" abgebunden, und die Käse werden paarweise zum Trocknen aufgehängt, manchmal auch geräuchert.

Provolone

Dieser vollfette Hartkäse (45 % Fett i. Tr.), rund oder walzenförmig, wird zum Trocknen und Reifen

mit Schnüren abgebunden und aufgehängt – daher seine charakteristischen Einkerbungen. Er schmeckt ganz jung (und hell) mild und süßlich, nach vier Monaten Reife zartwürzig wie Butterkäse, nach sechs Monaten herzhaft. Gelegentlich wird er auch geräuchert angeboten. Ein Käse für alle Gelegenheiten – zum Brot, zum Salat und für warme Gerichte.

Gorgonzola

Der weiche Edelpilzkäse mit seinen blaugrünen Schimmeladern wird in dem Dörfchen Gorgonzola in der Nähe von Mailand schon im 12. Jahrhundert erwähnt. Heute

Grana Padano

Pecorino

Fontina

Bel Paese

Taleggio

Mozzarella di Bufalo

Mozzarella in Lake

wird er in einem genau begrenzten Gebiet in der Poebene hergestellt und dabei von einem eigenen Qualitäts-Konsortium überwacht. Der vollfette Käse (mit mindestens 48 % Fett i. Tr.) ist einer der berühmtesten Tafelkäse Italiens und wird gern mit Trauben, Birnen und Nüssen zum Dessert serviert. Sein deutliches Pilzaroma gibt aber auch vielen warmen Gerichten einen pikanten Geschmack: Saucen zur Pasta und zu Gnocchi, Eierspeisen und gefüllten Gemüsen zum Beispiel. Er ist mild, solange er cremig-weich, fast fließend ist. Mit zunehmendem Alter wird er schärfer, ist dann bröckelig und mit vielen charakteristischen Pilzadern durchzogen.

Fontina

Der vollfette, gut schnittfähige Käse kommt aus dem Aostatal im Norden Italiens. Er wird aus Kuhmilch, in großen flachen Laiben, im Gewicht von acht bis achtzehn Kilogramm hergestellt, hat einen gelben, mit einigen wenigen Löchern durchsetzten Teig und eine feste bräunliche Rinde.

Er schmeckt mild-würzig und schmilzt wegen seines hohen Fettgehalts (mindestens 45 % i. Tr.) leicht, deshalb nimmt man ihn in der Küche gern für Käsecremes, zum Überbacken und für Fondue.

Bel Paese

Der elfenbeinweiße, zart schimmernde Käse ist wegen seines milden, leicht buttrigen Geschmacks als Dessertkäse mit frischem Obst und bei Kindern beliebt. Er wird in vielen Formen und Größen hergestellt und in Folie (mit Namensaufdruck) gereift, so daß er eine kaum spürbare Rinde hat. Er kann gut im Kühlschrank gelagert werden und eignet sich auch (als Butterersatz) fürs Picknick, weil er weder schmilzt noch austrocknet. Sein Fettgehalt: 50 % i. Tr.

Taleggio

Der Taleggio wird nach uralten Rezepten in der Lombardei aus Kuhmilch hergestellt. Der flache, quadratische Käse im Gewicht von etwa zwei Kilogramm (es gibt auch kleinere) zählt zu den Weichkäsen, aber er läßt sich gut schneiden. Der mit wenigen Löchern durchsetzte, gelbe Teig ist vollfett (mindestens 48 % Fett i. Tr.) und schmeckt mildwürzig, am besten mit Trauben oder Birnen zu kräftigem Landbrot und Wein. Die Rinde sollte man vor dem Verzehr abschneiden.

Mozzarella

Mozzarella ist ein Frischkäse ohne Rinde, mit glattem, festem, schneidfähigem Teig und einem Fettgehalt von etwa 50 % i. Tr. Er stammt aus Kampanien, wurde ursprünglich aus Büffelmilch hergestellt und vor allem für die Pizza napoletana oder als „Mozzarella in carozza" gebraucht.

Seit die Pizza weltweit über Neapel hinaus gegessen wird, ist auch der Bedarf an Mozzarella so gestiegen, daß er zumeist aus Kuhmilch bereitet wird. Aber es gibt auch heute noch die echte „Mozzarella di Bufalo", eiweiß- und fettreicher und mit kräftigem Geschmack. Ihn sollte man frisch genießen: mit Tomaten und Basilikum; mit reifen Feigen und Pfeffer. Mozzarella wird oft mit Salzlake in Plastikbeuteln verkauft, so kann man ihn einige Tage im Kühlschrank aufbewahren.

Artavaggio

Der Artavaggio aus dem Valsassina, einem der Voralpentäler der Lombardei, ist ein Beispiel für die vielen, oft nur in eng begrenzten Regionen bekannten Weichkäse Italiens. Er wird in rechteckiger oder in runder Tortenform (ähnlich wie Münsterkäse) aus Kuhmilch hergestellt, hat 50 % Fett i. Tr. und eine rötliche, mit grauem Schimmel gefleckte Oberfläche, wenn er richtig reif ist. Die Rinde wird nicht mitgegessen. Der glatte, schnittfähige Teig schmeckt angenehm würzig, aber nicht scharf.

Robiola

Der Robiola ist ein Weichkäse mit 45 % Fett i. Tr., der zumeist frisch, nur mit einer zarten, kaum spürbaren Schimmelhaut umgeben, gegessen wird. Er schmeckt dann angenehm säuerlich, mild-würzig. Bei zunehmender Reifung bekommt er eine rötliche Haut und wird angenehm pikant. Ursprünglich wurde er aus einer Mischung von Kuh- und Schafs- oder Ziegenmilch in den Voralpentälern der Lombardei hergestellt, heute kommt er auch aus der Provinz Pavia und aus dem Piemont und besteht fast immer nur aus Kuhmilch.

Gisela Gramenz

Parmigiano

Caciocavallo

Gorgonzola

Artavaggio

Provolone

Robiola

DEUTSCHES REZEPTVERZEICHNIS

ITALIENISCHES REZEPTVERZEICHNIS

Literatur:
Le ricette regionali italiane
Anna Gosetti della Salda,
Casa editrice Solares, Milano
Italien tafelt
Felice Cùnsolo, Prestel Verlag, München
Aus Italiens Küchen
Marianne Kaltenbach, Hallwag Verlag,
Bern und Stuttgart
Das große Buch der italienischen Küche
Accademia Italiana della Cucina, Delphin
Verlag, München
Die Küche in Italien
Waverly Root, TIME-LIFE International